Orthographe

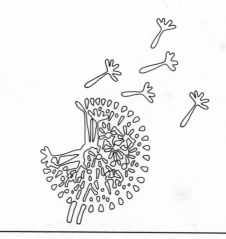

100 règles
21 000 mots

 **Larousse**

17, rue du Montparnasse, 75298 Paris Cedex 06

Librairie Larousse (Canada) limitée, propriétaire pour le Canada
des droits d'auteur et des marques de commerce Larousse. — Dis-
tributeur exclusif au Canada : les Éditions Françaises Inc., licencié
quant aux droits d'auteur et usager inscrit des marques
pour le Canada.

ISBN 2-03-800013-1

Table des matières

I

Orthographe des noms et des adjectifs

1. Le genre des noms désignant des êtres vivants

- Le **nom** peut avoir **deux formes,** l'une pour le **masculin,** l'autre pour le **féminin :** *un danseur/une danseuse; un traducteur/une traductrice; un chien/une chienne.*

- Le nom peut avoir **une seule forme** pour les **deux genres;** l'article au singulier marque le genre : *un/une architecte; un/une pianiste; un/une propriétaire; un enfant poli/une enfant polie.*

  Il n'existe parfois que le **nom masculin** avec l'article masculin qui désigne, selon les cas, soit un **homme,** soit une **femme :** *un professeur; un chef. Colette est un auteur connu. C'est elle le chef de service. Madame Durand est un grand médecin.*

Remarques.

1. Lorsque le **masculin** est la **seule forme,** et si l'on veut préciser qu'il s'agit d'une femme :

— on fait suivre cette forme du mot **femme** ou on emploie **une femme** suivi du nom masculin : *un écrivain femme; une femme écrivain. Nous avons un professeur femme;*

— dans la langue familière, on emploie quelquefois l'**article** au **féminin :** *La professeur de dessin est gentille. La chef est dure.*

2. Quand il s'agit d'**animaux,** et si l'on veut distinguer le sexe de l'animal, on fait suivre le nom masculin ou féminin des adjectifs **mâle/femelle :** *un éléphant mâle/un éléphant femelle; une girafe mâle.*

3. Le genre de quelques mots est en opposition avec celui de la personne qu'ils désignent :

— sont **féminins** les noms suivants appliqués en général aux **hommes :** *estafette, vigie, sentinelle, ordonnance, recrue;*

— sont **masculins** les noms suivants appliqués en général aux **femmes :** *un laideron, un tendron, un bas-bleu.*

Quelques mots appliqués aux femmes peuvent être masculins ou féminins : *Cette fille est un souillon/une souillon.*

2. Le genre des noms désignant des choses

- Les **noms** désignant des **objets,** des **actions,** des **états,** des **activités,** noms **concrets** et noms **abstraits,** ont un **seul genre,** masculin ou féminin. Ce genre, pour les **noms racines** ou noms de base, **n'est pas prévisible :** *équivoque, abîme,* *astérisque, apostrophe, énigme*, etc., sont-ils masculins ou féminins? Il convient de consulter le dictionnaire.

● Pour les **noms dérivés,** le genre dépend du **suffixe :**

MASCULIN	FÉMININ
-age : *lavage, repassage*	**-tion** : *donation, accélération*
-ment : *morcellement, abattement*	**-ie** : *boulangerie, épicerie*
-oir : *entonnoir, ouvroir*	**-ise** : *bêtise, couardise*
-ier : *vivier, encrier*	**-ade** : *orangeade, marmelade*

Remarques.

1. Les noms de villes.

● Les villes désignées par un nom précédé de l'article **le/la** sont du genre indiqué par cet article : *Le Havre* (masc.). *La Rochelle* (fém.). *La Bourboule* (fém.).

● Les noms de villes terminés par **-e** ou **-es** sont du féminin : *Marseille, Nantes sont belles.*

● Les noms de villes terminés par une **autre voyelle** que **-e(s)** ou par une **consonne** sont masculins : *Nancy. Brest. Bordeaux. Paris.* Toutefois ce n'est pas une faute de considérer que les noms de villes peuvent être indifféremment des deux genres.

2. Les noms de bateaux.

● Les bateaux désignés par des **noms** de **personne masculins** sont masculins : *le Colbert; le Richelieu.*

● Les bateaux désignés par des **noms** de **localité** ou des noms **abstraits masculins** sont masculins : *le Dunkerque; le Victorieux.*

● Les bateaux désignés par des **noms féminins** sont masculins ou féminins selon le **type de navire** qu'ils désignent : la *Jeanne d'Arc* (une frégate ; fém.); la *Marseillaise* (une frégate ; fém.); le *Liberté* (un cargo ; masc.); le *France* (un paquebot ; masc.); le *Lorraine* (un cuirassé ; masc.).

3. Les noms à double genre

1. Un très petit nombre de noms ont un double genre :

● **aigle** est masculin quand il désigne l'oiseau mâle ou l'insigne de décoration figurant un aigle (avec majuscule); *aigle* est féminin quand il désigne l'oiseau femelle, les armoiries (en termes de blason), ou l'étendard, le symbole : *Un aigle vole dans le ciel. Une aigle et ses petits. L'Aigle blanc de Pologne. Les aigles impériales. L'aigle romaine.*

● **amour** est masculin, sauf au pluriel dans la langue littéraire où il peut être féminin au sens de « passion amoureuse » : *les amours adolescentes.*

- **chose** est féminin, sauf dans les pronoms indéfinis et locutions **autre chose, peu de chose, quelque chose, grand-chose** qui sont du masculin : *C'est une très belle chose./C'est quelque chose de très beau.*

- **délice** est masculin au singulier et féminin au pluriel ; mais ce féminin est rare et appartient à la langue littéraire ; en langue courante, et en particulier avec la tournure *un des*, on emploie le masculin pluriel : *Ces bonbons sont un délice. Les merveilleuses délices de l'amour. Un de mes plus grands délices était de les entendre parler ainsi.*

- **foudre** est féminin, sauf dans **un foudre de guerre** : *La foudre est tombée sur la maison./Ce n'est pas un foudre de guerre ; il est prêt à toutes les concessions.*

- **gens** est aujourd'hui masculin pluriel. L'accord des adjectifs attributs ou apposés et des participes se fait donc au masculin pluriel : *Les gens sont contents, épanouis. Des jeunes gens sont venus. Patients, les gens attendaient sans rien dire.*
  Gens présente des particularités pour l'accord de l'adjectif épithète :
  — Placé après le nom, l'adjectif épithète est au masculin pluriel : *Des gens heureux sans problèmes.*
  — Placé avant le nom, l'adjectif épithète est au féminin pluriel mais l'adjectif attribut est au masculin pluriel : *Quelles bonnes gens ! Toutes les vieilles gens étaient inquiets.*
  — L'adjectif épithète ou attribut de *gens* qui a une forme unique pour les deux genres (terminé par *-e*), est au masculin pluriel : *Quels braves gens !*
  — Lorsque *gens* forme avec un complément de nom une locution indiquant les membres d'une profession, une catégorie de personnes, l'adjectif épithète est au masculin pluriel : *Ce sont d'heureux gens de lettres, gens du monde, gens de robe*, etc.

- **hymne** est masculin quand il désigne le chant national ou le poème en l'honneur des dieux ; il est féminin quand il désigne la composition poétique religieuse.

- **merci** est masculin dans les formules de politesse, et féminin dans la locution **à la merci de** : *Je vous dois un grand merci pour ce service./Le programme est à la merci du moindre incident.*

- **œuvre** est du féminin ; il n'est du masculin que dans **le gros œuvre** (en construction), **le grand œuvre** (recherche de la pierre philosophale) et quand il désigne (uniquement en langue littéraire) l'ensemble des œuvres d'un musicien, d'un écrivain : *Enregistrer tout l'œuvre de Mozart* (langue littéraire)/*toute l'œuvre de Mozart* (langue courante).

- **orgue** est masculin singulier et **orgues** est féminin pluriel quand il désigne un seul instrument ; **orgues** est masculin pluriel s'il désigne plusieurs instruments : *le très bel orgue de Saint-Sulpice. Il y a deux petits orgues dans cette chapelle./Les très belles orgues de Saint-Sulpice.*

- **pâque** est féminin singulier quand il désigne la fête juive. **Pâques**, avec un *-s*, une majuscule et sans article est masculin singulier quand il désigne le jour de la fête chrétienne : *Pâques a été pluvieux cette année ?* mais il est féminin pluriel dans : *les Pâques fleuries, Joyeuses Pâques,* et *faire ses pâques.*

● **personne,** nom, est féminin ; pronom, il est masculin : *C'est une très gentille personne. Personne n'est venu.*

2. Pour quelques noms l'usage hésite entre le masculin et le féminin. Par exemple : **après-midi, pamplemousse, palabre, perce-neige** sont masculins ou féminins. Certains noms ont changé de genre au cours d'une période relativement récente : **alvéole,** autrefois masculin, est maintenant féminin.

3. Les **homonymes** sont des noms qui ont la même forme graphique mais des sens différents ; leur genre peut lui aussi être différent. Ainsi :

● **tour** est féminin quand il désigne la construction : *la tour Eiffel ;* masculin quand il désigne l'instrument : *un tour de potier.*

● **vase** est masculin quand il désigne l'objet : *Le vase est brisé ;* féminin quand il désigne la boue : *La vase est collante.*

4. Le genre des adjectifs

Les **adjectifs** n'ont **pas** de **genre** propre ; leur genre est **déterminé** par le **nom** auquel ils se rapportent. Mais ils peuvent avoir deux formes différentes au masculin et au féminin : les règles de formation du féminin sont alors les mêmes que celles des noms.

Remarques.

1. Certains adjectifs ne changent pas de forme au féminin, alors que le nom correspondant a une autre forme : *un homme pauvre/une femme pauvre ; un pauvre/une pauvresse.*

2. Certains adjectifs sont **invariables** en **genre** : *un chic garçon/une chic fille.*

3. L'adjectif masculin peut s'appliquer à un féminin même si une forme féminine existe : *une fille grognon, traître.* (C'est le cas en particulier pour de nombreux adjectifs populaires : *Elle est trognon ; elle est costaud.*)

5. Le féminin des noms et des adjectifs

Règle 1.

Le **féminin** des noms et des adjectifs qui se terminent par une **voyelle** au masculin se forme en ajoutant un **-e** : *ami/amie ; élu/élue ; bleu/bleue.*
Les noms et les adjectifs terminés par un **-e** au masculin gardent la même forme au **féminin** : *artiste ; architecte ; large.*

Exceptions.

1. Les noms et les adjectifs terminés au masculin par **-eau** ont un féminin en **-elle** : *agneau/agnelle ; beau/belle ; chameau/chamelle ; jumeau/jumelle ; nouveau/nouvelle ; tourangeau/tourangelle.*

2. Les noms et les adjectifs terminés au masculin par **-ou** ont un féminin en **-olle** : *mou/molle ; fou/folle ;*
sauf : *hindou* et *flou* qui ont un féminin en **-oue** : *hindoue, floue,* et *andalou* qui a un féminin en **-ouse** : *andalouse.*

3. Les noms et les adjectifs terminés au masculin par **-gu** ont un féminin en **-guë** : *aigu/aiguë ; ambigu/ambiguë.*

4. Les participes masculins **crû, dû, mû, recrû,** font au féminin **-ue** (sans accent circonflexe) : *crue, due, mue, recrue.*

5. Les masculins suivants ont un féminin en **-esse** ou **-sse** :

âne/ânesse	abbé/abbesse	bêta/bêtasse
bonze/bonzesse	bougre/bougresse	chanoine/chanoinesse
comte/comtesse	diable/diablesse	drôle/drôlesse
druide/druidesse	hôte/hôtesse	maître/maîtresse
mulâtre/mulâtresse	nègre/négresse	ogre/ogresse
pape/papesse	pauvre/pauvresse (nom)	poète/poétesse
prêtre/prêtresse	prince/princesse	prophète/prophétesse
sauvage/sauvagesse	tigre/tigresse	traître/traîtresse
vicomte/vicomtesse.		

Cette formation est utilisée pour certains noms (sans féminin) dans la langue populaire : *chef/cheffesse.*

6. Les masculins suivants ont un féminin **irrégulier** : *coi/coite ; esquimau/esquimaude ; favori/favorite ; hébreu/hébraïque ; rigolo/rigolote.*

Règle 2.

Si les noms et les adjectifs se terminent au masculin par **-n**, le **féminin** se forme

- **soit en ajoutant un -e.** C'est le cas des finales :
  - **-ain/-aine** : *châtelain/châtelaine ;*
  - **-an/-ane** : *partisan/partisane ; faisan/faisane ;*
  - **-in/-ine** : *cousin/cousine ; voisin/voisine ;*

- **soit en redoublant le -n** avant le **-e.** C'est le cas des finales :
  - **-on/-onne** : *baron/baronne ; lion/lionne ; bon/bonne ;*
  - **-ien/-ienne** : *gardien/gardienne ; mien/mienne ;*
  - **-en/-enne** : *lycéen/lycéenne ; guinéen/guinéenne.*

Exceptions.

1. Ont un féminin en **-anne** (et non *-ane*) : *Jean/Jeanne ; paysan/paysanne.*

2. Ont un féminin en **-one** (et non *-onne*) : *Simon/Simone ; mormon/mormone*. Ont deux féminins, l'un en **-one**, l'autre en **-onne** : *lapon/laponne* ou *lapone ; letton/lettonne* ou *lettone ; nippon/nipponne* ou *nippone*.

3. Ont un féminin **irrégulier** : *bénin/bénigne ; compagnon/compagne ; sacristain/sacristine ; copain/copine ; malin/maligne*.

Règle 3.

Si les noms et les adjectifs se terminent au masculin par **-t** ou **-d**, le **féminin** se forme

- soit en ajoutant un **-e**. C'est le cas des finales :
  - **-ant/-ante** : *fabricant/fabricante ; obéissant/obéissante ;*
  - **-and/-ande** : *marchand/marchande ; grand/grande ;*
  - **-ard/-arde** : *bâtard/bâtarde ; faiblard/faiblarde ;*
  - **-at/-ate** : *candidat/candidate ; délicat/délicate ;*
  - **-aud/-aude** : *noiraud/noiraude ; lourdaud/lourdaude ;*
  - **-it/-ite** : *maudit/maudite ; droit/droite ;*
  - **-ond/-onde** : *rubicond/rubiconde ;*
  - **-ot/-ote** : *idiot/idiote ; manchot/manchote.*

- soit en redoublant le **-t** devant **-e**. C'est le cas de la finale :
  - **-et/-ette** : *muet/muette ; cadet/cadette ; propret/proprette.*

Exceptions.

1. Les masculins suivants en **-at** et **-ot** ont un féminin en **-atte** et **-otte** : *chat/chatte ; boulot/boulotte ; maigriot/maigriotte ; pâlot/pâlotte ; sot/sotte ; vieillot/vieillotte.*

2. Les masculins suivants en **-et** ont un féminin en **-ète** : *un préfet/une préfète ; complet/complète ; concret/concrète ; désuet/désuète ; discret/discrète ; incomplet/incomplète ; indiscret/indiscrète ; inquiet/inquiète ; replet/replète ; secret/secrète.*

Règle 4.

Si les noms et les adjectifs se terminent au masculin par **-l**, le **féminin** se forme

- soit en ajoutant un **-e**. C'est le cas de la finale :
  - **-al/-ale** : *banal/banale ; structural/structurale ; bancal/bancale.*

- soit en redoublant le **-l** devant **-e**. C'est le cas des finales :
  - **-eil/-eille** et **-il/-ille** : *vermeil/vermeille ; pareil/pareille ; gentil/gentille ;*
  - **-el/-elle** et **-ul/-ulle** : *Gabriel/Gabrielle ; cruel/cruelle ; nul/nulle.*

Si les noms et les adjectifs se terminent par **-s** au masculin, le **féminin** se forme

● soit en ajoutant un **-e**. C'est le cas des finales :

-ais/-aise : *Français/Française* ;
-is/-ise : *gris/grise* ; *soumis/soumise* ;
-ois/-oise : *Niçois/Niçoise* ; *matois/matoise* ;
-rs/-rse : *retors/retorse* ; *tors/torse*.

● soit en redoublant le **-s** devant **-e**. C'est le cas des finales :

-as/-asse : *las/lasse* ; *bas/basse* ; *gras/grasse* ;
-os/-osse : *gros/grosse*.

Exceptions.

1. Ont un féminin en **-aisse, -isse** (et non *-aise, -ise*) ou **-esse,** les mots suivants : *épais/épaisse* ; *métis/métisse* ; *exprès/expresse*.

2. Ont un féminin en **-ose, -ase** (et non *-osse, -asse*), les mots suivants : *dispos/dispose* ; *ras/rase*.

3. Certains adjectifs ont un féminin **irrégulier** : *frais/fraîche* ; *tiers/tierce*.

Si les noms et les adjectifs se terminent par **-r** au masculin, le **féminin** se forme ainsi :

-er/-ère : *fermier/fermière* ; *léger/légère* ; *boucher/bouchère* ;
-eur/-euse : *trompeur/trompeuse* ; *vendeur/vendeuse* ;
-ateur/-atrice : *évocateur/évocatrice* ; *spectateur/spectatrice* ;
-culteur/-cultrice : *apiculteur/apicultrice* ;
-cteur/-ctrice : *correcteur/correctrice* ; *traducteur/traductrice*.

Exceptions.

1. Les noms et adjectifs masculins en **-teur** ont un féminin en **-trice,** ou en **-teuse** : *instituteur/institutrice* ; *débiteur/débitrice* ; *enquêteur/enquêtrice* ou *enquêteuse* ; *chanteur/chanteuse* ; *comploteur/comploteuse*.

2. Les adjectifs suivants en **-eur** ont leur féminin en **-eure** : *antérieur/antérieure* ; *extérieur/extérieure* ; *inférieur/inférieure* ; *intérieur/intérieure* ; *majeur/majeure* ; *meilleur/meilleure* ; *mineur/mineure* ; *postérieur/postérieure* ; *supérieur/supérieure* ; *ultérieur/ultérieure* ; ainsi que le nom *prieur/prieure*.

3. Les mots masculins suivants en **-eur** ont un féminin irrégulier en :
-eresse : *bailleur/bailleresse* ; *chasseur/chasseresse* (poétique) ; *défendeur/défenderesse, demandeur/demanderesse* (juridique) ; *pêcheur/pécheresse* (religieux) ; *enchanteur/enchanteresse* ; *vengeur/vengeresse* ;
-oresse : *docteur/doctoresse* ;
-drice : *ambassadeur/ambassadrice*.

4. **Cantatrice** (féminin) correspond à *chanteur* (masculin) quand il s'agit d'une chanteuse d'opéras, de chants classiques, etc., de grand talent.

Règle 7.

Si les noms et les adjectifs se terminent par **-x** ou **-f** au masculin, le **féminin** se forme en remplaçant *-x* par **-se** et *-f* par **-ve** : *jaloux/jalouse* ; *époux/épouse* ; *vif/vive* ; *veuf/veuve* ; *neuf/neuve*.

Exceptions.

Bref, doux, faux et **roux** ont comme féminins **brève, douce, fausse** et **rousse. Vieux** a pour féminin **vieille**.

Règle 8.

Si les noms se terminent par **-c** au masculin, le **féminin** se forme en remplaçant *-c* par **-que** : *turc/turque* ; *caduc/caduque* ; *public/publique* ; *Frédéric/Frédérique* ; *les rois francs/les invasions franques*.

Exceptions.

1. Ont un féminin en **-che** : *sec/sèche* ; *franc* (= loyal)/*franche* ; *blanc/blanche*.

2. Ont un féminin **irrégulier** : *duc/duchesse* ; *grec/grecque*.

Règle 9.

Les noms et adjectifs terminés par **-p** ou **-g** au masculin, ont un **féminin** en **-ve** pour *-p* et **-gue** pour *-g* : *loup/louve* ; *long/longue* ; *oblong/oblongue* ; *barlong/barlongue*.

Règle 10.

Quand il s'agit d'êtres vivants (personnes ou animaux), on peut avoir **deux noms différents** pour désigner l'**homme** ou la **femme**, le **mâle** ou la **femelle**. Ainsi pour

- des noms de **parenté** ou des **appellatifs** :

père/mère	*papa/maman*	*oncle/tante*
neveu/nièce	*fils/fille*	*frère/sœur*
gendre/bru	*mari/femme*	*monsieur/madame*
parrain/marraine.		

- des noms de **fonction**, de **titre**, etc. :

diacre/diaconesse	*dieu/déesse*	*empereur/impératrice*
héros/héroïne	*roi/reine*	*tsar/tsarine.*

- des noms d'**animaux** :

bélier/brebis	*bouc/chèvre*	*canard/cane*
cerf/biche	*chevreuil/chevrette*	*coq/poule*
daim/daine	*étalon/jument*	*jars/oie*
lévrier/levrette	*lièvre/hase*	*poulain/pouliche*
sanglier/laie	*singe/guenon*	*taureau/vache*
verrat/truie.		

6. Le singulier et le pluriel

- Le **singulier** des noms désigne **un seul** être ou objet ou un ensemble d'êtres ou d'objets : *une table ; une girafe ; la foule.*

- Le **pluriel** des noms désigne **plusieurs** êtres ou objets ou plusieurs ensembles d'êtres ou objets : *des tables ; des girafes ; des foules.*
  Les adjectifs, s'accordant en nombre avec le nom auquel ils se rapportent, ont un singulier et un pluriel : *une grande table/de grandes tables.*

Remarques.

1. Certains noms **n'ont pas de singulier** : *ténèbres, obsèques, décombres, mœurs, fiançailles, funérailles, pourparlers, prémices,* etc.

2. Certains noms ont un **sens différent** au **singulier** et au **pluriel** :

appât (pour les poissons)	*appas* (charmes, langue littéraire)
ciseau (de menuisier)	*ciseaux* (langue courante)
assise (d'un bâtiment)	*assises* (d'un congrès)
lunette (d'astronome)	*lunettes* (langue courante)
menotte (petite main)	*menottes* (pour attacher les poignets).

3. Certains noms ont le **même sens** au **singulier** ou au **pluriel** : *porter la moustache/des moustaches ; une culotte/des culottes* (de garçonnet) ; *une jumelle/des jumelles marines ; un lorgnon/des lorgnons ; mettre son pantalon/ses pantalons.*

4. Les **noms de jour** prennent la marque du **pluriel** : *tous les lundis, tous les dimanches.*

7. Le pluriel des noms et des adjectifs

Règle 1.

Les **noms** et les **adjectifs** prennent un **-s** au **pluriel** : *un ennui/des ennuis ; une grande maison/de grandes maisons.*

Exceptions.

1. Les noms et les adjectifs terminés au singulier par **-s, -x, -z** gardent la **même forme** au pluriel : *un prix/des prix; un bois précieux/des bois précieux; un grand nez/de grands nez.*

2. Les noms suivants, terminés par **-ou** au singulier, prennent un **-x** au pluriel : *bijou, caillou, chou, genou, hibou, joujou, pou.* Les autres noms et adjectifs en *-ou* prennent normalement un **-s** au pluriel : *un clou/des clous; un fou/des fous; un sou/des sous.*

3. Les noms et adjectifs terminés par **-eau, -au, -eu, -œu** au singulier, prennent un **-x** au pluriel : *un écheveau/des écheveaux; un nouveau préau/de nouveaux préaux; un vœu/des vœux; un cheveu/des cheveux; un lieu/des lieux.* Mais les noms et adjectifs suivants prennent un **-s** au pluriel : *émeu, landau, lieu* (= poisson), *pneu, sarrau, bleu, feu* (= décédé).

4. Les noms suivants, terminés par **-ail** au singulier, ont un pluriel en **-aux :** *bail, corail, émail, fermail, soupirail, travail, vantail, ventail, vitrail/baux, coraux, émaux, fermaux, soupiraux, travaux, vantaux, ventaux, vitraux (travail* désignant l'instrument pour maintenir les animaux domestiques et *émail* au sens de «peinture», «vernis», font respectivement : *travails, émails).* Les autres noms en *-ail* au singulier prennent normalement le **-s** du pluriel : *un détail/des détails; un éventail/des éventails.*

5. Les noms et les adjectifs terminés par **-al** au singulier ont un pluriel en **-aux :** *un journal/des journaux; un terminal/des terminaux; régional/régionaux; littéral/littéraux;* mais

— les noms suivants ont un pluriel en **-als :** *aval, bal, cal, cantal, carnaval, cérémonial, chacal, choral, festival, gavial, gayal, narval, nopal, pal, récital, régal, rorqual, santal, sisal, tincal, trial.*

— les adjectifs suivants ont un pluriel en **-als :** *bancal, fatal, natal, naval, nymphal, tonal.*

— quelques mots ont les deux formes possibles au pluriel : **-als** ou **-aux :** *austral, banal, boréal, causal, étal, final, glacial, idéal, jovial, pascal* et *val* (qui n'admet la forme *vaux* que dans *«par monts et par vaux»).*

— les termes scientifiques, en particulier de chimie, font leur pluriel en **-als :** *phénobarbitals.*

— les mots ou abréviations de la langue populaire font leur pluriel en **-als :** *foutrals, certals, futals,* etc.

6. Certains mots ont **deux pluriels,** avec des sens différents :
aïeul : *aïeuls* (grands-parents); *aïeux* (ancêtres);
ciel : *ciels* (acceptions techniques); *cieux* (religieux et littéraire);
œil : *yeux,* mais *œils* dans les termes techniques *(œils-de-bœuf).*

7. Les noms **accidentels** (tout mot : adverbe, interjection, pronom, appellatif, etc., employé en fonction de nom) restent **invariables :** *les comment et les pourquoi. Pousser des ah! et des oh! Il y a divers moi en moi. Il m'envoyait des «Monsieur» sur un ton offensé.*

8. Les noms de **lettres,** de **chiffres** (sauf *zéro),* de **notes de musique** sont **invariables :** *trois A. J'ai deux huit. Deux fa. Quatre zéros.*

9. Certains **adjectifs** sont **invariables** : *bien, extra, rococo, rosat;* ou certains adjectifs de couleur (cf p. 30); ou certains adjectifs de la langue populaire ou argotique : *bath, capot, mastoc, cool, super,* etc.

> ### Règle 2.
>
> **Les noms** et les **adjectifs** empruntés aux **langues étrangères** et intégrés au français prennent un **-s** au **pluriel** : *des andantes, des macaronis, des factums, des interims, des autodafés, des confettis, des boys, des dandys, des quotas, des quidams, des sanatoriums, des solariums, des préventoriums, des forums, des spahis.*

Exceptions.

1. Certains mots, dont une partie appartient à la langue religieuse, restent **invariables** au pluriel :

addenda	*amen*	*ana*	*ave*	*confiteor*
credo	*deleatur*	*duplicata*	*exeat*	*exsequatur*
extra	*kyrie*	*magnificat*	*miserere*	*Pater*
satisfecit	*Te Deum*	*vade-mecum*	*veto.*	

2. Certains mots conservent le **pluriel étranger;** ce sont souvent des termes désignant des réalités culturelles étrangères ou des termes appartenant à des vocabulaires techniques :

alderman/aldermen	*clergyman/clergymen*	*policeman/policemen*
carbonaro/carbonari	*condottiere/condottieri*	*tory/tories*
wattman/wattmen	*lady/ladies*	*prima donna/prime donne.*

mais aussi des termes intégrés au français :

jazzman/jazzmen	*whisky/whiskies*	*businessman/businessmen*
gentleman/gentlemen	*lobby/lobbies*	*pizzicato/pizzicati*
erratum/errata.		

3. Certains mots présentent **deux pluriels,** l'un français avec un **-s,** l'autre est le **pluriel étranger** :

lazzi/lazzis ou *lazzi*	*graffiti/graffitis* ou *graffiti*
barman/barmans ou *barmen*	*lied/lieds* ou *lieder*
recordman/recordmans ou *recordmen*	*miss/miss* ou *misses*
sandwich/sandwichs ou *sandwiches*	*leitmotiv/leitmotivs* ou *leitmotive*
libretto/librettos ou *libretti*	*soprano/sopranos* ou *soprani.*

4. **Optimum, maximum, minimum** ont un pluriel en **-s** : *optimums, maximums, minimums* (recommandés par l'Académie des Sciences) ou un pluriel, assez usuel, en **-a** *(optima, maxima, minima).* Les adjectifs correspondants sont *optimal, maximal, minimal* (recommandés) ou *optimum, maximum, minimum* (qui sont invariables en genre et dont le pluriel est identique à celui du nom).

5. Les **adjectifs ethniques** d'**origine étrangère,** souvent invariables dans les écrits scientifiques prennent la marque du pluriel dans la langue courante : *bantou/bantoue/bantous ; maya/mayas.*

Règle 3.

Les **noms propres** désignant les **habitants** d'une ville, d'une région, d'un pays prennent la **marque du pluriel** : *les Allemands ; les Argentins ; les Esquimaux.*

Règle 4.

Les **noms propres** désignant des **personnes** ou des **familles** restent **invariables** au pluriel : *Les Dupont sont venus hier soir. Je connais deux Suzanne.*

Remarques.

1. Les noms de certaines **familles illustres** (noms français ou francisés) prennent la **marque du pluriel** :

les Bourbons	*les Capets*	*les Condés*	*les Guises*
les Montmorencys	*les Plantagenêts*	*les Antonins*	*les Césars*
les Constantins	*les Flaviens*	*les Gracques*	*les Curiaces*
les Horaces	*les Ptolémées*	*les Scipions*	*les Sévères*
les Tarquins	*les Stuarts*	*les Tudors.*	

Mais les noms qui ne sont pas francisés restent invariables : *les Borgia ; les Hohenzollern ; les Romanov.*

2. Les **noms de personnages** que leur caractère ou leur conduite ont transformés en types humains prennent la **marque du pluriel** (ce sont alors presque toujours des noms communs souvent écrits avec une minuscule) : *Nous avons nos Cicérons. Les harpagons. Les don juans. Les mécènes.*
Lorsque le nom propre comporte un article singulier, il reste invariable : *Des La Fontaine, il n'y en aura plus.*

3. Les **noms propres** employés avec une **valeur emphatique** restent **invariables** au pluriel : *Les Shakespeare et les Molière ont marqué leur époque.*

4. Les **noms propres d'artiste, d'auteur** utilisés pour désigner leurs **œuvres,** de même que les noms de **marque** ou de **fabricant** utilisés pour désigner les **objets** produits, restent **invariables** au pluriel : *De très beaux Titien. Des Rembrandt. Prendre deux Pernod. Les Renault 5. Acheter deux Simenon.*

5. Les **noms propres** de **personnage** ou de **thème** utilisés pour désigner des œuvres (peinture, sculpture, etc.) prennent **la marque du pluriel** : *Les Madones du Titien. Les Descentes de croix.*

6. Les **titres** de revues, de journaux, de livres sont **invariables** : *Les «Monde» de la semaine passée.*

7. Les **noms propres** désignant des **lieux** géographiques, des villes, des fleuves, des pays, etc., sont généralement des **désignations uniques,** mais ces noms prennent la **marque du pluriel** quand ils désignent

effectivement **deux lieux** différents portant le même nom : *les Amériques ; les Baléares ; les deux Savoies.* Ils restent **invariables** dans le sens **métaphorique** : *Il y a bien deux France depuis les élections.*

Les **noms de villes composés** restent toujours **invariables** : *Il y a deux Sainte-Suzanne et quatre Saint-Florent en France.*

8. Le pluriel des noms et des adjectifs composés

> **Règle 1.**
>
> Le **nom composé** est formé de **deux noms.**
>
> - Si le deuxième nom est une **apposition** du premier, les **deux noms** prennent la **marque du pluriel** : *un aide-maçon/des aides-maçons ; un bateau-phare/des bateaux-phares ; une location-vente/des locations-ventes.*
>
> - Si le deuxième nom est un **complément** sans préposition du premier, seul le **premier nom** prend la **marque du pluriel** : *un appui-tête/des appuis-tête ; un timbre-poste/des timbres-poste ; une pause-café/des pauses-café.*
>   Le premier cas est le plus fréquent ; le second ne s'applique qu'à 10 % des noms formés de deux noms.

Exceptions.

1. Les **points cardinaux** restent **invariables** dans les noms composés : *les Nord-Américains, les Sud-Coréens.*

2. **Auto-**, abrégé de *automobile*, est traité dans les noms composés avec trait d'union comme un préfixe et reste **invariable** : *une auto-école/des auto-écoles ; un auto-stoppeur/des auto-stoppeurs.*

> **Règle 2.**
>
> Le **nom composé** est formé d'un **nom** et d'un **adjectif ;** le **nom** et l'**adjectif** prennent la **marque du pluriel** : *une extrême-onction/des extrêmes-onctions ; une basse-cour/des basses-cours ; un haut-commissaire/des hauts-commissaires ; un amour-propre/des amours-propres.*
>   Ce cas couvre 95 % des mots ainsi formés.

Exceptions.

1. Si l'**adjectif** a la valeur d'un **adverbe**, le **nom** seul a la **marque du pluriel** : *un haut-parleur/des haut-parleurs ; un long-courrier/des long-courriers ; une nouveau-née/des nouveau-nées.*

2. **Branle-bas** et **pur-sang** sont **invariables. Petit-beurre** a comme pluriel **petits-beurre.**

3. Composés avec **grand-** :

— les **masculins** prennent la marque du pluriel sur les **deux** termes : *un grand-père/des grands-pères ;*

— les **féminins** formés au singulier avec **grand-** (et non avec *grande-*) ont **deux pluriels** (*grand-* prenant ou non la marque du pluriel) : *une grand-mère/des grands-mères* ou *des grand-mères ;*

— les **féminins** formés au singulier avec **grande-** prennent la marque du pluriel sur les **deux** termes : *une grande-duchesse/des grandes-duchesses ;*

— **grand-croix** est invariable pour désigner la dignité : *Décerner des grand-croix ;* variable pour désigner la personne revêtue de cette dignité : *Les grands-croix de la Légion d'honneur ;*

— **grand-garde** a pour pluriel *grand-gardes*.

4. Composés avec **franc-** :

— pour les mots masculins, l'accord est régulier : *un Franc-Comtois/des Francs-Comtois ;*

— pour les mots féminins, seul le nom prend la marque du pluriel et *franc-* reste invariable : *une Franc-Comtoise, des Franc-Comtoises.*

Règle 3.

Le **nom composé** est formé d'un **nom**, d'une **préposition** et d'un autre **nom**.

- Si le deuxième nom est un **complément** du premier, le **premier nom** seul prend la **marque du pluriel** : *une barbe-de-capucin/des barbes-de-capucin ; un bouton-d'or/des boutons-d'or ; un arc-en-ciel/des arcs-en-ciel ;/un face-à-main/des faces-à-main ; un fier-à-bras/des fiers-à-bras.*
  Ce premier cas couvre 90 % des mots ainsi formés.

- Si le nom composé est issu de **deux compléments** figés d'un verbe, il reste **invariable** : *un coq-à-l'âne/des coq-à-l'âne* («passer du coq à l'âne») ; *un pied-à-terre/des pied-à-terre* («mettre pied à terre») ; *un face-à-face/des face-à-face* («être face à face»).

Exceptions.

1. Les **noms composés de couleur** sont **invariables** : *des gorge-de-pigeon ; des tête-de-nègre.*

2. **Prince-de-galles**, assimilé à un nom de couleur, est **invariable.**

Règle 4.

Le **nom composé** est formé d'une **préposition** ou d'un **préfixe** suivi d'un **nom** ; seul le **nom** prend la **marque du pluriel** : *un à-côté/des à-côtés ; une arrière-boutique/des arrière-boutiques ; une demi-droite/des demi-droites ; un demi-soupir/des demi-*

soupirs; une broncho-pneumonie/des broncho-pneumonies; une gastro-entérite/des gastro-entérites.
Cette règle couvre 95 % des mots ainsi formés.

Exceptions.

1. Le **nom composé** avec une **préposition** ou un **préfixe** est **invariable** :
— si le nom pris isolément est lui-même invariable ou toujours employé au singulier (nom qu'on ne peut pas compter) : *un après-midi/des après-midi* (période après midi); *un demi-sel/des demi-sel* (fromage qui a un peu de sel);
— s'il s'agit d'une locution adverbiale figée : *un à-pic/des à-pic* (tomber à pic); *un après-coup/des après-coup* (c'est après coup qu'il a réfléchi).

2. Les composés avec **hors-** sont **invariables** : *hors-saison, hors-jeu, hors-texte*, etc.

3. **Demi-solde,** nom féminin, fait au pluriel *des demi-soldes* (la moitié d'une solde); *demi-solde*, nom masculin (officier du premier Empire), est invariable : *des demi-solde.*

Règle 5.

Le **nom composé** est formé d'un **verbe** et d'un **nom** complément d'objet. Au pluriel, le **verbe** reste **invariable.** Pour le **nom,** trois cas se rencontrent :

● ou bien le nom reste **invariable,** qu'il soit au singulier ou déjà au pluriel dans le mot composé singulier : *un coupe-gorge/des coupe-gorge; un pare-chocs/des pare-chocs; un porte-avions/des porte-avions.*
Ce cas se retrouve dans 70 % des composés de ce type;

● ou bien le nom prend la **marque du pluriel :** *un arrache-clou/des arrache-clous; un passe-montagne/des passe-montagnes.*
Ce cas se retrouve dans 20 % des composés qui n'ont pas déjà un *-s* sur le nom singulier;

● ou bien **les deux** sont **possibles** (le nom reste invariable ou prend la marque du pluriel) : *un porte-savon/des porte-savons ou -savon; un pèse-lettre/des pèse-lettres ou lettre.*
Ce cas se retrouve dans 10 % des composés dont le nom n'a pas de marque de pluriel au singulier.

Règle 6.

Le **nom composé** est formé d'une **phrase,** d'une **locution adverbiale,** de **verbes,** d'**infinitifs,** etc.; il reste **invariable** au pluriel : *un faire-valoir/des faire-valoir; un porte-à-faux/des porte-à-faux; un cessez-le-feu/des cessez-le-feu; un je-ne-sais-quoi/des je-ne-sais-quoi; un on-dit/des on-dit.*

Règle 7.

Le **nom composé** est formé d'**onomatopées**, de **redoublements**, de **noms propres**, ou de **locutions**; il reste **invariable** au pluriel : *un Coca-Cola/des Coca-Cola; un pont-l'évêque/des pont-l'évêque; un béni-oui-oui/des béni-oui-oui; un coin-coin/des coin-coin.*

Règle 8.

Le nom **composé** est formé d'un **préfixe** suivi d'un **nom**, ou il est **dérivé d'un nom propre**; seul le **deuxième terme** porte alors la **marque du pluriel** : *un fac-similé/des fac-similés; un cap-hornier/des cap-horniers.*

Règle 9.

Le nom **composé** est d'**origine non française** et il ressemble à des formations de type **nom + nom** ou **nom + adjectif**, les **deux termes** prennent la **marque du pluriel** : *une aigue-marine/des aigues-marines; un pan-bagnat/des pans-bagnats.*

Règle 10.

Le **nom composé**, d'**origine étrangère**, a été récemment introduit en français; il garde souvent le **pluriel** qu'il avait dans la **langue d'origine**.
C'est en particulier le cas pour les composés anglais formés d'un adjectif invariable suivi d'un nom, ce dernier seul prenant la marque du pluriel (*-s, -es, -ies* selon les cas) ou pour ceux qui sont formés de deux mots invariables (verbe, adverbe, etc.), le mot restant alors invariable : *un self-service/des self-services; un self-made man/des self-made men; un come-back/des come-back; un break-down/des break-down.*

Règle 11.

L'**adjectif composé** est formé d'un **adverbe**, ou d'un **préfixe** suivi d'un **adjectif**; l'**adjectif** seul prend la **marque du pluriel** : *un enfant bien-aimé/des enfants bien-aimés; un rayon ultra-violet/des rayons ultra-violets; un nerf vaso-moteur/des nerfs vaso-moteurs; une nation latino-américaine/des nations latino-américaines.*

Règle 12.

L'**adjectif composé** est formé de **deux adjectifs**; les **deux adjectifs** prennent la **marque du pluriel** : *un propos aigre-doux/des remarques aigres-douces.*

L'**adjectif composé** est formé d'une **préposition** et d'un **nom** ; il reste **invariable** : *des lotions après-rasage ; des services après-vente.*

Remarques.

1. Pour **nouveau-né,** v. p. 27 ; pour **tout-puissant,** v. p. 33.

2. Les **adjectifs composés** de **couleur** restent **invariables,** v. p. 30.

II

Les règles d'accord

1. Le nom

Règle 1.

Le **complément du nom sans article** est au **singulier** quand il s'agit :
— d'une matière, d'une quantité qu'on ne peut compter, diviser : *un kilo de beurre; un sac de blé; une botte de foin.*
— d'un nom abstrait : *un accès de colère; une poussée de fièvre.*
— d'une caractéristique ou d'une destination unique : *un fruit à noyau; une chaîne de montre.*

Le **complément du nom sans article** est au **pluriel** quand il s'agit d'objets, de fragments, de parties, d'éléments qu'on peut compter : *un kilo de cerises; un sac de billes; une botte d'asperges; du papier à lettres.*

Remarques.

1. Si le **groupe du nom** est employé au **pluriel,** le nom **complément** garde le **nombre** qu'il avait au **singulier** : *des kilos de beurre; des lits de plume; des fruits à noyau; des kilos de cerises; des sacs de billes; des accès de colère.*

2. Certains **compléments du nom sans article** peuvent être indifféremment du **singulier** ou du **pluriel** : *un pot de confitures* ou *de confiture; une gelée de coing* ou *de coings; un sirop de groseille* ou *de groseilles.*

3. Après **toute espèce de, toute sorte de, des espèces de, des sortes de,** etc., le **nom** qui suit est au **singulier** quand c'est un nom de **matière,** un nom **abstrait**; il est au **pluriel** s'il s'agit d'**objets,** d'**individus,** de **choses** qui peuvent se compter : *toute espèce de générosité/toute sorte de pelles; des sortes de beurre/des espèces de poissons.*

4. Après **sans,** le **complément** est au **singulier** si la phrase affirmative correspondante comporte un singulier; il est au **pluriel** dans le cas contraire : *Un enfant sans peur* (≠ cet enfant a peur). *Un ciel sans nuages* (≠ ce ciel a des nuages). *Il est sans façons* (≠ il fait des façons). *Il est sans goût* (≠ il a du goût).

Règle 2.

Les **noms** en fonction d'**adjectifs s'accordent** en **nombre,** parfois en **genre** (s'ils admettent deux formes distinctes pour le masculin et le féminin), comme l'adjectif : *Elles sont cousines/Ils sont cousins. Des pays amis. Elles sont restées très enfants* (une seule forme pour les deux genres).

Remarque.

Témoin, masculin, épithète ou attribut, **s'accorde** en nombre avec le nom auquel il se rapporte : *Elles ont été témoins de la scène. Des marques témoins furent apposées sur les fentes du mur.*
Témoin reste **invariable** dans **à témoin** et lorsqu'il est en tête de phrase sans article : *On les a pris à témoin. Témoin ces armes trouvées chez eux.*

Règle 3.

Les **noms apposés,** considérés comme des adjectifs, varient en **nombre** (mais non en genre), qu'ils soient reliés ou non par un trait d'union : *des industries-clefs ; des usines pilotes ; des fermes-écoles ; des robes chemisiers.*

Remarques.

1. Les **noms propres** restent **invariables** : *des fauteuils Empire ; des canapés Régence.*

2. Le **nom apposé** fait partie d'une **locution figée ;** il reste **invariable :** *des manteaux bon chic bon genre ; des tissus grand teint ; des produits bon marché, meilleur marché.*

3. **Matin, midi** et **soir** sont **invariables** dans : *les dimanches* (*lundis,* etc.) *soir/matin/midi* (= des dimanches au soir/au matin/à midi).

2. Les adjectifs qualificatifs

Règle 1.

Les **adjectifs qualificatifs,** épithètes, attributs ou apposés, **s'accordent** en **genre** et en **nombre** avec le nom ou le pronom auquel ils se rapportent : *Une vieille maison* DÉLABRÉE. *Elle est très* FIÈRE *de son fils. Il a une profession* INTÉRESSANTE *et* LUCRATIVE. *Cette étoffe qui est* SOYEUSE *et* BRILLANTE *me convient. Ne laissez pas vos enfants* SEULS *près de l'étang.*

Remarques.

1. Ne pas confondre l'adjectif, **épithète** du **complément,** et l'adjectif, **épithète** du **nom principal :** *Un* TAS *de branches assez* HAUT *pour protéger contre le vent* (c'est le tas qui est haut). / *Un tas de* BRANCHES *trop* GRANDES *pour être mises dans la cheminée* (ce sont les branches qui sont grandes).

2. Avec **une sorte de, une espèce de,** etc., suivis d'un nom complément, l'adjectif **s'accorde** avec ce **complément :** *C'est une espèce de* VÉHICULE ÉTONNANT. *Une sorte de* FOU, PRÊT *à tout.*

3. L'adjectif qui accompagne **un fripon de, un drôle de,** etc., suivis d'un complément, **s'accorde** avec le **complément** : *Une drôle de* RECRUE *tout* ENDIMANCHÉE *s'était présentée à la caserne.*

4. Avec **avoir l'air,** l'adjectif **s'accorde** avec **air** (si on peut ajouter l'article indéfini : *avoir un air*); il **s'accorde** avec le **sujet** (si on peut remplacer *avoir l'air* par *sembler*) : *Elle a l'*AIR HEUREUX, DÉTENDU (= elle a un air heureux, détendu). ELLE *a l'air* CONTENTE *après ce succès* (= elle semble être contente).

5. Lorsque les noms désignant des **titres,** comme *Sa Majesté, Son Altesse, Son Éminence,* etc., sont suivis d'un **nom apposé,** l'adjectif attribut **s'accorde** avec ce **nom apposé ;** lorsqu'ils sont employés seuls, l'adjectif **s'accorde** normalement avec le nom désignant le **titre** : *Sa Majesté* LE ROI *est* SATISFAIT *de vous*/SA MAJESTÉ *est* SATISFAITE.

6. Lorsque l'adjectif est séparé du **nom** dont il est épithète par la préposition **de,** il **s'accorde** avec ce **nom** (exprimé ou non) : *Il n'y a pas deux* POMMES *de* BONNES *dans tout le paquet. Parmi toutes ces* PERSONNES, *il n'y en a pas deux de* CONSCIENTES.

7. Avec **il n'y a de,** l'adjectif qui suit reste au **masculin singulier** : *Il n'y a de vrai que la nouvelle de son départ.*

8. Après **des plus, des moins, des mieux,** l'adjectif se met au **pluriel** et s'accorde en **genre** avec le nom : *Cette* QUESTION *est des plus* DÉLICATES. *Cette* NUIT *a été des plus* AGITÉES *chez le malade depuis son entrée à l'hôpital. Un* EXPOSÉ *des mieux* ÉCRITS *que je connaisse.*
Mais quelquefois, *des plus, des moins, des mieux* sont équivalents à des **adverbes** de quantité (indiquant un très haut degré : extrêmement, très peu), et l'adjectif peut s'accorder en **genre** et en **nombre** avec le nom auquel il se rapporte (il peut donc être singulier) : *Cet homme n'est vraiment pas des plus* LOYAL (= il n'est pas loyal du tout). Lorsque le mot auquel se rapporte l'adjectif est un infinitif, une proposition ou un pronom neutre, il reste au masculin singulier : PLONGER *de cette hauteur est des plus* DANGEREUX. C'EST *des plus* DÉSAGRÉABLE. *Il lui est des plus* PÉNIBLE *de se lever le matin.*

9. **Des meilleurs** s'accorde en **genre** avec le nom auquel il se rapporte : *Cette* PHRASE *n'est pas des* MEILLEURES.

10. **Feu** est invariable avant le groupe du nom, variable entre l'article et le nom : *Feu la reine. La feue reine. Les feus rois.*

11. **Égal** dans **n'avoir d'égal que** s'accorde le plus souvent avec le **sujet ;** il n'est pas interdit de l'accorder avec le complément de comparaison : *Elle n'a d'égale que son frère quand il s'agit de faire des bêtises. Pierre n'a d'égaux que ses frères.* L'expression **d'égal à égal** est en général **invariable** : *Elle ne traite pas Pierre d'égal à égal* (l'accord d'*égale à égal* est rare). L'expression **sans égal** s'accorde au féminin singulier ou au féminin pluriel, mais jamais au masculin pluriel : *Une joie sans égale ; des talents sans égal.* Dans tous ces cas *égal,* invariable, est possible.

12. **Pareil** dans **sans pareil,** s'accorde en **genre** et en **nombre ;** il n'est pas interdit d'employer le masculin singulier au lieu du masculin pluriel :

Une joie sans pareille; des films sans pareils ou *sans pareil* (= sans rien de pareil).

13. **Seul à seul** est invariable : *Nous avons laissé les fiancés seul à seul.*

14. Il ne faut pas confondre l'**adjectif qualificatif** avec l'**adverbe**, la **préposition** ou le **préfixe** :

Fort, droit, court, haut, cher, etc., sont adjectifs et variables dans : *Une voix forte. Une ligne droite. Ses cheveux sont courts. À voix haute. Des vêtements chers.* Ils sont adverbes et invariables dans : *Parler fort. Marcher droit. Couper court ses cheveux. Ils parlent haut. Ces vêtements coûtent cher* (= d'une manière forte, droite, courte, etc.). Ainsi :

Court est invariable dans **demeurer, rester court** : *Elle est demeurée court.*

Fort est invariable dans **se faire fort de** (et l'infinitif) : *Elles se sont fait fort de trouver le problème.*

Fin est adverbe et invariable dans : *Ils sont fin prêts* (= tout à fait prêts), et adjectif variable dans : *Voilà des remarques qui ne sont pas très fines.*

15. **Plein, sauf, passé** sont des prépositions et sont invariables dans : *Ils en ont plein les poches. Je suis libre sauf la semaine prochaine. Passé dix heures, je tombe de sommeil.* Ce sont des adjectifs variables dans : *Leurs poches sont pleines. La malheureuse une fois sauve a remercié son sauveteur. Dix heures passées, et il n'est pas encore rentré.*

Possible est adverbe et invariable avec *le plus, le moins (de)* : *Ramassez le plus de fleurs possible. Faites le moins de fautes possible. Des mouvements les plus naturels possible.* Mais il est adjectif et variable quand il se rapporte directement au nom : *Il a fait tous les efforts possibles.*

16. **Bien, mal,** invariables comme adverbes, restent invariables comme adjectifs : *des gens* BIEN ; *une histoire pas* MAL (= adjectifs invariables) ; *des histoires* BIEN, MAL *racontées* (= adverbe).

17. **Nouveau, frais, grand, large, bon,** précédant des adjectifs ou des participes, s'accordent en genre et en nombre : *les* NOUVEAUX *mariés ; la* NOUVELLE *venue ; les* NOUVEAUX *arrivés ; des roses* FRAÎCHES *écloses ; une fleur* FRAÎCHE *cueillie ; les yeux* LARGES *ouverts ; une fenêtre* GRANDE *ouverte. Ils sont arrivés* BONS *premiers.*
Cependant dans *nouveau-né* (avec un trait d'union), *nouveau* reste invariable : *nouveau-né ; des nouveau-nés.*

18. **Raide** et **ivre** sont des adjectifs et s'accordent dans *raide mort, ivre mort* : *Ils sont tombés* RAIDES MORTS. *Elles étaient* IVRES MORTES.

19. **Nu** reste invariable quand il précède le nom auquel il est lié par un trait d'union (sauf dans *nue-propriété*) : *aller* NU-TÊTE, NU-PIEDS.
Mais **nu,** après le nom, est normalement variable : *aller* TÊTE NUE, PIEDS NUS.

20. **Demi-,** placé avant le nom, est un préfixe invariable comme **mi-** : *une demi-heure ; une demi-douzaine ; avoir de l'eau jusqu'à mi-jambes.* Placé après le nom dans **et demi, demi** est variable **en genre** (toujours au singulier) : *trois* HEURES *et* DEMIE ; *deux* JOURS *et* DEMI.

21. **Minuit** et **midi** étant masculins, on écrit : *minuit et demi ; midi et demi.* (Mais on rencontre parfois dans l'usage *midi et demie.*)

Règle 2.

L'**adjectif s'accorde** en **genre** avec la personne ou les personnes représentées par les **pronoms** :
JE *suis* HEUREUX (c'est un homme qui parle).
JE *suis* HEUREUSE (c'est une femme qui parle).
Est-ce que TU *es* HEUREUSE ? (c'est à une femme qu'on s'adresse).
Est-ce que TU *es* HEUREUX ? (c'est à un homme qu'on s'adresse).
NOUS *sommes* PARTIS *en vacances* (moi, ma femme et les enfants).
VOUS *êtes* SORTIES *cet après-midi* (toi, ma femme et toi, ma fille).

Remarques.

1. Lorsque **nous** et **vous** ne représentent qu'une seule personne (« *nous* » de majesté, « *vous* » de politesse), l'adjectif ou le participe s'accordent selon le **genre** de la personne représentée par ce pronom et sont, au **singulier** : VOUS *êtes* SAVANT. NOUS *n'avons pas encore été* CONTACTÉ. VOUS *êtes* SAVANTE. NOUS *n'avons pas été* CONTACTÉE.

2. **On** est du **masculin singulier** : ON *a été* SURPRIS *par la nouvelle.* ON *était* CONTENT.

Lorsque *on* se substitue à *nous* ou qu'il s'agit de plusieurs personnes, le verbe reste au singulier, mais l'attribut ou le participe passé avec *être* peuvent se mettre au pluriel : ON *s'est* PERDUS *de vue depuis sept ans, mais nous nous sommes rencontrés par hasard la semaine dernière.* ON *est tous les deux* CONTENTS *de vous savoir guéri.*

Lorsqu'on parle d'une femme, *on* (au sens de *elle*, de *tu*) a son attribut au féminin : *Alors* ON *est* HEUREUSE *de voir son père ?*

3. **Quelque chose, rien, pas grand-chose, autre chose, personne, tout le monde** sont du **masculin singulier** ; l'adjectif ou le participe passé qui s'y rapportent sont au masculin singulier : RIEN *n'est* SÛR, *il n'y a* RIEN *de* SÛR *à l'heure actuelle.* QUELQUE CHOSE *est* MYSTÉRIEUX, *il y a* QUELQUE CHOSE *de* MYSTÉRIEUX. PERSONNE *n'est* CONTENT, *il n'y a* PERSONNE *de* CONTENT *parmi vous.* TOUT LE MONDE *est* CONTENT. *Il n'y a pas* GRAND-CHOSE *de* NOUVEAU. (*Grand-chose* peut être nom : *C'est une pas grand-chose cette fille/un pas grand-chose ce garçon.*)

Règle 3.

Si l'**adjectif**, épithète ou attribut, se rapporte à **deux** ou **plusieurs noms, coordonnés** par *et* ou **juxtaposés**, et de **même genre**, il se met au **pluriel** et est au **même genre** que ces noms :
Elle porte une JUPE *et une* CHEMISETTE NEUVES.

Si les noms sont de **genres différents**, il se met au **masculin pluriel** : *Elle porte une* JUPE *et un* CORSAGE NEUFS.

Remarques.

1. Si **l'adjectif** se rapporte à **un seul** des noms, coordonnés ou juxtaposés, il **s'accorde** avec **ce dernier** : *À la réunion elle portait ses* BOTTES *et un* MANTEAU NEUF.

2. Si les **noms** coordonnés ou juxtaposés sont **synonymes** (ont à peu près le même sens), **l'adjectif s'accorde** avec **le dernier** : *Il a montré un* ACHARNEMENT, *une* TÉNACITÉ *peu* COMMUNE.

3. Si les **noms** sont coordonnés par **ou**, **l'adjectif épithète s'accorde** avec le nom **le plus proche** : *Il montre un* PARTI PRIS *ou une* HOSTILITÉ SURPRENANTE.
L'adjectif **attribut** ou **apposé** se met au **masculin pluriel** si les **noms** sont de **genres différents** : *Son* PARTI PRIS *ou son* INDIFFÉRENCE *sont* SURPRENANTS. *Son* PARTI PRIS *ou son* INDIFFÉRENCE, SURPRENANTS *en pareilles circonstances, m'ont étonné.*

4. Plusieurs **adjectifs épithètes au singulier** peuvent se rapporter au même **nom pluriel** : *les* MINORITÉS NOIRE *et* MÉTISSE ; *les* DIX-SEPTIÈME *et* DIX-HUITIÈME SIÈCLES ; *les* LANGUES FRANÇAISE *et* ANGLAISE.

Règle 4.

L'**adjectif** épithète ou attribut **s'accorde** en **genre** et en **nombre** avec le **complément d'un nom collectif** (*une masse de, une foule de,* etc.), **d'un adverbe de quantité** ou d'une expression équivalente (*beaucoup de, trop de, peu de, la plupart de,* etc.) : *Une foule de* GENS *sont* ÉGOÏSTES. *La plupart de ses* AMIS *étaient* SINCÈRES. *Trop de* PRÉCIPITATION *est* DANGEREUSE. *Nombre de* SOLDATS *étaient* COURAGEUX. *Quantité de* GENS *seront* CONTENTS.

Remarques.

1. Lorsque **l'adjectif** se rapporte à un **nom de fraction** singulier *(la moitié, une partie, un tiers)* suivi d'un **complément**, il **s'accorde** avec le **nom de fraction** ou avec le **complément** : *La* MOITIÉ *du* TERRAIN *est* BOUEUX *ou* BOUEUSE.
Avec un **nom de fraction** au **pluriel**, l'adjectif est au **pluriel** : *Les trois* QUARTS *du* TERRAIN *sont* HUMIDES.

2. Avec un adverbe de quantité, lorsque l'accent est mis sur la **quantité** elle-même, l'accord se fait au **masculin singulier** : TROP *de prudence peut être* DANGEREUX.

3. Lorsque le **nom collectif** est **précédé de l'article défini** ou de l'adjectif possessif ou démonstratif, **l'adjectif s'accorde** avec le nom **collectif** : CETTE FOULE *d'enfants était* JOYEUSE.

Règle 5.

● Les **adjectifs de couleur** suivent la règle générale des adjectifs. Ils **s'accordent en genre** et en **nombre** avec le nom

auquel ils se rapportent : *Elle porte une* ROBE BLANCHE. ILS *sont* VERTS *de rage.*
Ainsi, *blanc, bleu, brun, écarlate, gris, jaune, noir, pourpre, rose, rouge, vert, violet,* etc.

● Les **noms** employés comme **adjectifs de couleur** sont **invariables** en nombre et en genre : *des yeux noisette ; des serviettes orange, grenat, chocolat.* Ce sont en particulier les noms de fruits, de fleurs, etc. : *amarante, bistre, cerise, crème, fraise, grenat, groseille, kaki, marron, noisette, orange, paille, pêche, prune,* etc.

● Les **adjectifs de couleur composés,** avec ou sans trait d'union, formés de deux adjectifs de couleur ou d'un adjectif de couleur et d'un autre mot comme *clair, foncé, fer,* etc., sont **invariables :** *des rideaux jaune paille ; une jupe bleu marine, bleu foncé, bleu clair ; des costumes bleu-noir, gris fer.*

Remarques.

1. Il ne faut pas confondre les **adjectifs** de couleur **coordonnés** par *et* ou **juxtaposés** et qui sont **variables,** et les **adjectifs de couleur composés** formés d'éléments coordonnés par *et* ou juxtaposés et qui sont **invariables.** Ainsi : *des drapeaux* BLEU, BLANC, ROUGE (chaque drapeau est bleu, blanc, rouge ; donc invariable) ; *des étoffes* BLEU ET OR (chaque étoffe est bleu et or). Mais : *Un bouquet de fleurs* BLANCHES *et* ROUGES (= il y a des fleurs blanches et des fleurs rouges ; donc variable).

2. L'adjectif suivant le nom **couleur** reste **invariable :** *une chemise couleur* CHAIR ; *des chemises couleur* CAFÉ.

3. L'adjectif **pie** indiquant la couleur d'un cheval peut **varier** ou **non :** *Des juments* PIE *ou* PIES.

4. Le **nom** désignant une **couleur** est du **masculin** et prend la **marque du pluriel** (même s'il est issu d'un adjectif de couleur invariable) : *des rubans turquoise* (= adjectif invariable, issu du nom féminin *une turquoise*). *Des* TURQUOISES *dégradés, du plus foncé au plus clair* (nom de couleur, masculin, variable = des tons turquoise).

3. Les adjectifs numéraux

Règle 1.

Les **adjectifs numéraux cardinaux** (*quatre, cinq, sept, huit, neuf, onze, douze, treize,* etc.) sont **invariables** et ne prennent pas de **-s** : *Les* TRENTE-QUATRE *élèves sont rentrés en classe. Ils sont* DOUZE *par classe. Les* DOUZE *y sont.*

Remarques.

1. **Un** est variable en **genre** : *Les trente et une premières pages du livre.*

2. **Vingt** et **cent** sont **invariables** quand ils sont employés **seuls** ou **suivis** d'un autre **numéral** : VINGT-CINQ *élèves par classe. Je l'ai payé* DEUX CENT QUATRE *francs.* TROIS CENT ONZE *mille francs.*
Ils **prennent** un **-s** quand ils sont **précédés** d'un autre numéral et qu'ils ne sont suivis d'aucun autre numéral : QUATRE-VINGTS *francs,* mais QUATRE-VINGT-DEUX *francs.* TROIS CENTS *francs,* mais TROIS CENT TROIS *francs.*

3. Les **adjectifs numéraux cardinaux** employés avec le sens d'un adjectif numéral **ordinal (après le nom), restent invariables,** y compris **vingt** et **cent** : *page* QUATRE-VINGT (sans *s*) ; *page* DEUX CENT ; *page* TRENTE ET UN, etc.

4. **Mille** est **invariable** ; mais les noms de nombre **million, milliard, millier** prennent un **-s** au pluriel : *trois* MILLE *personnes ; deux* MILLIONS *de francs ; trois cents* MILLIONS ; *des* MILLIERS *de victimes ; trois* MILLIARDS *de déficit.*
Mille comme mesure de distance est un nom variable : *À trois mille* MILLES *du rivage.*

Règle 2.

Les **adjectifs numéraux ordinaux** (*deuxième, troisième, quatrième, vingtième, centième, millième,* etc.) **s'accordent** avec le nom auquel ils se rapportent : *Les deux premiers élèves de la classe.*

---

4. Les déterminants et les pronoms

Règle 1.

Les **déterminants,** articles, adjectifs possessifs, adjectifs démonstratifs, adjectifs indéfinis, adjectifs interrogatifs **s'accordent** en **genre** et en **nombre** avec le nom auquel ils se rapportent : SES *bagages.* QUELS *sont vos nom et prénom ? Il y a encore* QUELQUES *erreurs dans vos additions.*

Remarques.

1. Dans une phrase où le complément comporte un **possessif** se rapportant au sujet : *L'oiseau fait* SON *nid. Enlève* TA *veste*

— le pluriel peut être : *Les oiseaux font* LEUR *nid* (chacun fait son nid). *Enlevez* VOTRE *veste* (chacun l'enlève) ;

— ou bien : *Les oiseaux font* LEURS *nids* (tous font des nids). *Enlevez* VOS *vestes* (tous les enlèvent).

Lorsque le complément est précédé de **chacun**, on peut avoir : *Les oiseaux font* CHACUN SON NID (accord de *son nid* avec *chacun* : cas le plus fréquent). *Les oiseaux font* CHACUN LEUR NID (accord de *leur nid* avec *les oiseaux*). *Les oiseaux font* CHACUN LEURS NIDS (accord de *leurs nids*, nids étant au pluriel, avec *les oiseaux* : cas le plus rare).

2. Avec **le plus, le moins, le mieux**, accompagnés **d'un complément**, l'article s'accorde en **genre** avec ce **complément** : *Voici* LA *plus* ÉTONNANTE DES HISTOIRES *que je connaisse. De toutes les* MACHINES *c'est* LA *plus* PERFECTIONNÉE.

S'il n'y a **pas de complément** et que le superlatif signifie «le plus, le moins possible en l'état actuel», l'article reste à la forme **le** (*le plus, le moins, le mieux* forment alors des adverbes) : *C'est sur ce sujet que les orateurs ont été* LE PLUS PROLIXES (= très prolixes). *Voilà une histoire qui n'est pas* LE PLUS UTILE *à raconter en ce moment* (= très utile). *Ce sont là les romans* LE MIEUX ÉCRITS *qu'on puisse lire.*

3. **Aucun** et **nul** ne s'emploient qu'au singulier comme adjectifs indéfinis et pronoms indéfinis, sauf quand ils déterminent un nom qui n'est utilisé qu'au pluriel : AUCUNES *obsèques ;* AUCUNS *ciseaux ;* NULLES *funérailles.*

4. Même, désignant des personnes ou des choses identiques et **placé entre** l'**article** et le **nom, s'accorde** avec ce nom : *J'ai vu* LES MÊMES ROBES *dans un magasin de Paris.* Le nom peut ne pas être repris : *Cette robe est bien, je veux* LA MÊME.

Même, placé **après** un **pronom**, avec le sens de «en personne», **s'accorde** avec le pronom : ELLES-MÊMES *me l'ont dit et je les ai crues.* CEUX-LÀ MÊMES *qui me l'ont dit sont dignes de foi.*

Même, placé **avant** le **groupe** formé par le **déterminant** et le **nom**, est adverbe et reste **invariable** (= aussi) : MÊME LES ENFANTS *s'ennuyaient à ce film.*

Il est **invariable** dans **et même, tout de même, quand même, être à même de** (= être capable de) : *Ils ne sont pas* À MÊME *de vous renseigner.*

Dans la langue écrite soutenue, *même* adverbe **après** le groupe du **nom** reste invariable : *Les* ENFANTS MÊME *s'ennuyaient.*

5. Quelque, placé avant un nom pluriel avec le sens de «un petit nombre», est un adjectif indéfini qui **s'accorde** avec ce nom : *Il y a* QUELQUES FRUITS *abîmés. Il a travaillé* QUELQUES HEURES *hier soir.*

Placé avant un nom singulier, avec le sens de «un certain», il reste au **singulier** : *C'est arrivé il y a* QUELQUE TEMPS.

Devant une indication de nombre, de durée, etc., avec le sens de «environ», il est **invariable** : *il s'est passé* QUELQUE *dix jours avant que nous la revoyions. Il y a* QUELQUE *cinq cents personnes dans la salle.*

Devant un adjectif et suivi de **que** et du **subjonctif** (avec le sens de «quoique, bien que»), il est **invariable** : QUELQUE *patients qu'ils soient, ils n'ont pu supporter cela.*

Devant un nom et suivi de **que** et du **subjonctif** (avec le sens de «quoique, bien que»), il **s'accorde** avec ce nom : QUELQUES MÉRITES QU'*ils aient, ils ne sont pas à la hauteur de la situation.*

6. Quel que (en deux mots), suivi du **subjonctif** des verbes *être, devoir être, pouvoir être*, etc., **s'accorde** avec le sujet du verbe : QUELLE QUE *soit la* DATE *de vos vacances, passez nous voir.* QUELLES QUE *puissent être vos* INTENTIONS, *la réalité est là.* QUELLE QU'*ait été sa* SURPRISE... QUELS QUE *doivent être vos* PROJETS...

7. Quoi que (en deux mots), pronom correspondant à *quel que* (en deux mots) a le sens de «quelle que soit la chose que» et il est complément d'objet ou sujet du verbe au subjonctif qui suit : QUOI QU'*il ait* VU, *qu'il se taise.* QUOI QU'*il ait été* PRÉVU, *refaisons les calculs.* Ne pas confondre **quoi que** avec **quoique** (en un mot), au sens de «bien que». *Quoique* est une conjonction qui n'a ni la fonction de sujet ni celle de complément d'objet : QUOIQUE *vous ayez* VU *la* SCÈNE, *taisez-vous.* QUOIQU'*il ait* COMMIS *un* CRIME, *il a des excuses.*

8. Tel s'accorde généralement avec le nom qui suit : *Elle arriva* TEL L'ÉCLAIR. *Des accords,* TELLE CETTE CONVENTION *collective.* **Tel que s'accorde** toujours avec le nom qui précède : *Des* ACCORDS TELS QUE *cette convention collective.*

Comme tel s'accorde avec le terme de comparaison, de référence : *La danse est un* ART, *et comme* TEL (= comme un art), *je l'admire.*

Tel quel s'accorde en genre et en nombre avec le nom auquel il se rapporte : *J'ai trouvé ce livre* TEL QUEL, *cette revue* TELLE QUELLE.

9. Tout, épithète, placé avant le groupe formé de l'article, du possessif ou du démonstratif et du nom, **s'accorde** avec le nom : TOUS LES ENFANTS *sont rentrés en classe.* TOUTE LA VAISSELLE *a été faite.* TOUS LEURS EFFORTS *ont été vains.* TOUTES SES AFFAIRES *ont été volées.*

Tout, attribut, **s'accorde** avec le sujet ou le complément d'objet : *Les enfants sont* TOUS *là, je les vois* TOUS. *Elles sont* TOUTES *arrivées à l'heure.*

Tous, toutes sans nom sont des **pronoms indéfinis** au sens de «tous les gens», «toutes les femmes» : TOUS *sont contents de te savoir en bonne santé.* TOUTES *étaient silencieuses.*

Tout peut être aussi un **nom masculin** précédé d'un déterminant, au sens de «une totalité»; en ce cas son pluriel est **touts** : *Prenez ces billes et faites-en* UN TOUT. *Prenez ces billes et faites-en* DES TOUTS *distincts selon les couleurs.*

Tout, devant un adjectif, au sens de «tout à fait», est un adverbe **invariable** lorsque l'adjectif qui suit est masculin ou que l'adjectif féminin qui suit commence par une voyelle ou un *h* muet : *Ils sont venus* TOUT SEULS. *Elle est* TOUT ÉTONNÉE. *Elles sont* TOUT HEUREUSES.

Tout, devant un adjectif féminin commençant par une consonne ou un *h* aspiré est un adverbe **variable** : *Elle est* TOUTE CONTENTE. *Elles sont* TOUTES SURPRISES. *Elle est* TOUTE HARDIE, TOUTE HONTEUSE. Ceci s'applique à **tout-puissant** (avec trait d'union) : *Ce sont des* PERSONNALITÉS TOUTES-PUISSANTES (féminin). *Ce sont des* HOMMES TOUT-PUISSANTS (masculin).

Ceci s'applique à **tout + adjectif + que** : TOUT ÉTOURDIS QU'ILS *soient, ils n'ont pas oublié l'heure.* TOUT ÉTONNÉE QU'ELLE *fût intérieurement, elle ne le laissa pas paraître.* TOUTES HONTEUSES QU'ELLES *soient...*

Dans **tout autre que** (au sens de « n'importe qui, n'importe quel autre »), *tout* **s'accorde** en genre avec le nom auquel il se rapporte : TOUTE AUTRE QUE GEORGETTE *aurait accepté.* Mais il est adverbe dans : *J'attendais de vous une* TOUT AUTRE RÉPONSE (= tout à fait différente).

Tout, adverbe, est **invariable** devant un **nom** : *Une étoffe* TOUT LAINE (= entièrement en laine). *Les* TOUT DÉBUTS *de ce chanteur.*

Règle 2.

Les **pronoms possessifs, démonstratifs,** et les pronoms **personnels** de la 3e personne **s'accordent** en genre et en nombre avec le ou les **noms** qu'ils représentent, les êtres ou les choses qu'ils désignent, auxquels ils se réfèrent : *Nos amis sont arrivés ;* ILS *s'impatientent de ne pas te voir. Ces cravates sont toutes très belles ; mais je préfère* CELLE-LÀ. *Tes amis sont gentils,* LES MIENS *le sont aussi.*

Remarques.

1. Lorsque le **pronom** remplace toute une **phrase**, il est au **masculin singulier** ou à une forme **neutre** *(ça, cela)* : *Tu crois* QU'IL VIENDRA DEMAIN ? — *Je* LE *pense.* ÇA *ne m'étonnerait qu'à moitié.*

2. Lorsque le **pronom** remplace **plusieurs noms coordonnés** de genres différents, il se met au **masculin pluriel** : *Ta* PATIENCE *et ton* SANG-FROID *ne sont-*ILS *pas en fait des marques d'indifférence ?*

3. Lorsque le **pronom** se réfère à un **titre**, il **s'accorde** avec ce **titre** et non avec la personne qu'il représente : SON ÉMINENCE *recevra-t-*ELLE *les visiteurs ?*
Mais si le titre est suivi d'un **nom apposé**, le pronom **s'accorde** avec ce **nom** : SA SAINTETÉ LE PAPE *n'est-*IL *pas guéri de sa maladie ?*

4. Lorsque le nom représenté est un **adverbe de quantité** suivi d'un **complément**, le pronom **s'accorde** avec ce **complément** : *Trop de* TERGIVERSATIONS *ne vont-*ELLES *pas faire échouer votre projet ? Tant de* PATIENCE *n'emporte-t-*ELLE *pas votre admiration ?* Si l'accent est mis sur la **quantité** elle-même, le pronom peut être au masculin singulier : TROP *de prudence ne va-t-*IL *pas vous nuire ?* (= un excès de prudence).

5. Le participe présent et l'adjectif verbal

Règle.

Le **participe présent**, forme verbale en *-ant,* reste toujours **invariable**. L'**adjectif verbal** en *-ant,* épithète ou attribut, **varie** en genre et en nombre avec le nom auquel il se rapporte : SENTANT *l'adversaire faiblir,* ILS *en ont profité* (= comme ils sentaient : participe présent)./*Voici une* NOUVELLE SURPRENANTE *et très grave* (= propre à surprendre : adjectif verbal).

Comment reconnaît-on un participe présent d'un adjectif verbal ?

1. Est toujours un **participe** et **invariable** la forme en *-ant :*

— précédée de la préposition **en** (cette forme est souvent appelée gérondif) : *Elle est tombée* EN GLISSANT *dans l'escalier ;*

— suivie d'un **complément,** direct, indirect ou circonstanciel : VOYANT LA SITUATION *défavorable, ils ont renoncé.* PARLANT À PAUL, *elle ne t'a pas vu.* ARRIVANT HIER SOIR À PARIS, *nous n'avons pas pu te joindre ;*

— accompagnée de la **négation** *ne* ou *ne pas,* ou suivie d'un **adverbe :** NE CONNAISSANT RIEN *de la ville, ils se sont égarés.* PARTANT DEMAIN, *nous ne pouvons prendre un rendez-vous.*

— issue d'un verbe **pronominal,** ou avec **aller :** S'AGISSANT *d'une question aussi grave, nous devons réfléchir.* SE SATISFAISANT *de cette réponse, elle a accepté. Les difficultés* ALLAIENT CROISSANT.

— ayant un **sujet différent** du sujet du verbe principal (proposition participiale) : *Les* CIRCONSTANCES DEMEURANT *ce qu'elles étaient,* NOUS *attendrons.*

2. Est toujours **adjectif verbal** et **variable** la forme en *-ant :*

— à laquelle on peut **substituer** un **adjectif** qualificatif : *Elle était* RAVISSANTE *avec sa robe bleue* (= très belle).

— **coordonnée** à un **adjectif** qualificatif : *Il remporta des succès* ÉCLATANTS ET INATTENDUS.

— **précédée** d'un **adverbe** de quantité *(très peu, trop, assez, bien, fort),* ou précédée d'un adverbe de temps : *Ce sont des enfants* TRÈS OBÉISSANTS. *Une femme* TOUJOURS SOURIANTE.

Remarques.

1. Participes présents et adjectifs verbaux ont en général **la même forme ;** ils ne sont **différents** que dans peu de cas ; l'adjectif verbal est alors en *-ent* ou a une forme particulière (verbes en *-guer* ou en *-quer*) :

PARTICIPE PRÉSENT	ADJECTIF VERBAL	PARTICIPE PRÉSENT	ADJECTIF VERBAL
adhérant	adhérent	excellant	excellent
coïncidant	coïncident	fatiguant	fatigant
communiquant	communicant	influant	influent
confluant	confluent	intriguant	intrigant
convainquant	convaincant	naviguant	navigant
convergeant	convergent	négligeant	négligent
déférant	déférent	précédant	précédent
détergeant	détergent	provoquant	provocant
différant	différent	résidant	résident
divaguant	divagant	somnolant	somnolent
divergeant	divergent	suffoquant	suffocant
émergeant	émergent	vaquant	vacant
équivalant	équivalent	zigzaguant	zigzagant

2. **Soi-disant, battant neuf, flambant neuf** sont invariables : *De* SOI-DISANT *volontaires ; une voiture* FLAMBANT NEUF, BATTANT NEUF. L'accord n'est cependant pas une faute avec *flambant, battant* et *neuf : une villa*

FLAMBANTE NEUVE ou FLAMBANT NEUVE ; *des voitures* FLAMBANTES NEUVES ou FLAMBANT NEUVES.

3. **Sonnant, battant, tapant** et, en langue populaire, **pétant,** s'accordent ou non après l'expression d'une heure : *à quatre heures* SONNANTES ; *à deux heures* PÉTANTES ; *à trois heures* TAPANT, PÉTANT.

4. **Cessant** s'accorde dans : *toutes affaires* CESSANTES ; *tous empêchements* CESSANTS.

6. Le participe passé avec « être »

Règle 1.

Le **participe passé** avec *être* **s'accorde** en **genre** et en **nombre** avec le nom ou le pronom **sujet** auquel il se rapporte. Les verbes conjugués avec *être* sont les verbes passifs et certains verbes intransitifs :

Nos LETTRES *ne* SONT *pas* PARVENUES *à leurs destinataires. Nos* ESPOIRS ONT ÉTÉ DÉÇUS. *La* VAISSELLE EST FAITE.

Remarques.

1. Lorsque le participe passé se rapporte à un pronom comme **on, nous, vous,** etc., v. p. 28.

2. Lorsque le participe passé se rapporte à un **nom collectif** ou à un **adverbe de quantité** suivi de son complément, les règles sont les mêmes que pour l'adjectif ou pour le verbe (v. p. 29, 46, 47).

3. Avec **rester, demeurer, paraître, sembler,** le participe passé s'accorde avec le nom auquel il se rapporte : ELLE *paraît très* AFFECTÉE *par la nouvelle. La* FERME *reste* ABANDONNÉE.

4. Le participe passé **été** est toujours **invariable** : *Nous ne pouvons être et avoir* ÉTÉ. *Aline y a* ÉTÉ *l'année dernière.*

5. Le participe passé, **sans auxiliaire, s'accorde** avec le nom auquel il se rapporte : *Une fois la* VAISSELLE FAITE, *nous pourrons regarder la télévision. Vous croyez* COLETTE PARTIE ? (= que Colette est partie). *La* LETTRE ENVOYÉE, *elle a changé d'avis. On va renflouer les* BATEAUX ÉCHOUÉS *sur le rivage.* ÉTONNÉE, JACQUELINE *ne répondit rien.*

6. **Attendu, excepté, ôté, passé, supposé, vu, y compris, non compris, ci-joint, ci-inclus, ci-annexé,** placés **avant** le **nom** auquel ils se rapportent, restent **invariables** (ils sont considérés comme des prépositions ou des adverbes) : EXCEPTÉ JEANNE, *tout le monde était là.* PASSÉ *cette* SEMAINE, *le plus difficile sera fait.* VU *les* PROBLÈMES, *il faut se donner le temps de réfléchir. Vous trouverez* CI-JOINT *la* SOMME *que vous demandez.* CI-INCLUS *les* PIÈCES *nécessaires à l'instruction. Relisez tout,* Y COMPRIS *les* NOTES *en bas de page.*

Placés **après** le **nom** auquel ils se rapportent, ils **s'accordent** avec lui : JEANNE EXCEPTÉE, *tout le monde était là. Vous compterez la* SOMME CI-JOINTE. *Relisez tout, les* NOTES *en bas de page* Y COMPRISES. *La* PIÈCE CI-INCLUSE *devra m'être retournée signée.*

7. Le participe passé avec « avoir »

Règle 1.

Le **participe passé** conjugué avec *avoir* **s'accorde** avec le **complément d'object direct** si celui-ci **précède** le participe. Ce complément d'objet direct est le pronom relatif *(que)* ou un pronom personnel *(le, la, les, me, te, nous, vous)* remplaçant un nom :

La LETTRE QUE *Georges a* ENVOYÉE *de Nice est sur le bureau.* (Georges a envoyé quoi ? — Une lettre.)/*J'ai rencontré quelques* AMIS ; *je* LES *ai* INVITÉS *pour demain.* (J'ai invité qui ? — Quelques amis.)

Seuls ont un complément d'objet direct les verbes **transitifs directs**.

Remarques.

1. L'objet direct qui précède est formé d'un **nom collectif** ou de **fraction** suivi d'un **complément** (*une multitude de, une foule de, une partie de, un tiers de, la moitié de,* etc.), le **participe passé s'accorde** soit avec le nom **collectif** ou de **fraction,** soit avec le nom **complément** :

Il y a sur la table LA MOITIÉ DU GÂTEAU ; *on* L'*a* LAISSÉ *pour toi.* (On a laissé quoi ? — Du gâteau [une moitié].)
Il y a sur la table LA MOITIÉ DU GÂTEAU ; *on* L'*a* LAISSÉE *pour toi.* (On a laissé quoi ? — La moitié [du gâteau].)

Il est entré dans la pièce UNE MULTITUDE D'INSECTES QUE *la lumière a* ATTIRÉS. (La lumière a attiré quoi ? — Des insectes.)
Il est entré dans la pièce UNE MULTITUDE D'INSECTES QUE *la lumière a* ATTIRÉE. (La lumière a attiré quoi ? — Une multitude [d'insectes].)

2. L'objet direct qui précède est un **adverbe de quantité** suivi d'un **complément** (*beaucoup de, un peu de, trop de,* etc.), le **participe passé s'accorde** avec le nom **complément** :

BEAUCOUP DE GENS QUE *j'ai* VUS *depuis sont d'accord avec moi.* (J'ai vu quoi ? — Beaucoup de gens, des gens en grand nombre.)

UN PEU DE NEIGE *restait devant la maison ; on* L'*a* ENLEVÉE. (On a enlevé quoi ? — La neige, de la neige en petite quantité.)

Avec *le peu de,* le **participe passé s'accorde** soit avec **le peu** soit avec le **complément** qui suit :

Le PEU *d'énergie qu'il a* MONTRÉ *n'a pas suffi :* (Il a montré quoi ? — Un peu [d'énergie].)

*Le peu d'*ÉNERGIE *qu'il avait* MONTRÉE *naguère a disparu.* (Il avait montré quoi ? — De l'énergie [en petite quantité].)

3. L'objet direct est **un des** ou **une des** et un nom pluriel complément, le **participe passé s'accorde** avec **un, une,** s'il s'agit du numéral *un* (= un seul). Il **s'accorde** toujours avec le nom **complément** de *un, une* s'il s'agit d'un indéfini (= n'importe lequel parmi un ensemble) : *Y a-t-il* UN DES FILMS *de la semaine* QUE *tu n'as pas* AIMÉ ? (= Y a-t-il un seul film que tu n'as pas aimé parmi les films de la semaine ?)/*Rends-moi* UN DES LIVRES *que je t'ai* PRÊTÉS. (= Rends-moi n'importe lequel parmi les livres que je t'ai prêtés.)

4. Le complément d'objet direct placé avant le verbe est le pronom **en,** le **participe passé** reste **invariable** (*en* est considéré comme adverbe) ou, plus souvent, il **varie** (*en* est un pronom personnel reprenant un nom introduit par l'article partitif *du, de la, des*) : *Aimez-vous les* CERISES ? J'EN *ai* CUEILLI *ce matin,* ou J'EN *ai* CUEILLIES *ce matin.*

Si le pronom **en** représente le complément d'un adverbe de quantité, le **participe passé s'accorde** avec ce **complément** ou, plus souvent, reste **invariable** : DE CES FILMS *stupides j'en ai* TROP VU *ou* VUS. *J'en ai* TROP CONNUS, ou CONNU, DE CES HOMMES *hésitants et inquiets de tout.*

5. Le **participe passé** conjugué avec *avoir* reste **invariable** si le complément d'objet direct qui précède est **objet direct** non du participe, mais d'un verbe d'une **phrase** dépendant de ce participe : *La* DÉCORATION *qu'il avait* CRU QU'*on lui attribuerait.* (= Il avait cru qu'on lui attribuerait cette décoration : *décoration* est objet direct de *attribuerait* et non de *cru*.)

Règle 2.

Le **participe passé** conjugué avec *avoir* reste **invariable** si le **complément d'objet direct suit** le participe passé ou s'il n'y a pas de complément d'objet direct :

As-tu ENVOYÉ *le* PAQUET *de Paris ou de Lyon ?* (Tu as envoyé quoi ? — Le paquet : l'objet direct suit le participe passé.)
L'équipe a ABANDONNÉ *avant la fin de l'étape.* (L'équipe a abandonné quoi ? — La course, le championnat : l'objet direct n'est pas exprimé.)

Quels sont les verbes qui n'ont pas de complément d'objet ?

N'ont pas de complément d'objet les verbes **intransitifs** et les verbes **impersonnels** : *Le voleur a* FUI *avant l'arrivée de la police.* (*Fuir,* verbe intransitif sans complément d'objet, en ce sens). *Il a* NEIGÉ *pendant deux jours.* (*Neiger,* verbe impersonnel sans complément d'objet.)

N'ont pas de complément d'objet direct les verbes **transitifs indirects.** Ceux-ci ont seulement un complément d'objet indirect : *Les enfants ont* DÉSOBÉI *à leur mère.* (Ont désobéi à qui ? — À leur mère, complément d'objet indirect.)
Les enfants m'ont DÉSOBÉI *à moi leur mère.* (*m',* complément placé avant *désobéi,* est un complément d'objet indirect, le participe passé ne s'accorde pas).

Remarques.

1. Un certain nombre de verbes ont un **sens transitif** (avec un complément d'objet direct) et un **sens intransitif** (sans complément d'objet) différents ; seul l'emploi transitif permet l'accord (au cas où le complément d'objet direct précède le participe passé) : *Regarde les* BRANCHES QUE *le vent a* CASSÉES. (Le vent a cassé quoi ? — Les branches : *casser* est ici transitif.)/*Les branches ont* CASSÉ *sous l'effet du vent.* (*Branches* est sujet de *ont cassé : casser* est ici intransitif.)

2. Il ne faut pas confondre les **compléments d'objet direct** sans préposition (qui répondent à la question *quoi ?* ou *qu'est-ce que ?*) et les **compléments de temps, de mesure, de prix**, etc., sans préposition (qui répondent à la question *combien ?*) : *Il a* NEIGÉ TROIS JOURS. (Combien de jours a-t-il neigé ? [*trois jours* est un complément de temps sans préposition].) *Les trois* JOURS QU'*il a* NEIGÉ *je suis resté à l'hôtel.* (*Qu'* est complément de temps ; *neigé* reste invariable.) *Nous avons* MARCHÉ *trois* KILOMÈTRES. (Combien de kilomètres avons-nous marché ? [*trois kilomètres* est un complément de mesure sans préposition].) *Les trois* KILOMÈTRES QUE *nous avons* MARCHÉ *n'étaient pas fatigants.* (*Que* est complément de mesure ; *marché* reste invariable.)

3. Il ne faut pas confondre le **sujet,** qui peut accompagner le verbe impersonnel, avec un **complément d'objet direct** : *Il a* NEIGÉ *hier de gros* FLOCONS. *Les gros* FLOCONS QU'*il a* NEIGÉ *hier.* (*Flocons* n'est pas le complément d'objet direct du verbe impersonnel, c'est un sujet réel de *neigé* qui reste invariable.)/*Il a* FAIT *de grosses* CHALEURS. *Les grosses* CHALEURS QU'*il a* FAIT. (*Chaleurs* n'est pas le complément d'objet direct du verbe impersonnel *il fait* [*il fait chaud, froid, humide,* etc.] ; *fait* reste invariable.)

4. **Coûter, valoir, peser, mesurer, courir, reposer, vivre,** etc., peuvent avoir un premier sens, **intransitif, sans complément d'objet direct,** mais avec un complément de prix, de mesure ou de temps sans préposition, et un autre sens, **transitif, avec un complément d'objet direct** : ces deux sens sont différents. La règle générale s'applique : si le participe est précédé d'un complément d'objet direct, il s'accorde ; dans le cas contraire, le participe passé reste invariable :

Les mille FRANCS QUE *cette robe a* COÛTÉ. (Elle a coûté combien ? — *Mille francs,* complément de prix ; *coûté* intransitif, invariable.)/*Les gros* EFFORTS QUE *ce travail m'a* COÛTÉS. (Il m'a coûté quoi ? — *De gros efforts,* complément d'objet direct ; *coûté* transitif, variable.)

Les deux MÈTRES QUE *ce mur avait* MESURÉ *avant de s'écrouler.* (Il a mesuré combien ? — *Deux mètres,* complément de mesure ; *mesuré* intransitif, invariable.)/*La* TABLE QUE *j'ai* MESURÉE *a deux mètres.* (J'ai mesuré quoi ? — *La table,* complément d'objet direct ; *mesuré* transitif, variable.)

Les quelques HEURES QU'*il a* REPOSÉ *à l'hôpital.*/*Les* CAHIERS QU'*il a* REPOSÉS *sur mon bureau.*

Les cent MÈTRES QU'*il a* COURU./*Les* DANGERS QU'*il a* COURUS.

Les cinquante KILOS QUE *Marie a* PESÉ *jadis.*/*La* LETTRE QUE *j'ai* PESÉE.

Les dix mille FRANCS QUE *cette maison a* VALU./*La* CÉLÉBRITÉ QUE *cet acte lui a* VALUE.

Les quatre-vingts ANS QU'*il a* VÉCU./*Les* RÊVES *absurdes* QU'*il a* VÉCUS. *Les* ANNÉES *difficiles* QU'*il a* VÉCUES.

5. Le **participe passé** reste **invariable** dans : *Elle* L'*a* ÉCHAPPÉ *belle.* *Elle* L'*a* PRIS *de haut. Elle me* L'*a* BAILLÉ *belle.*

Règle 3.

Si le **complément d'objet direct** qui **précède** le participe passé est le pronom **le (l')**, reprenant toute une phrase, le **participe passé** reste **invariable :**

Il devait rentrer ce soir ; je L'*avais du moins* ESPÉRÉ. (J'avais espéré quoi ? — Qu'il revint ; *l'* complément d'objet direct reprend toute une phrase.) *Elle est intelligente ; je* L'*ai* CRU *du moins.* (J'ai cru quoi ? — Qu'elle était intelligente ; *l'* complément d'objet direct reprend toute une phrase.)

Remarque.

Certains verbes comme **daigner, tâcher,** sont toujours suivis d'une complétive (introduite par *que* et à l'indicatif ou au subjonctif) ou d'un infinitif, mais n'ont jamais un nom pour complément d'objet direct ; leurs **participes passés** sont toujours **invariables :** *Elle a* DAIGNÉ *sourire. Elle a* DAIGNÉ *que je lui envoie des fleurs. Elle a* TÂCHÉ *de bien faire.*
Pouvoir, qui ne peut admettre comme complément d'objet direct placé avant le participe qu'un pronom neutre *(le, l')* a son participe invariable : *J'ai pu faire ceci. Je* L'*ai* PU.

Règle 4.

Si le **participe passé** conjugué avec *avoir* est **suivi** d'un **infinitif** précédé ou non d'une préposition, il **s'accorde** si le nom qui précède est **complément d'objet direct du participe** et **sujet de l'infinitif :**

Va voir les ENFANTS QUE *j'ai* ENTENDUS CRIER *dans la chambre.* (= J'ai entendu les enfants qui criaient : *enfants* objet direct de *entendu* ; j'ai entendu les enfants crier : *enfants* sujet de *crier*.) *Cette* MALADIE, *je* L'*ai* SENTIE VENIR. (= J'ai senti quoi ? — Cette maladie qui venait : la maladie vient.) *Deux* ÉLÈVES QU'*on a* AUTORISÉS *à* SORTIR *ne sont pas rentrés.* (= On a autorisé qui ? — Deux élèves : les deux élèves sont sortis.)

Mais si le nom qui précède est **complément d'objet direct de l'infinitif,** le **participe passé** reste **invariable :** *Je connais les* AIRS QUE *je t'ai* ENTENDU FREDONNER. (= Je t'ai entendu fredonner ces airs ; *airs* complément de *fredonner.*) *Ces* MESURES *que j'ai* PRÉFÉRÉ PRENDRE *tout de suite.* (= J'ai préféré prendre ces mesures tout de suite ; *mesures* complément de *prendre.*)

Remarques.

1. Avec les **verbes d'opinion** (*penser, croire, espérer, estimer,* etc.) ou les **verbes déclaratifs** (*dire, affirmer, assurer, prétendre,* etc.), le nom

qui précède le participe est sujet de l'infinitif sans être complément d'objet direct du participe : le **participe passé** reste **invariable** : *Cette* LETTRE QUE *j'avais* CRU VENIR *de toi.* (= J'avais cru quoi ? — Que cette lettre venait de toi : l'infinitif fait partie d'une proposition complément de *croire* dont le sujet est *cette lettre* ; *j'ai cru cette lettre* a un tout autre sens : « j'avais confiance en cette lettre. ») *Ces* CADEAUX QU'*on m'avait* DIT VENIR *de toi.* (= On m'avait dit quoi ? — Que ces cadeaux venaient de toi ; *cadeaux* est uniquement sujet de l'infinitif.)

2. Le participe passé **fait**, suivi d'un **infinitif**, est toujours **invariable** : *La maison que j'ai* FAIT *construire.*

3. **Laissé**, suivi d'un **infinitif**, est **invariable** si le nom qui précède est uniquement complément d'objet direct de l'infinitif : *Ces pauvres gens, je ne* LES *aurais jamais* LAISSÉ EXPULSER. (= être l'objet d'une expulsion.) Si le nom qui précède est à la fois complément d'objet direct du participe et sujet de l'infinitif, *laissé* **s'accorde** ou reste **invariable** : *Je ne les aurais jamais* LAISSÉ ou LAISSÉS AGIR *de cette façon.*

4. **Voulu, dû, permis** sont **invariables** si le nom qui les précède est objet direct non du participe, mais du verbe à l'infinitif qui est sous-entendu : *Je lui ai donné tous les* CADEAUX QUE *j'ai* VOULU. (= Que j'ai voulu lui donner.) *Je t'ai donné tous les* CADEAUX *que tu as* VOULUS. (= Tu as voulu ces cadeaux, tu les as désirés.) *Je n'ai pas fini tous les* TRAVAUX QUE *j'aurais* DÛ. (= Que j'aurais dû finir.)

5. **Eu, laissé** et **donné** suivis de *à* et d'un **infinitif** (*avoir eu à faire, laisser à faire, donner à faire*), restent **invariables** si le nom qui précède est objet direct de l'infinitif, ce qui est le cas le plus fréquent : *Les* VILLES QUE J'AI EU *à* CITER *étaient toutes des villes européennes. Les* DEVOIRS QUE J'AI EU *à* FAIRE. Lorsque le nom qui précède peut être aussi bien complément du participe que de l'infinitif, le participe **s'accorde** ou reste **invariable** : *La* LEÇON QUE *je t'ai* DONNÉ ou DONNÉE *à apprendre. La* VAISSELLE, *je te* L'*ai* LAISSÉ ou LAISSÉE *à faire.*

Règle 5.

Si le **participe passé** conjugué avec *avoir* est **précédé** d'un **complément d'objet direct** et suivi d'un **attribut**, le participe passé **s'accorde** avec ce complément :
Ces VÊTEMENTS, *je* LES *ai* CHOISIS GRANDS *exprès. Cette* FILLE QUE *j'ai* TROUVÉE *très* JOLIE. *Cette* DATE QUE *nous avions* CRUE LIMITE.

Remarque.

Avec des **verbes d'opinion** (*penser, juger, estimer,* etc.) ou des **verbes déclaratifs** (*dire, affirmer,* etc.), et lorsque le pronom est **que**, cette règle est en contradiction avec la précédente, car ces compléments d'objet direct sont aussi sujets d'un infinitif *être* sous-entendu ; aussi est-il fréquent de trouver le participe **invariable** : *On avait cru que ces gens étaient inquiets de la situation. Ces gens qu'on avait* CRUS *inquiets de la situation* [règle 5]./ *Ces gens qu'on avait* CRU (être) *inquiets de la situation* [règle 4, Remarque 1].

8. Le participe passé des verbes pronominaux

Règle 1.

Si le **verbe pronominal** correspond à un **verbe transitif**, accompagné d'un **complément** d'objet direct, le **participe passé** du verbe pronominal **s'accorde** avec le **pronom réfléchi** identique en genre et en nombre au sujet : *Colette* S'EST REGARDÉE *dans la glace* (= a regardé elle-même).

Il en est de même pour le pronom de sens réciproque (*Pierre et Paul* SE BATTENT *dans la cour* = Pierre bat Paul et Paul bat Pierre) : *Pierre et Paul* SE SONT BATTUS *dans la cour.*

Règle 2.

Si le **verbe pronominal** correspond à un **verbe transitif** accompagné de **deux compléments**, l'un objet direct, l'autre objet indirect du type *donner quelque chose* [objet direct] *à quelqu'un* [objet indirect], le **participe passé** du verbe pronominal **s'accorde** avec le **complément d'objet direct** si celui-ci le **précède** : *Les* DÉLAIS QUE *Colette* s'*est toujours* ACCORDÉS (*délais*, complément d'objet direct).

Dans le cas contraire, le **participe passé** reste **invariable** : *Colette* s'*est toujours* ACCORDÉ *des délais.*

Il en est de même pour le verbe pronominal de sens réciproque : *Ils* SE *sont* DONNÉ *des* GIFLES, mais *les* GIFLES QU'*ils se sont* DONNÉES.

Règle 3.

Si le **verbe pronominal** correspond à un **verbe transitif**, accompagné d'un **complément d'objet direct** et d'un **possessif** (*Colette* SE *lave* LES MAINS. *Colette* LAVE SES MAINS [= à elle]), le **participe passé** du verbe pronominal **s'accorde** avec le **complément d'objet direct** si celui-ci le **précède** ; dans le cas contraire, il reste invariable : *Colette* s'*est* LAVÉ *les* MAINS./LES MAINS QUE *Colette* s'*est* LAVÉES.

On distingue donc : *Elle* s'*est* BLESSÉE *au pied* (= elle a blessé elle au pied)./*Elle* s'*est* BLESSÉ *le* PIED *droit* (= elle a blessé son pied droit).

Remarques.

1. Si le **verbe pronominal** est suivi d'un **infinitif**, le **participe passé** reste **invariable** quand le réfléchi est **objet direct de l'infinitif** ; il varie si le réfléchi est objet direct du participe et **sujet de l'infinitif** : *Elle* S'*est* SENTI TIRER *par la manche.* (= Elle a senti qu'on *la* tirait par la manche ; *se* objet direct de *tirer*.) *Elle* S'*est* SENTIE DÉFAILLIR. (= Elle a senti qu'*elle* défaillait ; *se* sujet de *défaillir* et objet direct de *sentir*.)

2. Si le **verbe pronominal** est suivi d'un **attribut,** le **participe passé s'accorde :** *Elle* S'*est* SENTIE *malade.*

3. **Fait,** dans *s'être fait,* suivi d'un infinitif, reste **invariable :** *Ils* SE *sont* FAIT *construire une maison.*

4. **Laissé,** dans *s'être laissé* suivi d'un infinitif, **s'accorde** quand le sujet de *se laisser* est aussi celui de l'infinitif ; sinon, il reste **invariable :** *Elle* S'*est* LAISSÉE *mourir. Elle* S'*est* LAISSÉ PRENDRE *(par la police).*

5. **Persuadé,** dans *se persuader que,* **s'accorde** ou **non** avec le réfléchi selon que l'on considère la construction *persuader quelqu'un de quelque chose* (accord ; construction la plus fréquente de nos jours) ou *persuader quelque chose à quelqu'un* (construction de la langue littéraire) : *Ils* SE *sont* PERSUADÉ ou PERSUADÉS *que je me trompais.*

6. Les **participes passés** des locutions *se donner raison, se donner tort, se rendre compte, se faire grâce, se faire jour, se faire l'écho de, se faire fort de, se faire justice,* etc., sont **invariables :** *Ils* SE *sont* RENDU COMPTE *de leur erreur. Ils* SE *sont* FAIT L'ÉCHO *de cette calomnie.*

7. En revanche, sont **variables** les **participes passés** des locutions *se mettre bien, se rendre maître, se tenir coi, se porter garant, se porter caution, se trouver court, se mettre à dos :* ELLES SE *sont* TROUVÉES COURT. ILS SE *sont* TENUS COIS. ELLE S'*est* PORTÉE GARANTE.

Règle 4.

Si le **verbe pronominal** correspond à un **verbe transitif indirect,** accompagné d'un **complément d'objet indirect** (verbe du type *nuire à quelqu'un : Colette se nuit par ce mensonge*), le **participe passé** reste **invariable :** *Colette* S'EST *beaucoup* NUI *par ce mensonge.*

Remarque.

Le nombre de verbes pronominaux dont le participe passé est **toujours invariable** est réduit : *Elle* S'*est* COMPLU ; *elle* S'*est* PLU/DÉPLU ; *elle* S'*est* NUI/SUFFI *à elle-même ; ils* SE *sont* SOURI ; *ils* SE *sont* SUCCÉDÉ ; *ils* SE *sont* RESSEMBLÉ ; *ils* SE *sont* PARLÉ ; *elle* S'*est* SURVÉCU ; *elle* S'*en est* VOULU.

Règle 5.

Si le verbe est **essentiellement pronominal,** c'est-à-dire s'il ne correspond à aucun verbe transitif (verbe pronominal du type *s'abstenir,* le verbe *abstenir,* non réfléchi n'existe pas) ou s'il est sans rapport de sens avec le verbe transitif (verbe pronominal du type *s'apercevoir : Paul s'aperçoit de son erreur* ≠ *Paul aperçoit une erreur dans sa copie*), le **participe passé s'accorde** avec le **sujet** du verbe :

COLETTE S'*est* ABSTENUE *de parler.* COLETTE S'*est* APERÇUE *de son erreur.*

Remarque.

S'arroger, verbe essentiellement pronominal, est suivi d'un complément d'objet direct : *Elle s'arroge certains droits.* Le **participe passé s'accorde** avec ce **complément** et uniquement si celui-ci le précède : *Elle s'est* ARROGÉ *certains* DROITS. *Les* DROITS QU'*elle s'est* ARROGÉS.

Règle 6.

Si le **verbe pronominal** correspond à un **verbe passif** conjugué avec *être* (verbes pronominaux à sens passif : *Les légumes se vendent cher* = *Les légumes sont vendus cher*), le **participe passé** du verbe pronominal **s'accorde** avec le **sujet** du verbe : *Les* LÉGUMES SE *sont* VENDUS *cher.*

---

9. L'accord du verbe et du sujet

Règle 1.

Le **verbe s'accorde** en **nombre** avec le **sujet.** Si le sujet est au singulier, le verbe est au singulier. Si le sujet est au pluriel, le verbe est au pluriel : *Les* TÉLÉSPECTATEURS POURRONT *voir un excellent film ce soir. L'*AUTOROUTE ÉTAIT *encombrée ce matin.*

Remarques.

1. Le sujet peut **suivre** le verbe et non le précéder : *Écoutez ce que* DISENT *vos* PARENTS. *La nouvelle qu'*ONT *donnée les* JOURNAUX *est fausse.*

2. **Vive, qu'importe, peu importe, reste, soit,** suivis d'un sujet pluriel, **s'accordent** s'ils sont considérés comme des verbes ou restent **invariables** s'ils sont considérés comme des exclamations, ou des présentatifs : VIVE(NT) *les* VACANCES ! QU'IMPORTE(NT) *ses* REMARQUES ! *Peu* IMPORTE(NT) *les* CIRCONSTANCES ! RESTE(NT) *quelques* POINTS *délicats.* SOI(EN)T *deux* DROITES. **Vive,** devant un pronom de la 1re ou de la 2e personne, est invariable : VIVE *nous !*

3. Lorsque le sujet est le **pronom relatif,** le **verbe s'accorde** en **nombre** avec l'**antécédent** : *Les* LIVRES QUI SONT *sur la table.*

Règle 2.

Si le **sujet** est formé de deux ou plusieurs noms **coordonnés** par **et** ou **juxtaposés,** le **verbe** se met au **pluriel** : *Le* DÉGOÛT ET *la* TRISTESSE *m'*AVAIENT *envahi. L'*AMERTUME *chez les uns, la* COLÈRE *chez les autres ne* CESSAIENT *de grandir.*

Remarques.

1. Si les sujets **coordonnés** par **ou** ou **ni** peuvent indifféremment faire l'action, le **verbe** se met au **pluriel** : *La* VALISE OU *le* SAC FERONT *l'affaire* (= l'un comme l'autre). NI PAUL NI FRANÇOIS *ne* PEUVENT *nous aider* (= aucun des deux).

Si **un seul** de ces sujets fait, ou peut effectivement faire l'action, à l'exclusion de l'autre, le **verbe** se met au **singulier** : *L'*AMBASSADEUR OU *son* REPRÉSENTANT SERA *présent à notre réunion* (un seul des deux viendra). NI PAUL NI FRANÇOIS *ne* SERA *élu maire de notre commune* (un seul des deux pourrait l'être).

Si **un seul** des deux sujets est **pluriel**, le **verbe** est au **pluriel** : *Tes* FRÈRES *ou ton* COUSIN VIENDRONT *bien à la réunion.*

Si **ou** introduit un synonyme ou une explication, le **verbe s'accorde** avec le premier terme, seul sujet : *Votre* PATRONYME OU NOM DE FAMILLE DOIT *être écrit en toutes lettres.*

2. Avec **l'un et l'autre,** le **verbe** est au **pluriel** : *L'*UN ET L'AUTRE *parti* ÉTAIENT *organisés. L'*UNE ET L'AUTRE ÉTAIENT *intelligentes.*

Avec **l'un ou l'autre,** le **verbe** est au **pluriel** (au sens de « tous les deux ») ou au **singulier** (si l'un exclut l'autre) : *L'*UNE OU L'AUTRE *maison me* CONVIENNENT (= toutes les deux). *L'*UNE OU L'AUTRE *maison* DOIT *être détruite* (= mais pas les deux).

Avec **ni l'un ni l'autre,** le **verbe** est au **pluriel,** si les deux sont exclus en même temps : *Ni l'une ni l'autre maison ne me* CONVIENNENT. Il est au **singulier** si, bien qu'exclus tous les deux, un seul des deux aurait pu faire l'action : NI L'UN NI L'AUTRE *n'*EST *le père de l'enfant.*

3. Si un **sujet singulier** résume des **noms juxtaposés,** le **verbe** reste au **singulier** : DOCUMENTS, MANUSCRITS, FICHIERS, TOUT *avait brûlé.*

4. Si les **sujets juxtaposés** sont de simples **synonymes,** le verbe **s'accorde** avec le **dernier sujet** : *Un moment d'inattention, une négligence, un* OUBLI, PEUT *provoquer la catastrophe.*

5. Si les **sujets juxtaposés** constituent une simple **gradation,** le verbe **s'accorde** avec **le dernier sujet** : *Le ressentiment, la colère, la* HAINE *même* SE LIT *sur son visage.*

6. Lorsque les sujets sont liés par **ainsi que, comme, de même que, aussi bien que,** dans le sens de **et,** le **verbe** est au **pluriel** : *Ton* PÈRE AUSSI BIEN *que ta* MÈRE SERONT *heureux de ton succès* (= et ta mère). *Le* LIÈVRE COMME *la* PERDRIX SONT *rares cette année* (= et la perdrix). Mais si ces conjonctions gardent le sens de comparaison, le **verbe** reste au **singulier** : PAUL AINSI QUE *les* ENFANTS *de son âge* EST *turbulent.*

Règle 3.

- Si le **sujet** est un **pronom personnel,** le **verbe s'accorde** en **personne** et en **nombre** avec le pronom : *Moi,* JE PENSE *que* TU AS *tort.* NOUS SOMMES *allés au cinéma dimanche.*

● Si le **sujet** est formé de **deux** ou **plusieurs pronoms**, le verbe au pluriel est

— à la 1ʳᵉ personne si un des pronoms est à la 1ʳᵉ personne : TOI *et* MOI, (NOUS) SERONS *en vacances en même temps.* MOI *et* LUI, (NOUS) AVONS *convenu de nous revoir ;*

— à la 2ᵉ personne si les pronoms sont à la 2ᵉ et à la 3ᵉ personne : TOI *et* ELLE, (VOUS) RESTEREZ *cet après-midi à la maison ;*

— à la 3ᵉ personne si les pronoms sont uniquement à la 3ᵉ personne : LUI *et* ELLE SONT *insupportables autant l'un que l'autre.*

Remarque.

Si le ou les pronoms sont repris par **qui,** le **verbe s'accorde,** selon la même règle, avec ce ou ces pronoms : TOI *et* MOI QUI SAVONS *cela depuis longtemps, nous nous méfions. C'est* TOI QUI ES *de corvée. C'est* TOI QUI *l'*AS *dit. C'est* MOI QUI *l'*AI *dit.*

Règle 4.

Si le **sujet** est un nom **collectif** indéfini suivi d'un **complément** du nom **pluriel,** le **verbe s'accorde** indifféremment avec le **collectif** ou avec le **complément** : *Une* FOULE DE GENS VIENDRONT *ou* VIENDRA *à ce spectacle. Une* NUÉE D'OISEAUX S'ABATTIT *ou* S'ABATTIRENT *sur la plage.*

Ces collectifs (précédés d'un article indéfini) sont les suivants : *une foule de, une troupe de, une rangée de, une nuée de, une poignée de, un régiment de, un paquet de, une masse de, une armée de, un grand nombre de, un petit nombre de, une dizaine de, une centaine de,* etc.

Remarques.

1. Si ces **collectifs** au singulier sont **précédés** d'un **article défini,** d'un **possessif** ou d'un **démonstratif,** le **verbe** est au **singulier** : LA FOULE DES *spectateurs* s'ÉLOIGNA *du stade.* CETTE ARMÉE DE *supporters* EST *très bruyante.*

2. Avec les noms de **fraction** au **singulier** (*moitié, quart,* etc.) suivis d'un **complément** au pluriel, le **verbe s'accorde** avec le nom de **fraction** ou avec le **complément** : *La* MOITIÉ *des* ENFANTS SONT *absents* ou EST *absente.*

Avec un nom de **fraction** au **pluriel,** le **verbe** est au **pluriel** : *Les* TROIS QUARTS *des* ENFANTS SONT *absents.*

3. Après **un des** suivi d'un nom pluriel et du pronom relatif **qui,** le **verbe** de la relative **s'accorde** avec l'**antécédent** qui, selon le sens, est *un* ou le complément : *C'est* UN DES ENFANTS QUI A *gagné le prix.* (= Un seul enfant a gagné.) *Mon fils, c'est* UN DES ENFANTS QUI JOUENT *dans la cour.* (= Plusieurs enfants jouent.)

Règle 5.

- Si le **sujet** est un **adverbe de quantité**, ou une expression équivalente, suivi d'un **complément** au **pluriel**, le **verbe** est au **pluriel** : BEAUCOUP DE GENS PENSENT *ainsi*. TROP D'OBSTACLES ONT *surgi*.

- Si le complément *« de gens »* ou *« de ces choses »* est sous-entendu, le **verbe** est au **pluriel** : PEU SAVENT *reconnaître leur erreur* (= *peu de gens*). *Ces pommes sont belles mais* BEAUCOUP SONT ABÎMÉES *à l'intérieur* (= *beaucoup de pommes*).

  Ces adverbes ou ces expressions de quantité sont les suivants : *beaucoup de, assez de, peu de, trop de, combien de, tant de, la plupart, le plus grand nombre, quantité de, force de, nombre de.*

Remarques.

1. Si l'accent est mis sur le quantitatif lui-même, sur la notion de quantité (en particulier avec *le peu, le peu de*), le **verbe** reste au **singulier** : LE PEU DE RESSOURCES *qui me* RESTE *ne* SUFFIRA *pas* (on parle de la quantité). LE PEU DE ROBES *qui lui* RESTAIENT ÉTAIENT *déchirées* (on parle des robes).

2. Avec **plus d'un**, le **verbe** est au **singulier** : PLUS D'UN *s'*EST *aperçu de son hésitation.*

3. Avec **moins de deux, pas moins de** (suivi d'un nom pluriel), le **verbe** se met au **pluriel** : MOINS DE DEUX MINUTES *se* SONT *passées avant qu'il ne revienne.* PAS MOINS DE TROIS MORTS ONT *été sortis de la voiture.*

4. Avec **toute sorte de, toute espèce de,** et un nom pluriel, le **verbe** est au **pluriel** : TOUTE SORTE DE GENS *se* TROUVAIENT *dans la salle.* TOUTE ESPÈCE DE RÊVES TROUBLAIENT *mes nuits.*

Règle 6.

Dans **c'est, c'était, ce sera,** etc., le **verbe** *être* se met au **pluriel** dans la langue soutenue et écrite quand le **nom** ou le **pronom** qui suit est au **pluriel**; il reste au **singulier** dans la langue courante et parlée : CE SONT DES AMIS *très sympathiques.*/C'EST DES AMIS *sympathiques.* CE SONT EUX *que j'ai vus hier.*/C'EST EUX *que tu as vus hier.* C'ÉTAIENT DES FRAIS *inutiles.*/C'ÉTAIT DES FRAIS *inutiles.*

Remarques.

1. La règle s'applique à **ce doit être, ce peut être** : CE DOIVENT ÊTRE NOS AMIS *qui arrivent maintenant.*/CE DOIT ÊTRE NOS AMIS. (Le pluriel appartient à la langue littéraire.)

2. **Si ce n'est** (= excepté), **fût-ce, n'eût été,** restent invariables.

3. Lorsque le pronom qui suit **c'est** est **nous** ou **vous,** le **verbe** reste au **singulier :** C'EST VOUS *qui avez écrit cela.*

4. Avec **tout ceci, tout cela,** le **verbe** *être* se met au **pluriel** si le **nom** attribut qui suit est au **pluriel :** TOUT CELA *ne* SONT *pas des preuves. (Tout ceci, tout cela* sont souvent repris par *ce : Tout cela, ce ne sont pas des preuves.)*

5. Si le nom qui suit *c'est* est précédé d'une préposition, le **verbe** reste au **singulier :** C'EST DE *mes* VOISINS *que j'ai appris la nouvelle.*

III

Orthographe d'usage

1. Orthographe et prononciation

Il n'existe pas de correspondance absolue entre la prononciation et l'orthographe d'usage des mots. Les principales transcriptions des sons sont données dans le tableau qui suit.

Voyelles

	GRAPHIES COURANTES		GRAPHIES EXCEPTIONNELLES	
[a]	a, à	papa, patte, à, çà, là	enn, emm, ea	solennel, femme, Jeanne
[ɑ]	a, â	pas, pâte		
[e]	e, é	pré, poignée, messieurs, pied	ay, œ, æ, ey, er, ez, ë	payer, fœtus, œcuménisme, et cætera, ægosome, dreyfusard, manger, nez, canoë
[ɛ]	e, è, ê, ai, ei, aî	rester, bec, belle, près, bêle, être, chaire, pleine, chaînes	ê, eî, ay, ey	foëne, reître, paye, ayant, asseyent, bey
[i]	i, î, y, ï	il, gîte, type, cycle, maïs	hi, ee, ea, ie	trahir, speech, week-end, leader, lied
[o]	o, ô, au, eau	sot, rose, côte, aujourd'hui, oiseaux	aô, ho, a, ow, aw	Saône, cahot, football, bungalow, crawl
[ɔ]	o	sotte, bosse, or	oi, um, au	oignon, magnum, Paul
[y]	u, û, u	tu, mur, mûr, Saül	hu, eu	cahute, eu, eusse
[ø]	eu, œu, eû	feu, émeute, œufs, jeûne	œ, ő	fœhn, főhn
[œ]	eu, œu, œ	fleur, œuf, sœur, œil	ue, u	cueillir, club
[ə]	e	venir, tenon, retenir	ai, on	faisan, monsieur
[u]	ou, où	fou, échouer, goût	aou, aoû, où, ew, oo, ow	saoul, août, où, interview, footing, bowling
[ã]	an, am, en, em	an, lampe, enlever, embellir	aon, aen, aën, ean	paon, taon, Caen, Saint-Saëns, Jean
[ɛ̃]	in, im, ain, aim, en, ein	fin, impossible, sain, faim, chien, examen, paracentèse, plein	yn, ym, în, ën, em	lynx, thym, vînt, Samoëns, sempiternel
[ɔ̃]	on, om	son, sombre	un	unciforme, avunculaire
[œ̃]	un, um	un, brun, parfum	eun	à jeun

Semi-voyelles

	GRAPHIES COURANTES		GRAPHIES EXCEPTIONNELLES	
[j]	il, ille, y, i + voyelle	rail, paille, yeux, payer, nettoyer, appuyer, lieu, liane, lionne	ï, hi, hy	faïence, hier, hyène
[w] + [a] [ɛ] [i] [ɛ̃]	oi, ou, w, wh, oin	oiseau, oui, ouest, ouate, watt, whisky, moins	oî, oe, oê, oy, eoi, ua	cloître, moelle, poêle, royal, asseoir, adéquat, desquamer
[ɥ] + voyelle	u	lui, linguiste, aiguille, sua, buée		

50

	GRAPHIES COURANTES		GRAPHIES EXCEPTIONNELLES	
[p]	p	*pas, pou, pont*	b	*absolu, abscons*
[b]	b	*bas, bout, bon*		
[t]	t	*tas, tout, ton*	th	*théâtre*
[d]	d	*dada, doux, don*		
[k]	c (sauf devant *e, i, y*), qu, k, q, ch	*car, cou, cœur, cube, clameur, qui, que, quoi, kilo, coq, chœur, orchestre, chianti, chrétien*	cq, kh, cch	*becquée, khan, bacchante*
[g]	g (sauf devant *e, i, y*), gu (devant *e, i, y*)	*gare, gosse, grand, gnome, guet, gui, Guy*	gh, c	*ghetto, second*
[f]	f, ph	*faire, fou, fond, phare, pharmacie*	v	*cocktail Molotov*
[v]	v	*avoir, vous, vont*	w	*wagon, wagnérien*
[s]	s, ss, c (devant *e, i, y*), ç (devant *a, o, u*) sc, t (+ i devant voyelle)	*sac, sec, assis, cent, cinq cycle, ça, leçon, reçu, ascenseur, nation, patience*	sth, z, x	*asthme, quartz, dix,*
[z]	s (entre voyelles), z	*rose, zèbre*	x	*deuxième*
[ks]	x, cc (devant *e, i*)	*extraordinaire, accepter, accident*		
[gz]	x	*examen*	xh	*exhaler*
[ʃ]	ch	*chat, chou, cher*	sh, sch	*shampooing, shah, schéma*
[ʒ]	j, g (devant *e, i, y*), ge (devant *a, o, u*)	*jeu, joue, jonc, mange, gibier, gypse, mangea, Georges*		
[l]	l	*la, les, lit, loup*	rh	*rhume*
[r]	r	*rat, ré, rond*		
[m]	m	*mon, ma, maman*		
[n]	n	*non, ni, ne*		
[ɲ]	gn	*rognon, montagne*		

La **cédille** se place sous le **c** devant *-a, -o, -u* pour transcrire le son [s]; sans la cédille, le c devant ces lettres transcrit le son [k] : *il avan*ÇA ; *nous avan*ÇONS ; ÇA *coûte combien ? ; un aper*ÇU.

2. Orthographe des mots de la même famille

1. Les noms dérivés de verbes.

> Les noms en **-age** (masculin), **-ement/-ment** (masculin), **-ation/
> -aison** (féminin), **-erie/-rie**, **-ure** (féminin), **-ette** (féminin),
> **-ateur/ -teur/-eur** (masculin), etc., sont formés sur le radical du
> participe présent du verbe (compte tenu des règles d'accentua-
> tion).

• 1re conjugaison en *-er*

SONNER/SONNANT	*sonneur, sonnerie, sonnette ;*
CONGELER/CONGELANT	*congélateur, congélation ;*
CROCHETER/CROCHETANT	*crochetage, crocheteur ;*
FURETER/FURETANT	*furetage, fureteur ;*
NETTOYER/NETTOYANT	*nettoyage, nettoyeur ;*
MODELER/MODELANT	*modelage, modeleur ;*
MODÉRER/MODÉRANT	*modération, modérateur ;*
PELER/PELANT	*pelade, pelure ;*
SEMER/SEMANT	*semeur, semailles, semoir ;*
RÉVÉLER/RÉVÉLANT	*révélation, révélateur ;*
LIVRER/LIVRANT	*livraison, livreur.*

• 2e conjugaison en *-ir*

FINIR/FINISSANT	*finissage, finisseur, finissure ;*
AMOINDRIR/AMOINDRISSANT	*amoindrissement ;*
ATTENDRIR/ATTENDRISSANT	*attendrissement, attendrisseur ;*
CONVERTIR/CONVERTISSANT	*convertisseur.*

• 3e conjugaison

FUIR/FUYANT	*fuyard ;*
MENTIR/MENTANT	*menteur ;*
OUVRIR/OUVRANT	*ouvreuse ;*
CUEILLIR/CUEILLANT	*cueillaison, cueillette ;*
ACQUÉRIR/ACQUÉRANT	*acquéreur ;*
BOUILLIR/BOUILLANT	*bouilloire, bouilleur ;*
ABATTRE/ABATTANT	*abattage, abattis, abattement ;*
CROIRE/CROYANT	*croyance.*

Remarques.

1. Les dérivés en **-ement** d'un petit nombre de verbes (en **-eler**, en **-eter**,
en **-ever**, etc.) de la 1re conjugaison correspondent à la 3e personne du
singulier de l'indicatif présent :

HALETER/HALÈTE	*halètement ;*
ACHEVER/ACHÈVE	*achèvement ;*
ÉCARTELER/ÉCARTÈLE	*écartèlement ;*
ENSORCELER/ENSORCELLE	*ensorcellement ;*
MARTELER/MARTÈLE	*martèlement.*

2. Les dérivés en **-ement** des verbes en **-oyer, -ayer** sont en **-oiement, -aiement** ou quelquefois **-ayement** :

PAYER/IL PAIE	*paiement/payement;*
REMBLAYER/IL REMBLAIE	*remblaiement;*
LOUVOYER/IL LOUVOIE	*louvoiement.*

3. Les noms en **-age, -ation, -aison, -ateur,** etc., et les adjectifs en **-able, -atif,** etc., dérivés des verbes en **-guer** et **-quer,** se forment sur le radical **g** (sans *u*) et **c** (au lieu de *qu*), mais les dérivés avec suffixe commençant par **e** (**-eur**) conservent le radical **-gu** ou **-qu** :

PLAQUER	*placage,* mais *plaqueur;*
ÉVOQUER	*évocation, évocable, évocateur;*
COMMUNIQUER	*communication, communicable;*
ÉDUQUER	*éducation, éducable, éducateur;*
DÉLÉGUER	*délégation, délégateur;*
BLAGUER	*blagueur;*
DRAGUER	*dragage,* mais *dragueur.*

On remarquera aussi que dans les **verbes** en **-guer,** comme **fatiguer,** le **-u** est maintenu dans la conjugaison devant **-a** et **-o** : *Je me fatiguais; nous nous fatiguons.*

4. Il existe un certain nombre d'anomalies.

COMBATTRE	*combattant,* mais *combatif* (avec un *t*);
ATTAQUER	*attaquable* (conserve *qu*);
PRATIQUER	*pratiquant* (n.), *praticable;*
TRAFIQUER	*trafiquant* (n.), *traficoter;*
ENCAUSTIQUER	*encaustiquage* (conserve *qu*);.
BAGUER	*baguage* (conserve *gu*).

2. Les noms dérivés d'adjectifs.

- Les noms en **-ité, -ise, -tude,** etc., dérivés d'adjectifs conservent la même orthographe que l'adjectif masculin ou féminin (pour les suffixes féminins), compte tenu des règles d'accentuation : tranquille/*tranquillité;* rouge/*rougeur;* profond/*profondeur;* fertile/*fertilité;* sot, sotte/*sottise;* frais, fraîche/*fraîcheur;* inquiet, inquiète/*inquiétude;* blanc, blanche/*blancheur;* social/*socialisme.*

- Les noms dérivés d'adjectifs en **-ent** sont en **-ence;** les dérivés d'adjectifs en **-ant** sont en **-ance** : décent/*décence;* conscient/*conscience;* patient/*patience;* rutilant/*rutilance;* élégant/*élégance;* endurant/*endurance;* mais il existe quelques exceptions : existant/*existence.*

Exceptions.

1. Certaines modifications peuvent intervenir sur la consonne finale : vert/*verdeur.*

2. Les noms dérivés des adjectifs en **-(a)ble** sont en **-(a)bilité, -(a)bilisme** : fatigable/*fatigabilité* ; audible/*audibilité*.

3. Les noms dérivés des adjectifs en **-ique** sont en **-icité, -icisme** : technique/*technicité* ; sceptique/*scepticisme* ; classique/*classicisme*.

4. Les noms dérivés des adjectifs en **-aire**, sont en **-arisme, -arité** : militaire/*militarisme* ; vulgaire/*vulgarité*.

3. Les adjectifs et noms dérivés de noms.

- Les adjectifs en **-aire, -eux, -ard**, etc., conservent l'orthographe des noms dont ils sont dérivés, compte tenu des règles d'accentuation : Guinée/*guinéen* ; paresse/*paresseux* ; frousse/*froussard* ; hernie/*herniaire* ; cancer/*cancéreux* ; déficit/*déficitaire* ; titan/*titanesque*.

- Les adjectifs en **-el** dérivés de noms en **-ence** transforment la finale **-ce** en **-ti** : carence/*carentiel* ; démence/*démentiel* ; substance/*substantiel* ; essence/*essentiel* ; confidence/*confidentiel* ; présidence/*présidentiel* ; concurrence/*concurrentiel*.

  Il existe quelques exceptions : circonstance/*circonstanciel* ; révérence/*révérenciel*.

- Les adjectifs en **-al** et les noms en **-alisme, -alité**, dérivés de noms en **-on, -ion, -tion** s'écrivent avec un seul n, contrairement aux adjectifs dérivés en **-el** qui doublent le **n** du nom de base : région/*régional/régionalisme* ; tradition/*traditionalisme* mais *traditionnel* ; émotion/*émotionnel*. Certains dérivés modernes ne respectent pas cette règle : *distributionnalisme* ; *sensationnalisme* (avec deux *n*).

- L'addition du suffixe peut se faire sur un radical différent : moine/*monacal* ; père/*paternel* ; œil/*oculaire*.

4. Les verbes dérivés de noms et d'adjectifs.

- Les verbes en **-er** et en **-ir** dérivés de noms et d'adjectifs conservent l'orthographe des noms ou celle du féminin des adjectifs : calme/*calmer* ; rouge/*rougir* ; parrain/*parrainer* ; grand/*grandir/* ; légitime/*légitimer* ; cabotin/*caboter* ; frais, fraîche/*rafraîchir* ; beau, belle/*embellir* ; mou, molle/*amollir* ; chagrin/*chagriner*.

- Les verbes dérivés des adjectifs en **-el**, sont en **-aliser** : formel/*formaliser* ; actuel/*actualiser*.

- Les verbes dérivés de noms en **-on** (suffixe ou radical) redoublent le **n** : abandon/*abandonner* ; commotion/*commo-

tionner; raison/*raisonner*; canon/*canonner*; talon/*talonner*; béton/*bétonner*; sauf ceux qui sont dérivés de l'adjectif en **-al** formé sur le nom en *-on* : région, régional/*régionaliser* (un seul *n*).

Remarques.

1. Les verbes peuvent être formés sur des radicaux différents : haut/*hausser*; bas/*baisser*; étroit/*rétrécir*.

2. Certaines modifications peuvent intervenir sur la consonne finale de l'adjectif : vert/*verdir*; noir/*noircir*.

3. Un petit nombre de mots en **-on** ont un dérivé en **-oner** : poumon/*s'époumoner*.

5. Les mots préfixés.

Le préfixe se place devant le radical du mot sans le modifier, toutefois il y a quelques particularités orthographiques.

● Les préfixes **entre, contre** devant voyelle peuvent s'élider; cette élision aboutit à un seul mot : *contrordre* (de *contre-ordre*); *entraider* (de *entre-aider*).

Le *-e* final de *entre* peut être remplacé aussi par une apostrophe : *entr'apercevoir*; *s'entr'aimer*; *s'entr'égorger*.

Il peut y avoir maintien de *contre* sans élision avec présence du trait d'union : *contre-attaquer*; en *contre-haut*.

● Le préfixe **re-** s'écrit **ré-** (avec accent) devant une voyelle : *réapprendre*; *réinventer*; *réentendre*. Il peut s'élider : *réanimer/ranimer*; *réapprendre/rapprendre*.

● Le préfixe **dé-** devient **dés-** devant une voyelle : *désinsectiser*; *désintoxiquer*; *désarmer*; *désagréable*.

Devant les mots commençant par un **s** suivi d'une voyelle, les préfixes **re-** et **dé-** deviennent **res-** et **des-** (redoublement du *s*) : *ressaisir*; *resserrer*; *dessaler*; *dessaisir*; *desserrer*.
Mais dans les mots récents le *s* peut ne pas être redoublé; la prononciation restant [s] et non [z] : *resaler*; *resurgir*; *resurchauffer*; *désoder*; *désulfurer*.

6. Formation des adverbes en *-ment.*

Règle 1.

L'adverbe se forme en ajoutant **-ment** au féminin de l'adjectif : grand/*grandement*; vif/*vivement*; doux/*doucement*.

Règle 2.

Si l'adjectif masculin est terminé par une **voyelle autre** que **-e**, **-ment** s'ajoute au masculin de l'adjectif : aisé/*aisément*; joli/*joliment*; absolu/*absolument*.

Exceptions.

1. Sont **irréguliers** : gentil/*gentiment*; traître/*traîtreusement*; gai/*gaiement*; impuni/*impunément*.

2. Le **e** final de l'adjectif devient **é** dans les adverbes suivants :

commodément	*communément*	*confusément*
diffusément	*énormément*	*expressément*
exquisément	*importunément*	*incommodément*
indivisément	*intensément*	*obscurément*
opportunément	*précisément*	*profondément*
profusément	*uniformément.*	

3. Le **-u** final de l'adjectif devient **-û** dans les adverbes suivants : *assidûment, congrûment, continûment, crûment, dûment, goulûment, incongrûment, indûment, nûment.*

4. Les adverbes dérivés des adjectifs **beau, fou, mou** sont formés sur le féminin : *bellement, follement, mollement.*

5. Certains adverbes correspondent à des adjectifs disparus, ou à un radical différent : *journellement, brièvement, grièvement,* etc.

Règle 3.

Si l'adjectif masculin est terminé par **-ant,** l'adverbe est en **-amment;** si l'adjectif masculin est en **-ent,** l'adverbe est en **-emment** : puissant/*puissamment*; abondant/*abondamment*; prudent/*prudemment*; violent/*violemment*.

Remarques.

1. Les adverbes en **-emment** dérivés d'adjectifs en **-ent** sont les suivants (et leurs contraires lorsqu'ils en ont un) :

apparemment	*ardemment*	*concurremment*	*consciemment*
conséquemment	*décemment*	*différemment*	*diligemment*
éloquemment	*éminemment*	*excellemment*	*fréquemment*
impudemment	*incidemment*	*indifféremment*	*intelligemment*
innocemment	*insolemment*	*négligemment*	*patiemment*
pertinemment	*précédemment*	*prudemment*	*récemment*
subséquemment	*violemment.*		

Sciemment est dérivé d'un adjectif disparu.

2. **Lent, présent, véhément** ont un adverbe formé sur le féminin : lent/*lentement*; présent/*présentement*; véhément/*véhémentement*.

3. Les signes supplémentaires

1. Les accents.

Les accents, qui se mettent sur les voyelles, sont au nombre de trois :
l'**accent aigu**, l'**accent grave** et l'**accent circonflexe**.

> L'**accent aigu** sur l'**e (é)** note le son *é* fermé [e], l'**accent grave**
> sur l'**e (è)** note le son *è* ouvert [ɛ] : *élan, fée, appétit, compléter,
> cédé* représentent des *é* fermés ; *pèle, cède, achète, abrège*
> représentent des *è* ouverts. Toutefois l'évolution des sons en
> français et les différences entre les régions font qu'il est difficile
> de se fier à la seule prononciation : il s'agit seulement d'une
> indication générale.

Remarques.

1. L'accent ne correspond pas toujours à la prononciation ; ainsi l'accent
aigu ou **grave** note le même son [ɛ] dans : *événement/avènement ; réglementation/règlement.*

2. Devant un **-s final** on met toujours l'accent grave : *congrès, accès,
procès.*

3. Il n'y a pas d'accent sur le **e** dans les cas suivants, que la prononciation
soit *é* fermé ou *è* ouvert :
— devant une consonne finale (sauf *s*) ou un groupe de consonnes à la
finale : *nez, aimer, mer, pied, grec, serf, levez ;*
— à l'intérieur d'un mot, devant un groupe de consonnes ou une consonne
double : *belle, festin, mettre, interpelle ;* sauf si la deuxième consonne du
groupe est *r* ou *l : trèfle, lèvre.*

4. Il n'y a pas d'accent sur certains noms propres et sur les locutions
latines, mais l'accent apparaît dans les dérivés : Guatemala/*guatémaltèque ;*
Hegel/*hégélien ;* Élisabeth/*élisabéthain ;* a posteriori/*apostériorisme ;* referendum/*référendaire.*

5. L'accent grave sert à reconnaître des homonymes : *à* préposition et *a*
de *il a ; çà* adverbe et *ça* démonstratif ; *là* adverbe et *la* article ou
pronom ; *où* adverbe et *ou* conjonction (= ou bien).
L'accent grave se met sur le *a* de *déjà.*

> L'**accent circonflexe** a des origines diverses : il remplace un *s*
> étymologique, ou transcrit parfois une ancienne prononciation
> allongée de certaines voyelles : *hôpital, hôtel.*
>
> **1.** Il note certaines formes verbales :
>
> • 3ᵉ personne du singulier du subjonctif imparfait, s'opposant
>   à la 3ᵉ personne du singulier du passé simple : *Qu'il fût*

innocent, je l'ai pensé un moment/Il fut couronné empereur à Paris.

- 3e personne du singulier de l'indicatif présent des verbes en *-aître* et en *-oître* : Il *croît*, de *croître* (s'opposant à il *croit*, de *croire*); il *apparaît*, de *apparaître*.

- 3e personne du singulier de l'indicatif présent des verbes *plaire, déplaire, complaire* : *il déplaît, il plaît, il se complaît.*

- les participes passés masculins singuliers des verbes *croître, mouvoir, devoir* et *recroître* : *crû (crue, crus),* de *croître,* mais *accru* de *accroître; mû (mue, mus),* de *mouvoir,* mais *ému* de *émouvoir; dû (due, dus),* de *devoir,* mais *indu; recrû (recrue, recrus),* de *recroître,* mais *décru* de *décroître.*

2. Il note certains suffixes : le suffixe *-âtre* (atténué, affadi) s'oppose au suffixe *-atre* (médical) : *verdâtre, rougeâtre, jaunâtre, bellâtre/psychiatre, gériatre, pédiatre.*

3. Il distingue des homonymes : *hâler* (= brunir)/*haler* (= tirer); *tâche* (= travail)/*tache* (= saleté); *rôder* (= errer)/*roder* (= user); *pêcheur* (de pêche)/*pécheur* (de péché); *notre, votre* (adjectifs possessifs)/*nôtre, vôtre* (pronoms) : *Vous avez retrouvé votre bagage; nous n'avons pas vu* LE NÔTRE.

Remarque.

Généralement l'accent circonflexe se retrouve sur tous les mots de la même famille : *gâche, gâcher, gâchette; mâcher, mâchoire, mâchonner.*

Mais ceci n'est pas toujours vrai :

sûr/*assurer*	arôme/*aromate*	âcre/*acrimonie*
drôle/*drolatique*	fantôme/*fantomatique*	grâce/*gracieux*
infâme/*infamie*	jeûne/*déjeuner*	râteau/*ratisser*
symptôme/*symptomatique*	extrême/*extrémité*	tâter/*tatillon.*

2. Le tréma.

Le **tréma** se place sur la **deuxième voyelle** pour indiquer que la voyelle qui précède est prononcée séparément de la voyelle qui a le tréma : *haïr* [a-ir], *canoë* [kanɔ-e], *égoïste* [egɔ-ist], *Saül, archaïsme, caraïbe.*

En particulier :

— sur le **i après un u,** le tréma indique qu'on doit prononcer ce *u* : *ambiguïté, exiguïté, contiguïté,* sont différents de *aguicher, aiguiser,* etc. ;

— sur le **e muet final,** il indique que la voyelle qui précède doit seule être prononcée : *aigu/aiguë, j'arguë, ciguë,* etc., différents de *aigue* (dans *aigue marine*), *je nargue, figue,* etc. ;

— sur le **i** **entre voyelles,** le tréma indique qu'il doit être prononcé [j] : *aïeul* [ajœl], *baïonnette* [bajɔnɛt], *glaïeul* [glajœl], *paranoïa* [paranɔja].

Remarques.

1. Il y a des mots où les voyelles qui se suivent doivent se prononcer séparément et qui n'ont pas de tréma : *Noé, paella, coefficient, canoéiste.*

2. *Staël,* nom propre, se prononce [stal].

3. L'apostrophe.

L'apostrophe indique une **élision,** c'est-à-dire la suppression de la voyelle finale **-a** ou **-e** dans un certain nombre de mots grammaticaux, quand ceux-ci précèdent un mot commençant par une voyelle ou un *h* muet.

1. Quels sont les mots qui peuvent être élidés ?

— **Le, la, me, te, se** et **ce** : *le spectateur/l'auditeur, l'écran, l'oubli, l'habit, l'œuf ; je le vois/je l'ai vu ; la fermeture/l'ouverture, l'écoute, l'humanité, l'action ; je me promène/je m'amuse, donne m'en ; il te voit/il t'a vu ; il s'en est aperçu ; ce n'est rien/c'est toi ; c'en est fait de lui.*

— **De** et **jusque** : *venir de Lyon jusque dans le sud de l'Espagne/venir d'Afrique jusqu'à Paris ; d'Espagne, d'Uruguay, d'outre-mer ; jusqu'ici, jusqu'où.*

— **Que** : *Je pense que tout va bien/Je pense qu'après ça, tout ira bien. Je crois qu'il sera des nôtres, qu'on le verra, qu'une dépêche est arrivée. Quelle qu'ait été ton ambition...*

— **Lorsque, parce que, puisque, quoique** s'élident devant *il(s), elle(s), on, un(e)* : *puisqu'il le dit* mais *puisque après tout il le dit ; quoiqu'il fût en danger* mais *quoique en danger.*
    Parce que s'élide aussi devant *à : parce qu'à toi je peux le dire.*
    Puisque s'élide aussi devant *en : puisqu'en partant, ...*
    Lorsque peut s'élider devant *en : lorsqu'en 1789, ...*
    Presque et **quelque** ne s'élident pas, sauf dans *presqu'île, quelqu'un, quelqu'une : Il est presque une heure. Le jambon reste presque en entier ; quelque impatient qu'il soit ; c'est de quelque importance.*

— La conjonction **si** s'élide devant *il(s) : S'il pense que tout va bien.*

— **Entre** ne s'élide pas : *entre eux ; entre Arles et Marseille ;* sauf comme préfixe dans quelques verbes composés : *entr'apercevoir, entr'aimer, s'entr'égorger.*

2. L'**élision** ne **se fait pas** devant :

— un **h aspiré** : *le Hollandais ; la Hollandaise ; un regard de haine ;*

— **un** (numéral), **oui, huit, uhlan, énième, onze, ululer** : *de un à cinq ; prononcer le oui d'une voix hésitante ; de huit jours en huit jours ; la énième fois ;*

— les mots d'**origine étrangère** commençant par **y** : *le yaourt ; le Yémen* (mais l'élision se fait devant les mots français : *l'yeuse ; l'Yser*) ;

— les **citations** : *Le mot de « amour » le gêne.*

3. L'élision est **facultative** devant **ouate** et **ouistiti**, et le **nom** d'une **lettre** : *une bande de ouate* ou *d'ouate ; le « a » est bien écrit* ou *l'« a » est lisible.*

4. Le trait d'union.

Le **trait d'union** unit les termes qui constituent un **mot composé.** Les termes ainsi réunis par un trait d'union forment un tout, ayant son sens propre : *chou-navet, chou-rave, chou-palmiste, chou-fleur,* désignent des plantes différentes ; *porte-drapeau, porte-bouteilles, porte-documents* désignent des personnes ou des objets dont la fonction est de *porter* ou de pouvoir *porter* tel ou tel objet.

Remarques.

1. Tous les mots composés n'ont pas de trait d'union : *chou de Bruxelles, chou pommé, pomme de terre.* Les deux termes peuvent être juxtaposés : *portefeuille, portemanteau, entrepont.*

Certains mots composés prennent ou non un trait d'union : *compte rendu* ou *compte-rendu ; compte-chèques* ou *compte chèques.*

2. Le trait d'union est annulé par l'apostrophe : *pied-de-biche/pied-d'alouette.*

3. Les termes qui entrent dans les mots composés peuvent être :

— des **préfixes** : il y a un trait d'union avec *demi-, semi-, non, après, arrière, avant, ex-* (= anciennement), *mi-, sous, quasi-* (devant les noms seulement) ; il n'y a pas de trait d'union avec *anti-, post-, pré-, sur-, supra-,* etc. (sauf pour éviter des difficultés de lecture : *anti-* suivi de *-i*) : *après-ski ; antichar ; anti-inflammatoire ; supranationalité ; ex-ministre ; demi-heure ; quasi-délit ; non-alignement ; semi-clandestin ; avant-garde ;*

— des **éléments** terminés par **-o** : il y a un trait d'union dans les mots composés ethniques : *latino-américain, italo-celtique, afro-asiatique,* mais non dans les autres types de composés : *eurodollar, eurocommunisme, francophilie.*

Il n'y a pas de trait d'union pour les composés scientifiques en **-o** : *thermonucléaire,* sauf en médecine lorsque deux organes sont concernés : *broncho-pneumonie.*

4. Les **locutions adverbiales, adjectives,** etc., quand elles deviennent des **noms,** prennent le trait d'union : *tomber à pic/un à-pic ; avoir un pied bot/ un pied-bot.*

5. **Ci** et **là** en composition avec des noms précédés d'un démonstratif, avec des adverbes et des participes sont liés par un trait d'union au nom, à l'adverbe ou au participe : *ce crayon-ci ; cette cravate-là ; ci-dessus ; là-dessus ; là-dedans ; là-dessous ; ci-joint ; ci-inclus.*

6. Les composés de **dessus, dessous, dedans, dehors, devant, derrière,** et des prépositions **au** et **par** ont un trait d'union : *au-dessous, par-devant, par-derrière, au-devant ;* mais il n'y a pas de trait d'union avec la préposition *en : en dessous.*

Les **numéraux composés** inférieurs à **cent** (et **centième**) ont un trait d'union s'ils ne sont pas réunis par la conjonction *et : quatre-vingt ; quatre-vingtième ; dix-neuf ; dix-neuvième ;* mais : *vingt et un ; vingt et unième.*
Cent et **mille** ne sont pas liés par un trait d'union : *deux cents ; cent dix ; cent dixième ; mille deux.*

Les **pronoms personnels** placés **après le verbe** dans les inversions, dans les impératifs, sont liés au verbe par un trait d'union : *Dites-le-moi ; dites-moi la vérité ; puissiez-vous le connaître ; je viendrai, dis-je ; rendez-les-nous ; donne-lui-en ; va-t'en ; fiez-vous-y.*

Remarques.

1. Si le pronom est complément d'un infinitif qui suit, il n'y a pas de trait d'union : *Va le chercher ; laisse-la le prendre.*

2. Le **t** dit « euphonique » est séparé du verbe et du pronom par un trait d'union : *A-t-on pu le joindre ? Qu'y a-t-il ? Voilà-t-il pas qu'il arrive !*

3. **Même** est lié au pronom qui précède par un trait d'union : *nous-mêmes ; lui-même ; eux-mêmes.*

Les **noms propres composés** désignant des lieux (pays, rues, places) ont un trait d'union entre les divers éléments qui les composent, du moins dans la langue administrative : *rue Notre-Dame-des-Champs ; avenue des Filles-du-Calvaire, des Champs-Élysées ; place du Dix-huit-Juin.*

Toutefois dans l'écriture courante on en constate souvent l'absence.

5. La majuscule.

● Les **noms prennent** la **majuscule** quand il s'agit de :

— noms propres désignant des **personnes,** des **localités,** des **pays,** des **peuples,** des **familles** : *Jean, Dupont, Paris, le Sénégal, l'Allemagne, les Bantous; les Bourbons, l'Orient, l'Extrême-Orient; un Français, un Ivoirien, un Canadien;*

— noms désignant des **divinités,** des **personnages** de la **mythologie,** un **Dieu** unique, des **abstractions personnifiées** : *Junon, Vénus, Dieu, l'Éternel, le Messie, la Providence, la Justice, l'Être suprême;*

— noms désignant les **étoiles,** les **constellations,** les **planètes,** dans la langue scientifique : *l'étoile du Berger, la planète Terre, le Soleil, la Lune* (mais *terre, lune, soleil* ne prennent pas la majuscule dans l'usage courant);

— noms des **points cardinaux** de même que **centre** et **midi** quand ils désignent une région, un lieu géographique ou leur population : *le département du Nord, l'Est européen, l'Afrique du Sud, partir en vacances dans le Midi;* mais ils ne prennent pas la majuscule quand ils situent un lieu, indiquent une direction, etc. : *Cette ville est dans l'est de la France, à l'ouest de Paris;*

— noms désignant des **institutions,** des **sociétés savantes** ou **sportives,** etc., des **événements** historiques notables : *l'Assemblée nationale; le ministère de la Défense nationale; l'École centrale; la Restauration; la Révolution de 1789; la Réforme;*

— **titres** d'ouvrages : *les Fleurs du mal, de Baudelaire;*

— **titres** honorifiques ou de dignité et des appellatifs comportant ce titre : *Son Altesse; Monsieur le Préfet.*

● Les **adjectifs ne prennent pas** la **majuscule, sauf** quand :

— ils forment avec le nom de région, d'institution, etc., un **mot composé avec trait d'union** : *la Comédie-Française, les États-Unis, Saint-Cloud;*

— ils précèdent un nom dans une dénomination (sans trait d'union) : *la Divine Comédie;*

— ils entrent dans la dénomination d'un lieu géographique : *l'océan Atlantique, le lac Majeur;*

— ils indiquent le surnom d'un personnage (avec l'article) : *Charles le Téméraire, Jean le Bon, Louis le Gros.*

● Les mots **dérivés de noms de peuples, de villes,** etc., prennent une **majuscule** quand ce sont des noms de personnes, mais une **minuscule** quand ce sont des adjectifs ou des noms de langue : *les Parisiens/les théâtres parisiens; les Arabes/le pétrole arabe; un Anglais/écrire en anglais.*

IV

Tolérances grammaticales
et orthographiques

Dans les examens ou concours dépendant du ministère de l'Éducation et sanctionnant les étapes de la scolarité élémentaire et de la scolarité secondaire, qu'il s'agisse ou non d'épreuves spéciales d'orthographe, il ne sera pas compté de fautes aux candidats dans les cas visés ci-dessous.
Parmi les indications qui figurent ci-après, il convient de distinguer celles qui précisent l'usage et celles qui proposent des tolérances. Les premières doivent être enseignées. Les secondes ne seront prises en considération que pour la correction des examens ou concours ; elles n'ont pas à être étudiées dans les classes et encore moins à se substituer aux connaissances grammaticales et orthographiques que l'enseignement du français doit s'attacher à développer.

I. Le verbe

1. Accord du verbe précédé de plusieurs sujets à peu près synonymes à la troisième personne du singulier juxtaposés : *La joie, l'allégresse s'empara (s'emparèrent) de tous les spectateurs.* L'usage veut que, dans ce cas, le verbe soit au singulier. On admettra l'accord du pluriel.

2. Accord du verbe précédé de plusieur sujets à la troisième personne du singulier unis par *comme, ainsi que* et autres locutions d'emploi équivalent : *Le père comme le fils mangeaient de bon appétit. Le père comme le fils mangeait de bon appétit.* L'usage admet, selon l'intention, l'accord au pluriel ou au singulier. On admettra l'un et l'autre accord dans tous les cas.

Accord du verbe précédé de plusieurs sujets à la troisième personne du singulier unis par *ou* ou par *ni* : *Ni l'heure ni la saison ne conviennent pour cette excursion. Ni l'heure ni la saison ne convient pour cette excursion.* L'usage admet, selon l'intention, l'accord au pluriel ou au singulier. On admettra l'un et l'autre accord dans tous les cas.

3. Accord du verbe quand le sujet est un mot collectif accompagné d'un complément au pluriel : *À mon approche, une bande de moineaux s'envola. À mon approche, une bande de moineaux s'envolèrent.* L'usage admet, selon l'intention, l'accord avec le mot collectif ou avec le complément. On admettra l'un et l'autre accord dans tous les cas.

4. Accord du verbe quand le sujet est *plus d'un* accompagné ou non d'un complément au pluriel : *Plus d'un de ces hommes* m'était *inconnu. Plus d'un de ces hommes* m'étaient *inconnus.* L'usage admet, selon l'intention, l'accord au pluriel ou au singulier. On admettra l'un et l'autre accord dans tous les cas.

5. Accord du verbe précédé de *un des... qui, un de ceux que, une des... que, une de celles qui,* etc. : *La Belle au bois dormant est un des contes qui* charment *les enfants. La Belle au bois dormant est un des contes qui* charme *les enfants.* L'usage admet, selon l'intention, l'accord au pluriel ou au singulier. On admettra l'un et l'autre accord dans tous les cas.

6. Accord du présentatif *c'est* suivi d'un nom (ou d'un pronom de la troisième personne) au pluriel : *Ce sont* là *de beaux résultats. C'est* là *de beaux résultats. C'étaient ceux que nous attendions. C'était ceux que nous attendions.* L'usage admet l'accord au pluriel ou au singulier.

7. Concordance des temps : *J'avais souhaité qu'il vînt* (qu'il vienne) *sans tarder. Je ne pensais pas qu'il eût oublié* (qu'il ait oublié) *le rendez-vous. J'aimerais qu'il fût* (qu'il soit) *avec moi. J'aurais aimé qu'il eût été* (qu'il ait été) *avec moi.* Dans une proposition subordonnée au subjonctif dépendant d'une proposition dont le verbe est à un temps du passé ou au conditionnel, on admettra que le verbe de la subordonnée soit au présent quand la concordance stricte demanderait l'imparfait, au passé quand elle demanderait le plus-que-parfait.

8. Participe présent et adjectif verbal suivis d'un complément d'objet indirect ou d'un complément circonstanciel : *La fillette, obéissant à sa mère, alla se coucher. La fillette, obéissante à sa mère, alla se coucher. J'ai recueilli cette chienne errant dans le quartier. J'ai recueilli cette chienne errante dans le quartier.* L'usage admet que, selon l'intention, la forme en *-ant* puisse être employée sans accord comme forme du participe ou avec accord comme forme de l'adjectif qui lui correspond. On admettra l'un et l'autre emploi dans tous les cas.

9. Participe passé conjugué avec *être* dans une forme verbale ayant pour sujet *on* : *On est resté* (restés) *bons amis.* L'usage veut que le participe passé se rapportant au pronom *on* se mette au masculin singulier. On admettra que le participe prenne la marque du genre et du nombre lorsque *on* désigne une femme ou plusieurs personnes.

10. Participe passé conjugué avec *avoir* et suivi d'un infinitif : *Les musiciens que j'ai entendus* (entendu) *jouer. Les airs que j'ai entendu* (entendus) *jouer.* L'usage veut que le participe s'accorde lorsque le complément d'objet direct se rapporte à la forme conjuguée et qu'il reste invariable lorsque le complément d'objet direct se rapporte à l'infinitif. On admettra l'absence d'accord dans le premier cas. On admettra l'accord dans le second, sauf en ce qui concerne le participe passé du verbe *faire.*

11. Accord du participe passé conjugué avec *avoir* dans une forme verbale précédée de *en* complément de cette forme verbale : *J'ai laissé sur l'arbre plus de cerises que je n'en ai* cueilli. *J'ai laissé sur l'arbre plus de cerises que je n'en ai* cueillies. L'usage admet l'un et l'autre accord.

12. Participe passé des verbes tels que : *coûter, valoir, courir, vivre,* etc., lorsque ce participe est placé après un complément : *Je ne parle pas des sommes que ces travaux m'ont* coûté (coûtées).

J'oublierai vite les peines que ce travail m'a coûtées (coûté). L'usage admet que ces verbes normalement intransitifs (sans accord du participe passé) puissent s'employer transitivement (avec accord) dans certains cas. On admettra l'un et l'autre emploi dans tous les cas.

13. Participes et locutions tels que *compris (y compris, non compris), excepté, ôté : J'aime tous les sports, excepté la boxe* (exceptée la boxe). *J'aime tous les sports, la boxe exceptée* (la boxe excepté). L'usage veut que ces participes et locutions restent invariables quand ils sont placés avant le nom avec lequel ils sont en relation et qu'ils varient quand il sont placés après le nom. On admettra l'accord dans le premier cas et l'absence d'accord dans le second.

Étant donné : Étant données les circonstances... Étant donné *les circonstances...* L'usage admet l'accord aussi bien que l'absence d'accord.

Ci-inclus, ci-joint : Ci-inclus (ci-incluse) *la pièce demandée./ Vous trouverez ci-inclus* (ci-incluse) *copie de la pièce demandée.*
Vous trouverez cette lettre ci-incluse. Vous trouverez cette lettre ci-inclus. L'usage veut que *ci-inclus, ci-joint* soient : invariables en tête d'une phrase ou s'ils précèdent un nom sans déterminant ; variables ou invariables, selon l'intention, dans les autres cas. On admettra l'accord ou l'absence d'accord dans tous les cas.

II. Le nom

14. Liberté du nombre : *De la gelée de groseille. De la gelée de groseilles. Des pommiers en fleur. Des pommiers en fleurs.* L'usage admet le singulier et le pluriel.

Ils ont ôté leur chapeau. Ils ont ôté leurs chapeaux. L'usage admet, selon l'intention, le singulier et le pluriel. On admettra l'un et l'autre nombre dans tous les cas.

15. Double genre : *Instruits* (instruites) *par l'expérience, les vieilles gens sont très prudents* (prudentes) ; *ils* (elles) *ont vu trop de choses.* L'usage donne au mot *gens* le genre masculin, sauf dans des expressions telles que : *les bonnes gens, les vieilles gens, les petites gens.* Lorsqu'un adjectif ou un participe se rapporte à l'une de ces expressions ou lorsqu'un pronom la reprend, on admettra que cet adjectif, ce participe, ce pronom soient, eux aussi, au féminin.

16. Noms masculins de titres ou de professions appliqués à des femmes : *Le français nous est enseigné par une dame. Nous aimons beaucoup ce professeur. Mais il* (elle) *va nous quitter.* Précédés ou non de *Madame,* ces noms conservent le genre masculin ainsi que leurs déterminants et les adjectifs qui les accompagnent. Quand ils sont repris par un pronom, on admettra pour ce pronom le genre féminin.

17. Pluriel des noms propres de personnes : *Les Dupont* (Duponts). *Les Maréchal* (Maréchals). On admettra que les noms propres de personnes prennent la marque du pluriel.

Pluriel des noms empruntés à d'autres langues : *Des maxima* (des maximums). *Des sandwiches* (des sandwichs). On admettra que, dans tous les cas, le pluriel de ces noms soit formé selon la règle générale du français.

III. L'article

18. Article devant *plus, moins, mieux : Les idées qui paraissent les plus justes sont souvent discutables. Les idées qui paraissent le plus justes sont souvent discutables.* Dans les groupes formés d'un article défini suivi de *plus, moins, mieux* et d'un adjectif ou d'un participe, l'usage admet que, selon l'intention, l'article varie ou reste invariable. On admettra que l'article varie ou reste invariable dans tous les cas.

IV. L'adjectif numéral

19. *Vingt* et *cent : Quatre-vingt-dix* (quatre vingts dix) *ans. Six cent trente-quatre* (six cents trente quatre) *hommes. En mil neuf cent soixante-dix-sept* (mille neuf cents soixante dix sept). On admettra que *vingt* et *cent,* précédés d'un adjectif numéral à valeur de multiplicateur, prennent la marque du pluriel même lorsqu'ils sont suivis d'un autre adjectif numéral. Dans la désignation d'un millésime, on admettra la graphie *mille* dans tous les cas.
L'usage place un trait d'union entre les éléments d'un adjectif numéral qui forment un ensemble inférieur à cent. On admettra l'omission du trait d'union.

V. L'adjectif qualificatif

20. *Nu, demi* précédant un nom : *Elle courait nu-pieds* (nus pieds). *Une demi-heure* (demie heure) *s'écoula.* L'usage veut que *nu, demi* restent invariables quand ils précèdent un nom auquel ils sont reliés par un trait d'union. On admettra l'accord.

21. Pluriel de *grand-mère, grand-tante,* etc. : *Des grand-mères. Des grands-mères.* L'usage admet l'une et l'autre graphie.

22. *Se faire fort de... : Elles se font fort* (fortes) *de réussir.* On admettra l'accord de l'adjectif.

23. *Avoir l'air : Elle a l'air doux. Elle a l'air douce.* L'usage admet que, selon l'intention, l'adjectif s'accorde avec le mot *air* ou avec le sujet du verbe *avoir.* On admet l'un et l'autre accord dans tous les cas.

VI. Les indéfinis

24. *L'un et l'autre* employé comme adjectif : *J'ai consulté l'un et l'autre* document. *J'ai consulté l'un et l'autre* documents.
L'un et l'autre document m'a paru intéressant. *L'un et l'autre document* m'ont paru intéressants.
L'usage admet que, selon l'intention, le nom précédé de *l'un et l'autre* se mette au singulier ou au pluriel. On admettra l'un et l'autre nombre dans tous les cas. Avec le nom au singulier, l'usage admet que le verbe se mette au singulier ou au pluriel.
L'un et l'autre employé comme pronom : *L'un et l'autre se* taisait. *L'un et l'autre se* taisaient.
L'usage admet que, selon l'intention, le verbe précédé de *l'un et l'autre* employé comme pronom se mette au singulier ou au pluriel. On admettra l'un et l'autre nombre dans tous les cas.

25. *L'un ou l'autre, ni l'un ni l'autre* employés comme adjectifs : *L'un ou l'autre projet me* convient. *L'un ou l'autre projet me* conviennent.
Ni l'une ni l'autre idée ne m'inquiète. *Ni l'une ni l'autre idée ne* m'inquiètent. L'usage veut que le nom précédé de *l'un ou l'autre* ou de *ni l'un ni l'autre* se mette au singulier ; il admet que, selon l'intention, le verbe se mette au singulier ou au pluriel. On admettra, pour le verbe, l'un et l'autre accord dans tous les cas.
L'un ou l'autre, ni l'un ni l'autre employés comme pronoms : *De ces deux projets, l'un ou l'autre me* convient. *De ces deux projets, l'un ou l'autre me* conviennent.
De ces deux idées, ni l'une ni l'autre ne m'inquiète. *De ces deux idées, ni l'une ni l'autre ne* m'inquiètent. L'usage admet que, selon l'intention, le verbe précédé de *l'un ou l'autre* ou de *ni l'un ni l'autre* employés comme pronoms se mette au singulier ou au pluriel. On admettra l'un et l'autre nombre dans tous les cas.

26. *Chacun : Remets ces livres chacun à sa* place. *Remets ces livres chacun à leur* place. Lorsque *chacun*, reprenant un nom (ou un pronom de la troisième personne) au pluriel, est suivi d'un possessif, l'usage admet que, selon l'intention, le possessif renvoie à *chacun* ou au mot repris par *chacun*. On admettra l'un et l'autre tour dans tous les cas.

VII. « Même » et « tout »

27. *Même : Dans les fables, les bêtes* mêmes *parlent. Dans les fables, les bêtes* même *parlent.*
Après un nom ou un pronom au pluriel, l'usage admet que *même*, selon l'intention, prenne ou non l'accord. On admettra l'une ou l'autre graphie dans tous les cas.

28. *Tout : Les proverbes sont de* tout *temps et de* tout *pays. Les proverbes sont de* tous *temps et de* tous *pays.* L'usage admet, selon l'intention, le singulier ou le pluriel.
Elle est toute *(tout) à sa lecture.* Dans l'expression *être tout à...*, on admettra que *tout*, se rapportant à un mot féminin, reste invariable.
Elle se montra tout *(toute) étonnée.* L'usage veut que *tout*, employé comme adverbe, prenne la marque du genre et du nombre devant un mot féminin commençant par une consonne ou un *h* aspiré et reste invariable dans les autres cas. On admettra qu'il prenne la marque du genre et du nombre devant un nom féminin commençant par une voyelle ou un *h* muet.

VIII. L'adverbe *ne* dit « explétif »

29. *Je crains qu'il ne pleuve. Je crains qu'il pleuve. L'année a été meilleure qu'on ne l'espérait. L'année a été meilleure qu'on l'espérait.* L'usage n'impose pas l'emploi de *ne* dit « explétif ».

IX. Accents

30. *Accent aigu : Assener* (asséner) ; *referendum* (référendum). Dans certains mots, la lettre *e*, sans accent aigu, est prononcée [é] à la fin d'une syllabe. On admettra qu'elle prenne cet accent — même s'il s'agit de mots d'origine étrangère — sauf dans les noms propres.

31. *Accent grave : Événement* (évènement) ; *je céderai* (je cèderai). Dans certains mots, la lettre *e* avec un accent aigu est généralement prononcée [é] à la fin d'une syllabe. On admettra l'emploi de l'accent grave à la place de l'accent aigu.

32. *Accent circonflexe : Crâne* (crane) ; *épître* (épitre) ; *crûment* (crument). On admettra l'omission de l'accent circonflexe sur les voyelles *a, e, i, o, u* dans les mots où ces voyelles comportent normalement cet accent, sauf lorsque cette tolérance entraînerait une confusion entre deux mots en les rendant homographes (par exemple : *tâche/tache ; forêt/foret ; vous dîtes/vous dites ; rôder/roder ; qu'il fût/il fut*).

X. Trait d'union

33. *Arc-en-ciel* (arc en ciel) ; *nouveau-né* (nouveau né) ; *crois-tu ?* (crois tu ?) *est-ce vrai ?* (est ce vrai ?) ; *dit-on* (dit on) ; *dix-huit* (dix huit) ; *dix-huitième* (dix huitième) ; *par-ci, par-là* (par ci, par là). Dans tous les cas, on admettra l'omission du trait d'union, sauf lorsque sa présence évite une ambiguïté *(petite-fille/petite fille)* ou lorsqu'il doit être placé avant et après le *t* euphonique intercalé à la troisième personne du singulier entre une forme verbale et un pronom sujet postposé *(viendra-t-il ?)*.

OBSERVATION. *Dans les examens ou concours visés en tête de la présente liste, les correcteurs, graduant leurs appréciations selon le niveau de connaissances qu'ils peuvent exiger des candidats, ne compteront pas comme fautes graves celles qui, en dehors des cas mentionnés ci-dessus, portent sur de subtiles particularités grammaticales.*

66

V

Vocabulaire orthographique

adj	adjectif	pers	personnel
adv	adverbe	pl	pluriel
art	article	poss	possessif
conj	conjonction	pp	participe passé
dém	démonstratif	pprés	participe présent
f ou fém	féminin	pr	pronom
indéf	indéfini	prép	préposition
interj	interjection	rel	relatif
interr	interrogatif	sing	singulier
inv	invariable	v	verbe
loc	locution	vi	verbe intransitif
m ou masc	masculin	vpr	verbe pronominal
n	nom	vt	verbe transitif
nf	nom féminin	vti	verbe transitif indirect
nm	nom masculin	→ p	renvoie à telle page
num	numéral (cardinal)		des règles grammaticales
ord	(numéral) ordinal	≠	indique l'opposition, la
p	page		différence : différent de

Le vocabulaire orthographique comporte 21 000 mots ; il insiste sur :

- les difficultés orthographiques données entre parenthèses pour le mot ou pour les mots de la même famille, éventuellement avec des renvois aux pages des règles grammaticales ;

- les homonymes donnés avec l'indication de leurs sens ;

- le genre dans le cas où il peut y avoir des hésitations, des problèmes d'usage, des doubles genres ;

- le pluriel dans le cas d'exceptions à la règle du -s, pour les noms composés et les noms d'origine étrangère ;

- le participe passé dans le cas d'invariabilité et pour les verbes irréguliers ;

- le participe présent et l'adjectif verbal dans le cas où ils présentent des différences orthographiques.

Les mots du vocabulaire orthographique sont suivis de l'indication de la catégorie grammaticale principale à laquelle ils appartiennent.

On trouvera après le vocabulaire orthographique la liste des principaux termes ethniques.

a

a nm inv (lettre)
à prép ≠ a *(il a)*
abaisse-langue nm inv
abaisser vt
abandon nm ; *abandonner* vt
abaque nm (masculin)
abasourdir vt (avec un *s*)
abat nm, pl *abats*
abâtardir vt (circonflexe sur le premier *â*)
abat-jour nm inv
abat-son nm inv
abattre vt, pp *abattu, e* ; tous les dérivés ont deux *t* : *abattage, abattement, abattoir,* etc.
abat-vent nm inv
abat-voix nm inv
abbaye nf ; *abbatial, e, aux* adj
abbé nm ; *abbesse* nf
a b c nm inv ; *abécédaire* nm
abcès nm inv
abdiquer vt ; *abdication* nf
abdomen nm ; *abdominal, e, aux* adj
abeille nf
aberration nf
abêtir vt (circonflexe sur *ê*)
abhorrer vt
abîme nm (masculin) [circonflexe sur *î*]
abîmer vt (circonflexe sur *î*)
abject, e adj
abjurer vt
ablation nf
ablette nf
ablution nf
abnégation nf
abolir vt ; *abolition* nf ; *abolitionnisme* nm
abominable adj
abondance nf ; *abondant, e* adj ; *abondamment* adv ; *abonder* vti, pp *abondé* inv
abonner vt ; *abonnement* nm
abord nm ; *d'abord* adv
aborder vt
aborigène adj, n (masculin ou féminin)
abortif, ive adj
aboucher vt
aboulie nf
about nm
aboutir vti, pp *abouti* inv
aboyer vi, vt ; *abois* nmpl ; *aboiement* nm
abracadabrant, e adj
abrasif, ive adj
abréger vt ; *abrégé* nm ; *abrègement* nm (attention aux accents)
abreuver vt
abréviation nf
abri nm ; *abriter* vt
Abribus nm inv (nom déposé)
abricot nm ; adj inv

abri-sous-roche nm, pl *abris-sous-roche*
abroger vt ; *abrogation* nf ; *abrogeable* adj
abrupt, e adj
abrutir vt
abscisse nf (attention *sc*)
abscons, e adj
absent, e adj, n ; *absence* nf
abside nf (féminin)
absinthe nf (féminin)
absolu, e adj ; *absolument* adv
absorber vt ; *absorption* nf
absoudre vt, pp · *absous, absoute ; absolution* nf
abstenir (s') vpr ; *abstention* nf ; *abstentionnisme* nm
abstinent, e adj ; *abstinence* nf
abstraire vt ; *abstrait, e* adj ; *abstraction* nf
abstrus, e adj
absurde adj
abuser vt ; *abus* nm inv
abysse nm (masculin) ; *abyssal, e, aux* adj
acabit nm (masculin)
acacia nm, pl *acacias*
académie nf
acajou nm, pl *acajous ;* adj inv
acanthe nf
acariâtre adj (circonflexe sur *â*)
accabler vt
accalmie nf
accaparer vt
accéder vti, pp *accédé* inv ; *accession* nf
accelerando adv (sans accent)
accélérer vt, vi
accent nm
accepter vt
accès nm inv
accessit nm, pl *accessits*
accessoire nm (masculin)
accident nm
acclamer vt
acclimater vt
accointer (s') vpr
accoler vt
accommoder vt (avec deux *c* et deux *m*)
accompagner vt
accomplir vt
accord nm
accordéon nm
accorder vt
accorte adj f
accoster vt
accoter vt
accoucher vi, vt
accouder (s') vpr
accoupler vt
accourir vi, pp *accouru, e* (avec deux *c* et un seul *r*)
accoutrer (s') vpr
accoutumer vt ; *à l'accoutumée* loc adv

accréditer vt
accroche-cœur nm, pl *accroche-cœur(s)*
accroche-plat nm, pl *accroche-plat(s)*
accrocher vt ; *accroc* nm
accroire (faire) vt
accroître vt, pp *accru, e* (attention à l'accentuation) ; *accroissement* nm
accueillir vt, pp *accueilli, e* ; *accueil* nm ; *accueillant, e* adj (attention *-ue-*)
acculer vt
accumuler vt
accuser vt
acerbe adj
acéré, e adj
acétal nm, pl *acétals*
acétylène nm (masculin)
achalandé, e adj
acharner (s') vpr
acheminer vt
acheter vt ; *achat* nm
achever vt ; *achèvement* nm (attention aux accents)
achopper vti, pp *achoppé* inv (avec deux *p*)
acide adj ; nm (masculin)
acidulé, e adj
acier nm ; *aciérer* vt ; *aciérie* nf (attention aux accents)
acné nf (féminin)
acolyte nm (un seul *c*)
acompte nm (un seul *c*)
à-côté nm, pl *à-côtés*
à-coup nm, pl *à-coups*
acoustique nf (féminin) ; adj (un seul *c*)
acquérir vt, pp *acquis, e*
acquêt nm (circonflexe sur *ê*)
acquiescer vti, pp *acquiescé* inv ; *acquiescement* nm
acquis nm inv (savoir) ≠ *acquit* (quittance)
acquisition nf
acquit nm (quittance) ≠ *acquis* (savoir)
acquitter vt (avec deux *t*)
acre nf (mesure)
âcre adj ; *âcreté* nf (circonflexe sur *â*)
acrimonie nf
acrobate n (masculin ou féminin)
acropole nf (féminin)
acrostiche nm (masculin)
acte nm
acteur, trice n
actif, ive adj
action nf ; *actionnaire* n (masculin ou féminin) ; *actionner* vt
actuel, elle adj ; *actualiser* vt
acuité nf
acupuncture ou acuponcture nf

adage nm (masculin)
adagio adv; nm, pl *adagios*
adapter vt
addenda nm inv
addition nf; *additionner* vt
adduction nf
adepte n (masculin ou féminin)
adéquat, e adj; *adéquation* nf
adhérer vt; *adhérence* nf; *adhérent, e* adj, n ≠ *adhérant* pprés du v
adhésif, ive adj; *adhésion* nf
ad hoc loc adv
adieu nm, pl *adieux*
adipeux, euse adj
adjacent, e adj
adjectif nm; *adjectif, ive* ou *adjectival, e aux* adj
adjoindre vt; *adjoint, e* adj, n; *adjonction* nf
adjudant nm
adjuger vt; *adjudication* nf
adjurer vt
admettre vt, pp *admis, e*
administrer vt
admirer vt
admonester vt
adolescent, e n; *adolescence* nf
adonis nm inv
adonner (s') vpr
adopter vt
adorer vt
adosser vt
adouber vt
adoucir vt; *adoucissant, e* adj
adragante adj f
adroit, e adj; *adresse* nf
aduler vt
adulte adj, n (masculin ou féminin)
adultère adj (personne); nm (acte); *adultérin, e* adj (attention aux accents)
advenir vi, pp *advenu, e*
adventice adj
adverbe nm; *adverbial, e aux* adj
adversaire n (masculin ou féminin)
adverse adj
aède nm
aérer vt; *aéré, e* adj; *aération* nf
aérien, enne adj
aérium nm, pl *aériums*
aérobie adj; nm (masculin)
aérodrome nm
aérodynamique adj
aérofrein nm
aérogare nf
aéroglisseur nm
aérolithe nm (masculin)
aéronaute n (masculin ou féminin)
aéronaval, e, als adj
aéronef nm (masculin)
aérophagie nf
aéroplane nm (masculin)
aéroport nm
aéropostal, e, aux adj
aérosol nm
aérospatial, e, aux adj
aérostat nm
affable adj
affabulation nf
affadir vt
affaiblir vt

affaire nf *(avoir affaire à quelqu'un, mais avoir quelque chose à faire)*
affairer (s') vpr
affaisser vt
affaler vt
affamer vt
affecter vt
affectif, ive adj
affection nf; *affectionner* vt
affectueux, euse adj
afférent, e adj (accent aigu)
affermer vt
affermir vt
afféterie nf (accent aigu)
affiche nf
affidavit nm, pl *affidavits*
affidé, e adj
affilée (d') adv
affilier (s') vpr
affiner vt
affinité nf
affiquets nmpl
affirmer vt
affixe nm; *affixal, e, aux* adj
affleurer vt, vi
affliger vt; *affliction* nf
affluer vi, pp *afflué* inv; *affluent* nm ≠ *affluant* pprés du v; *afflux* nm inv
affoler vt (deux *f* et un *l*, de même dans les dérivés *affolement, raffoler*)
affranchir vt
affres nfpl (féminin)
affréter vt; *affrètement* nm (attention aux accents)
affreux, euse adj
affriander vt
affrioler vt
affront nm
affronter vt
affubler vt
affût nm (circonflexe sur *û*)
affûter vt (circonflexe sur *û*)
afin de prép
afocal, e, aux adj
a fortiori adv
aga ou **agha** nm, pl *agas, aghas*
agacer vt
agami nm, pl *agamis*
agar-agar nm, pl *agars-agars*
agaric nm
agate nf (pas de *h* après le *t*)
agave ou **agavé** nm
age nm (de charrue) ≠ *âge*
âge nm (circonflexe sur *â*)
agence nf
agencer vt
agenda nm, pl *agendas*
agenouiller (s') vpr
agent nm
agglomérer vt; *aggloméra* nm
agglutiner vt
aggraver vt
agha ou **aga** nm, pl *aghas, agas*
agile adj; *agilité* nf
agio nm, pl *agios*
agir vi, pp *agi* inv
agiter vt
agneau nm, pl *agneaux*; *agnelle* nf; *agneler* vi, pp *agnelé* inv; *agnelet* nm
agnosie nf
agnostique adj, n (masculin ou féminin)
agnus-castus nm inv
agnus-dei nm inv

agonie nf; *agoniser* vi, pp *agonisé* inv
agora nf, pl *agoras*
agouti nm, pl *agoutis*
agrafe nf (un seul *f*, de même dans les dérivés *agrafer, agrafage*)
agraire adj
agrammatical, e, aux adj
agrandir vt
agréable adj
agréer vt
agréger vt; *agrégat* nm
agrément nm
agrès nmpl (avec accent grave)
agresser vt
agreste adj
agricole adj; *agriculteur, trice* n
agriffer (s') vpr
agripper vt (avec deux *p*)
agro-alimentaire adj, pl *agro-alimentaires*
agronome n (masculin ou féminin)
agro-pastoral, e adj, pl *agro-pastoraux, ales*
agrume nm (masculin)
aguerrir vt (deux *r*)
aguets nmpl
aguicher vt
ah! interj
ahan nm; *ahaner* vi (avec un *n*)
ahurir vt
aï nm, pl *aïs* (tréma sur *ï*)
aide n (masculin ou féminin) [personne]; nf (appui)
aide-comptable n (masculin ou féminin), pl *aides-comptables*
aide-mémoire nm inv
aïe! interj
aïeul, e n, pl *aïeuls* (grands-parents); *aïeux* (ancêtres) → p 15
aigle nm (oiseau); nf (aigle femelle; étendard; armoiries) → p 7
aiglefin ou **églefin** nm
aigre adj; *aigrelet, ette* adj
aigre-doux, douce adj, pl *aigres-doux, douces*
aigrette nf
aigu, aiguë adj (attention au tréma)
aiguail nm, pl *aiguails*
aigue-marine nf, pl *aigues-marines*
aiguille nf
aiguiller vt
aiguillon nm; *aiguillonner* vt
aiguiser vt
ail nm, pl ancien *aulx*, moderne *ails*
aile nf
ailleurs adv
ailloli nm, pl *aillolis*
aimant nm; *aimanter* vt
aimer vt
aine nf (sans circonflexe)
aîné, e adj, n; *aînesse* nf (attention aux circonflexes)
ainsi adv; *ainsi que* loc conj → p 45 (accord du verbe)
air nm; *avoir l'air* → p 26
airain nm
aire nf (surface)
airelle nf
ais nm inv (planche)
aise nf; *aisance* nf

aisselle nf
ajonc nm
ajouré, e adj
ajourner vt
ajouter vt ; *ajout* nm
ajuster vt
alaise ou alèse nf
alambic nm (masculin)
alambiqué, e adj
alanguir vt
alarmer vt
albâtre nm (masculin) [circonflexe sur *â*]
albatros nm inv
alberge nf
albinos n (masculin ou féminin) inv
album nm, pl *albums*
albumen nm, pl *albumens*
albumine nf ; *albuminurie* nf
alcade nm (masculin)
alcali nm, pl *alcalis*
alchimie nf
alcool nm ; *alcoolique* adj, n (masculin ou féminin) [attention aux deux *o*]
alcôve nf (féminin) [circonflexe sur *ô*]
alcyon nm
aldéhyde nm (masculin)
aléa nm, pl *aléas*
alêne nf (circonflexe sur *ê*)
alénois adj m
alentour adv ; *alentours* nm pl
alerte nf
alèse ou alaise nf
aléser vt
alevin nm
alexandrin nm
alezan, e adj
alfa nm, pl *alfas* (herbe) ≠ *alpha* (lettre)
alfange nf (féminin)
algarade nf
algèbre nf ; *algébrique* adj (attention aux accents)
algorithme nm
alguazil nm, pl *alguazils*
algue nf
alibi nm, pl *alibis*
alidade nf
aliéner vt
aligner vt
aliment nm ; *alimenter* vt
alinéa nm, pl *alinéas*
alios nm inv
alise nf
aliter vt
alizé nm
allaiter vt
allant nm
allécher vt
allée nf
allégeance nf (attention *ea*)
alléger vt ; *allégement* nm (même accent malgré la prononciation)
allégorie nf
allègre adj ; *allégresse* nf (attention aux accents)
allegretto adv ; *allégretto* nm, pl *allégrettos* (accent aigu pour le nm)
allegro adv ; *allégro* nm, pl *allégros* (accent aigu pour le nm)
alléguer vt ; *allégation* nf
alléluia nm, pl *alléluias*

aller vi, pp *allé, e* ; *aller* nm, pl *allers*
allergie nf
alleu nm, pl *alleux*
alliacé, e adj
alliage nm
allier vt
alligator nm
allitération nf (deux *l*, un *t*)
allocation nf
allocution nf
allonger vt ; *allonge* nf
allouer vt ; *allocation* nf
allume-cigares nm inv
allume-feu nm inv
allume-gaz nm inv
allumer vt
allumette nf (deux *l*, un *m*)
allure nf
allusion nf
alluvions nfpl ; *alluvial, e, aux* adj
almanach nm, pl *almanachs*
almée nf
aloès nm inv
aloi nm
alopécie nf
alors adv
alose nf
alouate nm (masculin)
alouette nf
alourdir vt
aloyau nm, pl *aloyaux*
alpaga nm, pl *alpagas*
alpestre adj
alpha nm (lettre), pl *alphas* ≠ *alfa* (herbe)
alphabet nm
alpin, e adj ; *alpiniste* n (masculin ou féminin)
alpiste nm
altercation nf
alter ego nm inv
altérer vt
altérité nf
alterner vt
altesse nf ; NOMS DE TITRE → p 26, 34
altier, ère adj
altise nf
altitude nf
alto nm, pl *altos*
altruisme nm
aluminium nm, pl *aluminiums*
alun nm
alvéole nf (autrefois nm)
amabilité nf
amadou nm, pl *amadous*
amadouer vt
amadouvier nm
amaigrir vt
amalgame nm (masculin)
aman nm
amande nf (fruit) ≠ *amende* (peine)
amanite nf (féminin)
amant, e n
amarante nf ; adj inv
amarre nf
amaryllis nf inv
amas nm inv ; *amasser* vt
amateur adj, n (masculin ou féminin)
amazone nf
ambages nfpl (féminin)
ambassade nf ; *ambassadeur* nm ; *ambassadrice* nf
ambiant, e adj ; *ambiance* nf

ambidextre adj, n (masculin ou féminin)
ambigu, ambiguë adj ; *ambiguïté* nf ; *ambigument* adv (attention à la présence ou à l'absence du tréma)
ambition nf ; *ambitionner* vt
ambivalent, e adj ; *ambivalence* nf
amble nm
ambre nm (masculin)
ambroisie nf
ambulacre nm (masculin)
ambulance nf
ambulant, e adj
ambulatoire adj
âme nf (circonflexe sur *â*)
améliorer vt
amen nm inv
aménager vt
amende nf (peine) ≠ *amande* (fruit)
amène adj ; *aménité* nf (attention aux accents)
amener vt
amensal, e, aux adj
amenuiser vt
amer nm
amer, ère adj ; *amèrement* adv (attention à l'accentuation)
amerrir vi (un *m* et deux *r*)
amertume nf
améthyste nf (féminin)
ameublement nm
ameublir vt
ameuter vt
ami, e adj, n
amiable adj
amiante nm ; *amiante-ciment* nm, pl *amiantes-ciments*
amibe nf (féminin)
amical, e, aux adj
amide nm (masculin)
amidon nm ; *amidonner* vt
amincir vt
amiral nm, pl *amiraux* ; *amirauté* nf
ammonal nm, pl *ammonals*
ammoniac nm (gaz) ; *ammoniacal, e, aux* adj ; *ammoniaque* nf (solution de gaz)
amnésie nf
amnistie nf (féminin)
amodier vt
amoindrir vt
amollir vt
amonceler vt (un *l*) ; *amoncellement* nm (deux *l*)
amont nm
amoral, e, aux adj
amorcer vt ; *amorçage* nm
amorphe adj
amortir vt
amour nm → p 7
amour-propre nm, pl *amours-propres*
amovible adj
amphétamine nf
amphibie adj ; nm
amphibole nf
amphibologie nf
amphigouri nm, pl *amphigouris*
amphithéâtre nm (circonflexe sur *â*)
amphitryon nm (attention à l'*y*)
amphore nf
ample adj

amplifier vt; **ampli-tuner** nm, pl *amplis-tuners*
ampoule nf
amputer vt
amuïr (s') vpr; **amuïssement** nm (tréma sur *i*)
amulette nf
amuser vt; **amuse-gueule** nm, pl *amuse-gueule(s)*
amygdale nf (le *g* n'est pas prononcé)
amylène nm (masculin)
an nm (les dérivés avec deux *n* : *année, annuel,* etc.)
ana nm inv
anabaptiste n (masculin ou féminin)
anachorète nm
anachronique adj
anacoluthe nf (féminin) [attention au *h*]
anaconda nm
anaglyphe nm (masculin)
anagramme nf (féminin)
anal, e, aux adj
analgésie nf
analogue adj
analphabète adj, n (masculin ou féminin); **analphabétisme** nm (attention aux accents)
analyse nf
anamorphose nf
ananas nm inv
anapeste nm (masculin)
anarchie nf
anarcho-syndicaliste n (masculin ou féminin), pl *anarcho-syndicalistes*
anastomose nf
anathème nm (masculin); **anathématiser** vt (attention aux accents)
anatomie nf
ancêtre nm (circonflexe sur ê); **ancestral, e, aux** adj
anche nf
anchois nm inv
ancien, enne adj, n; **ancienneté** nf
ancre nf (pour bateau) ≠ **encre** (pour écrire)
andain nm
andalou, se adj, pl *andalous, ses* → p 10
andante adv; nm, pl *andantes*
andantino adv; nm, pl *andantinos*
andouille nf
andouiller nm
androcée nm (masculin)
androgyne nm
âne nm; **ânesse** nf; **ânerie** nf (circonflexe sur â)
anéantir vt
anecdote nf
anémie nf
anémone nf (féminin)
anesthésie nf
aneth nm
anévrisme ou **anévrysme** nm
anfractuosité nf
ange nm; **angelot** nm; **angélique** adj
angélus nm inv
angine nf
angiosperme nf (féminin)
angle nm
angoisse nf

angora adj, n (masculin ou féminin), pl *angoras*
anguille nf
anhydride nm (masculin)
anicroche nf (féminin)
aniline nf
animal nm, pl *animaux*; **animal, e, aux** adj
animer vt
animisme nm
animosité nf
anis nm inv
ankylose nf
annales nfpl
anneau nm, pl *anneaux*
année adj; nf
anneler vt
annexe nf; nf
annexer vt; **annexion** nf; **annexionnisme** nm
annihiler vt
anniversaire nm
annoncer nf; **annoncer** vt; **annonciation** nf
annoter vt
annuaire nm
annuel, elle adj; **annuité** nf
annulaire nm
annuler vt
anoblir vt (sens propre) ≠ **ennoblir** (sens figuré)
anode nf (féminin)
anodin, e adj
anomal, e, aux adj
anomalie nf
ânonner vt (circonflexe sur â)
anonyme adj, n (masculin ou féminin)
anorak nm, pl *anoraks*
anorexie nf
anormal, e, aux adj
anse nf
antagonisme nm
antan (d') adj inv
antarctique adj
antécédent, e adj
antédiluvien, enne adj
antenne nf
antépénultième adj; nf
antérieur, e adj; **antériorité** nf
anthère nf
anthologie nf
anthracite nm (masculin); adj inv
anthrax nm inv
anthropoïde n (masculin ou féminin), adj
anthropologie nf
anthropométrie nf
anthropomorphe adj
anthropophage n (masculin ou féminin)
anthropopithèque nm
anti- préf (les composés forment un mot unique sans trait d'union, sauf rares exceptions : *anti-g, anti-inflammatoire*)
antibiotique nm; adj
antibrouillard adj inv; nm
antibruit adj inv
anticasseurs adj inv
antichambre nf
anticiper vt
anticlérical, e, aux adj
anticlinal, e, aux adj
anticyclone nm; **anticyclonal, e, aux** adj
antidate nf

antidote nm (masculin)
antienne nf
antigang adj inv
antigel nm, pl *antigels*
antiglisse adj inv
antigouvernemental, e, aux adj
antihalo nm, pl *antihalos*
antilope nf
antimatière nf, pl *antimatières*
antimissile nf, pl *antimissiles*
antimoine nm (masculin)
antinational, e, aux adj
antinomie nf
antiparti adj inv
antipathie nf
antipersonnel adj inv
antiphrase nf
antipode nm (masculin)
antipoison adj inv
antique adj
antirouille nm, pl *antirouilles*; adj inv
antisémite adj, n (masculin ou féminin)
antisepsie nf
antisocial, e, aux adj
anti-sous-marin, e adj, pl *anti-sous-marins, es*
antisyndical, e, aux adj
antithèse nf; **antithétique** adj (attention aux accents)
antivol nm
antonyme nm
antre nm (masculin)
anus nm inv
anxieux, euse adj; **anxiété** nf
aorte nf
août nm, pl *aoûts*; **aoûtat** nm; **aoûtien, ienne** n (circonflexe sur û)
apache nm
apaiser vt
apanage nm (masculin)
aparté nm, pl *apartés*
apartheid nm, pl *apartheids*
apathie nf
apatite nf
apercevoir vt, pp *aperçu, e*; **aperçu** nm; **aperception** nf (un seul *p*)
apéritif nm
à-peu-près nm inv ≠ **à peu près** adv
apeuré, e adj
apex nm inv
aphasie nf
aphélie nm (masculin)
aphérèse nf
aphone adj
aphorisme nm
aphrodisiaque adj; nm
aphte nm (masculin)
api nm, pl *apis*
à-pic nm inv
apical, e, aux adj
apitoyer vt; **apitoiement** nm
aplanir vt
aplat nm
aplatir vt
aplomb nm
apocalypse nf
apocope nf (féminin)
apocryphe adj
apodose nf
apogée nm (masculin)
apologétique nf
apologie nf
apologue nm (masculin)

apophtegme nm (masculin)
apophyse nf
apoplexie nf; *apoplectique* adj
apostasie nf; *apostat, e* adj, n
aposter vt
a posteriori adj inv; adv (sans accent)
apostille nf (féminin)
apostolat nm
apostrophe nf
apothème nm (masculin)
apothéose nf (féminin)
apothicaire nm
apôtre nm (circonflexe sur ô)
apparaître vi, pp *apparu, e*
apparat nm
appareil nm
appareiller vt, vi
apparent, e adj; *apparemment* adv; *apparence* nf
apparenter (s') vpr
apparier vt; *appariement* nm
appariteur nm
apparition nf
appartement nm
appartenir vti, pp *appartenu* inv
appas nmpl (attraits) ≠ *appât* (amorce)
appât nm (circonflexe sur le second â) [amorce], pl *appâts* ≠ *appas* (attraits)
appauvrir vt
appeau nm, pl *appeaux*
appel nm (avec deux *p*); *appeler* vt; *appellatif, ive* adj; *appellation* nf (attention aux *l*)
appendice nm (masculin)
appentis nm inv
appesantir vt
appétence nf
appétit nm
applaudir vt
appliquer vt; *applicable* adj; *application* nf
appoggiature nf, pl *appoggiatures*
appoint nm
appointer vt
appointement nm
apport nm; *apporter* vt
apposer vt
apprécier vt; *appréciation* nf
appréhender vt; *appréhension* nf
apprendre vt, pp *appris, e*; *apprenti, e* n (avec deux *p*)
apprêt nm (circonflexe sur ê)
apprêter vt (circonflexe sur ê)
apprivoiser vt
approcher vt
approfondir vt
approprier vt
approuver vt; *approbation* nf
approvisionner vt
approximation nf
appui-bras nm, pl *appuis-bras*
appui-livres nm, pl *appuis-livres*
appui-tête nm, pl *appuis-têtes*
appuyer vt; *appui* nm
âpre adj (circonflexe sur â)
après prép
après-coup nm inv
après-demain adv
après-dîner nm, pl *après-dîners*
après-guerre nm ou nf (des deux genres), pl *après-guerres*
après-midi nm inv ou nf inv (des deux genres)

après-rasage adj inv
après-ski nm, pl *après-skis*
après-vente adj inv
a priori adj inv; adv; nm inv (sans accent sur le *a*)
à-propos nm inv
apside nf
apte adj; *aptitude* nf
apurer vt
aquafortiste n (masculin ou féminin)
aquaplane nm (masculin)
aquarelle nf
aquarium nm, pl *aquariums*
aquatique adj
aqueduc nm
aqueux, euse adj
aquilin adj m
ara nm
arabesque nf
arable adj
arachide nf
arachnéen, enne adj
araignée nf
araire nm
arak nm, pl *araks*
araser vt
aratoire adj
arbalète nf; *arbalétrier* nm (attention aux accents)
arbitraire adj; nm
arborer vt
arborescent, e adj; *arborescence* nf
arborisation nf
arbouse nf (féminin)
arbre nm
arbrisseau nm, pl *arbrisseaux*
arc nm
arcade nf
arcane nm (masculin)
arc-boutant nm, pl *arcs-boutants*
arc-bouter vt
arc-doubleau nm, pl *arcs-doubleaux*
arceau nm, pl *arceaux*
arc-en-ciel nm, pl *arcs-en-ciel*
archaïsme nm; *archaïque* adj (tréma sur *i*)
archange nm
arche nf
archéologie nf; *archéologue* n (masculin ou féminin)
archer nm (tireur à l'arc) ≠ *archet* (baguette)
archet nm (baguette) ≠ *archer* (tireur à l'arc)
archétype nm
archevêque nm
archidiacre nm
archiduc nm; *archiduchesse* nf
archipel nm
architecte n (masculin ou féminin); *architecture* nf; *architectural, e, aux* adj
architrave nf
archives nfpl
archivolte nf (féminin)
archonte nm
arçon nm
arctique adj
ardent, e adj; *ardemment* adv; *ardeur* nf
ardillon nm
ardoise nf
ardu, ardue adj

are nm (mesure) ≠ *art*
arec nm, pl *arecs*; *aréquier* nm
arène nf
aréole nf
aréopage nm (masculin)
arête nf (circonflexe sur ê)
argent nm
argile nf
argot nm
argousin nm
arguer vt
argument nm
argus nm inv
argutie nf
aria nm (ennui)
aria nf (air)
aride adj
ariette nf
arioso nm, pl *ariosos*
ariser ou arriser vi
aristocrate adj, n (masculin ou féminin)
aristoloche nf
arithmétique nf
arlequin nm
armateur nm
armature nf
arme nf; *armée* nf; *armer* vt
armistice nm (masculin)
armoire nf
armoiries nfpl
armorial, e, aux adj
armure nf
arnica nf ou nm (des deux genres)
arôme nm (masculin); *aromate* nm; *aromatique* adj; *aromatiser* vt (attention accent circonflexe seulement sur *arôme*)
aronde nf
arpège nm (masculin); *arpéger* vi, vt (attention aux accents)
arpent nm
arpenter vt
arpète n (féminin ou masculin)
arquebuse nf
arquer vt
arrache-clou nm, pl *arrache-clous*
arrache-pied (d') adv
arracher vt
arraisonner vt
arranger vt
arrérages nmpl
arrêter vt; *arrestation* nf; *arrêt* nm (attention au circonflexe)
arrhes nfpl (féminin)
arrière adv
arriéré, e adj, n (accent aigu)
arrière-ban nm, pl *arrière-bans*
arrière-bouche nf, pl *arrière-bouches*
arrière-boutique nf, pl *arrière-boutiques*
arrière-cour nf, pl *arrière-cours*
arrière-garde nf, pl *arrière-gardes*
arrière-gorge nf, pl *arrière-gorges*
arrière-goût nm, pl *arrière-goûts*
arrière-grand-mère nf, pl *arrière-grand-mères*
arrière-grand-oncle nm, pl *arrière-grands-oncles*
arrière-grand-père nm, pl *arrière-grands-pères*
arrière-grands-parents nmpl

73

arrière-grand-tante nf, pl *arrière-grand-tantes*
arrière-main nm, pl *arrière-mains*
arrière-neveu nm, pl *arrière-neveux*
arrière-pays nm inv
arrière-pensée nf, pl *arrière-pensées*
arrière-petite-fille nf, pl *arrière-petites-filles*
arrière-petit-fils nm, pl *arrière-petits-fils*
arrière-petits-enfants nmpl
arrière-plan nm, pl *arrière-plans*
arrière-saison nf, pl *arrière-saisons*
arrière-train nm, pl *arrière-trains*
arrière-vassal nm, pl *arrière-vassaux*
arrimer vt
arriser ou **ariser** vi
arriver vi, pp *arrivé, e*
arroche nf
arrogant, e adj; *arrogamment* adv; *arrogance* nf
arroger (s') vpr → p 44
arrondir vt
arroser vt
arrow-root nm, pl *arrow-roots*
arroyo nm, pl *arroyos*
arsenal nm, pl *arsenaux*
arsenic nm
arsouille n (masculin ou féminin)
art nm ≠ *are* (mesure)
artère nf; *artériel, elle* adj (attention aux accents)
arthrite nf
arthrose nf
artichaut nm (*t* à la finale)
article nm
articuler vt
artifice nm (masculin)
artificier nm
artillerie nf
artimon nm
artisan, e n; *artisanal, e, aux* adj
artiste n (masculin ou féminin)
arum nm, pl *arums*
aryen, enne adj
as nm inv
asbeste nf (féminin)
ascendant, e adj; *ascendant* nm; *ascendance* nf
ascenseur nm
ascension nf; *ascensionnel, elle* adj
ascèse nf; *ascète* n (masculin ou féminin); *ascétique* adj; *ascétisme* nm (attention aux accents)
asclépiade nf ou **asclépias** nm
asepsie nf
asexué, e adj
asile nm
asocial, e, aux adj, n
asparagus nm inv
aspect nm
asperge nf
asperger vt; *aspersion* nf
aspérité nf
asphalte nm (masculin)
asphodèle nm (masculin)
asphyxie nf
aspic nm
aspirer vt

aspirine nf
assa-fœtida nf inv
assagir vt
assaillir vt, pp *assailli, e*
assainir vt, pp *assaini, e*
assaisonner vt
assassin nm
assaut nm
assécher vt; *assèchement* nm (attention aux accents)
assembler vt
assener ou **asséner** vt
assentiment nm
asseoir vt, pp *assis, e*
assermenter vt
assertion nf
asservir vt
assesseur nm
assez adv
assidu, e adj; *assidûment* adv (circonflexe sur *û*)
assiéger vt
assiette nf
assigner vt
assimiler vt
assise nf → p 14
assister vt
associer vt; *association* nf
assoiffer vt (deux *s*, deux *f*)
assoler vt
assombrir vt
assommer vt (deux *s*, deux *m*)
assomption nf
assonant, e adj; *assonance* nf (un seul *n*)
assortir vt; *assortiment* nm
assoupir vt
assouplir vt
assourdir vt
assouvir vt
assujettir vt (deux *t*)
assumer vt
assurer vt
aster nm, pl *asters*
astérisque nm (masculin)
asthénie nf
asthme nm (masculin)
asticot nm
asticoter vt
astigmate adj, n (masculin ou féminin)
astiquer vt; *astiquage* nm
astragale nm (masculin)
astrakan nm
astre nm; *astral, e, aux* adj
astreindre vt, pp *astreint, e; astreinte* nf
astringent, e adj
astrolabe nm (masculin)
astrologie nf
astronaute n (masculin ou féminin)
astronef nm
astronomie nf
astuce nf (féminin)
asymétrie nf
asymptote nf (féminin)
asyndète nf (féminin)
atavisme nm
atèle nm (masculin) [singe] ≠ *attelle* (éclisse)
atelier nm
atermoyer vi, pp *atermoyé* inv; *atermoiement* nm
athée n (masculin ou féminin), adj; *athéisme* nm
athénée nm (masculin)

athlète n (masculin ou féminin); *athlétisme* nm; *athlétique* adj (attention aux accents)
atlante nm (masculin)
atlas nm inv
atmosphère nf; *atmosphérique* (attention aux accents; pas de *h* après *t*)
atoll nm, pl *atolls*
atome nm
atonal, e, aux adj (un seul *n*)
atone adj
atours nmpl
atout nm
âtre nm (circonflexe sur *â*)
atrium nm, pl *atriums*
atroce adj
atrophie nf
attabler (s') vpr
attaché-case nm, pl *attachés-cases*
attacher vt, vi
attaquer vt
attarder (s') vpr
atteindre vt, pp *atteint, e*
atteler vt; *attelage* nm (deux *t*, un *l*)
attelle nf (deux *t*, deux *l*) ≠ *atèle* (singe)
attenant, e adj
attendre vt, pp *attendu, e; attendu* nm; prép → p 36, 37
attendrir vt
attenter vti, pp *attenté* inv
attentif, ive adj
attention nf; *attentionné, e* adj
atténuer vt
atterrer vt (deux *t*, deux *r*)
atterrir vi, pp *atterri* inv (deux *t*, deux *r*)
attester vt
attiédir vt
attifer vt (deux *t*, un *f*)
attique nm (masculin)
attirail nm, pl *attirails*
attirer vt
attiser vt
attitrer vt
attitude nf
attorney nm, pl *attorneys*
attouchement nm
attractif, ive adj
attraction nf
attrait nm
attrape-nigaud nm, pl *attrape-nigauds*
attraper vt (deux *t*, un *p*)
attrayant, e adj
attribuer vt; *attribut* nm; *attribution* nf
attrister vt
attrouper vt (un seul *p*)
au, aux art contracté
aubade nf
aubaine nf
aube nf
aubépine nf
aubère adj; nm
auberge nf
aubergine nf
auburn adj inv
aucun, e adj; pr indéf → p 32
audace nf
au-dedans adv
au-dehors adv
au-delà adv; nm inv
au-dessous adv
au-dessus adv

au-devant adv
audible adj
audience nf
audio-oral, e adj, pl *audio-oraux, -orales*
audio-visuel, elle adj, pl *audio-visuels, elles*
auditeur, trice n
audition nf ; *auditionner* vt
auditoire nm (masculin)
auditorium nm, pl *auditoriums*
auge nf
augmenter vt
augure nm (masculin) ; *augural, e, aux* adj
augurer vt
auguste adj
aujourd'hui adv (attention à l'apostrophe)
aulne ou **aune** nm (arbre) ≠ *aune* (mesure)
aulx, pl ancien de *ail*
aumône nf
aune nf (mesure) ≠ *aulne* ou *aune* (arbre)
auparavant adv
auprès adv ; prép
auquel pr rel, pl *auxquels*
aura nf, pl *auras*
auréole nf
aurifier vt
aurochs nm inv
aurore nf ; *auroral, e, aux* adj
ausculter vt
auspices nmpl (masculin)
aussi adv ; *aussi bien que* loc conj → p 45 (accord du verbe)
aussitôt adv
austère adj ; *austérité* nf (attention aux accents)
austral, e, als ou **aux** adj
autan nm
autant adv
autarcie nf
autel nm
auteur nm
authentique adj
auto- préfixe (les composés forment un mot unique sans trait d'union sauf lorsque le mot suivant commence par -*i* ou -*u*)
auto- de automobile → p 18
auto nf
autobiographie nf
autobus nm inv
autocar nm
autocensure nf
autochtone n (masculin ou féminin)
autoclave nm
autocollant, e adj ; *autocollant* nm
autocrate nm
autocuiseur nm
autodafé nm, pl *autodafés*
autodidacte adj, n (masculin ou féminin)
autodrome nm

auto-école nf, pl *auto-écoles*
autogestion nf ; *autogestionnaire* adj
automate nm (masculin)
automatique adj
automne nm ; *automnal, e, aux* adj (attention au *mn*)
automobile adj ; nf (féminin)
automoteur, trice adj
autonome adj, n (masculin ou féminin)
autopsie nf
autoradio nm (masculin), pl *autoradios*
autorail nm, pl *autorails*
autoriser vt
autoritaire adj
autorité nf
autoroute nf (féminin)
autos-couchettes (train) adj inv
auto-stop nm, pl *auto-stops* ; *auto-stoppeur, euse* n, pl *auto-stoppeurs, euses*
autosuggestion nf
autour adv
autour nm (oiseau)
autre adj, pr indéf
autrefois adv
autruche nf
autrui pr indéf
auvent nm
auxiliaire adj, n (masculin ou féminin)
avachir (s') vpr
aval nm, pl *avals*
avalanche nf
avaler vt
avancer vt
avanie nf
avant prép ; adv ; nm, pl *avants*
avantage nm
avant-bras nm inv
avant-centre nm, pl *avant-centres*
avant-clou nm, pl *avant-clous*
avant-corps nm inv
avant-cour nf, pl *avant-cours*
avant-coureur adj m, pl *avant-coureurs*
avant-dernier, ère adj, n, pl *avant-derniers, -dernières*
avant-garde nf, pl *avant-gardes*
avant-goût nm, pl *avant-goûts*
avant-guerre nm ou nf, pl *avant-guerres* (des deux genres)
avant-hier adv
avant-main nm, pl *avant-mains*
avant-pays nm inv
avant-port nm, pl *avant-ports*
avant-poste nm, pl *avant-postes*
avant-première nf, pl *avant-premières*
avant-projet nm, pl *avant-projets*
avant-propos nm inv
avant-scène nf, pl *avant-scènes*
avant-toit nm, pl *avant-toits*

avant-train nm, pl *avant-trains*
avant-veille nf, pl *avant-veilles*
avare adj, n (masculin ou féminin)
avarie nf
avatar nm
Ave nm inv (majuscule)
avec prép
aven nm, pl *avens*
avenant, e adj ; *avenant* nm
avènement nm (avec accent grave)
avenir nm
aventure nf
avenue nf
avérer (s') vpr
avers nm inv
averse nf
aversion nf
avertir vt
aveu nm, pl *aveux*
aveugle adj, n (masculin ou féminin) ; *aveuglement* nm ; *aveuglément* adv
aveugle-né, e adj, n, pl *aveugles-nés, -nées*
aveulir vt
aviation nf
aviculteur, trice n
avide adj ; *avidité* nf
avilir vt
aviné, e adj
avion nm
avion-cargo nm, pl *avions-cargos*
avion-citerne nm, pl *avions-citernes*
avion-école nf, pl *avions-écoles*
aviron nm
avis nm inv
aviser vt
aviso nm, pl *avisos*
aviver vt
avocat, e n
avocatier nm
avoine nf (féminin)
avoir vt, pp *eu, e* ; *avoir* nm, pl *avoirs*
avoisiner vt
avorter vi, vt
avorton nm
avouer vt
avril nm, pl *avrils*
axe nm ; *axial, e, aux* adj
axiome nm
axis nm inv
axolotl nm, pl *axolotls*
axone nm (masculin)
axonge nf
ayant cause nm, pl *ayants cause*
ayant droit nm, pl *ayants droit*
ayatollah nm, pl *ayatollahs*
aye-aye nm, pl *ayes-ayes*
azalée nf (féminin)
azimut nm ; *azimutal, e, aux* adj
azote nm (masculin)
azur nm
azyme adj ; nm (avec majuscule)

b

b nm inv
B.A.-Ba nm inv
baba adj, pl *baba* ou *babas*
baba nm, pl *babas*
babil nm; *babiller* vi, pp *babillé* inv
babines nfpl
babiole nf
bâbord nm (circonflexe sur *â*)
babouche nf
babouin nm
baby nm, pl *babys* ou *babies*
baby-foot nm inv
baby-sitter n (masculin ou féminin), pl *baby-sitters*
bac nm
baccalauréat nm
baccara nm (jeu), pl *baccaras*
baccarat nm (cristal)
bacchanale nf
bacchante nf
bâche nf (circonflexe sur *â*)
bachelier, ère n; *bachot* nm
bachot nm (petite barque)
bacille nm
bâcler vt (circonflexe sur *â*)
bactérie nf
badaud, e n, adj; *badauder* vi, pp *badaudé* inv
badiane nf
badigeon nm; *badigeonner* vt
badin, e adj; *badiner* vi, pp *badiné* inv
badine nf
badminton nm
bafouer vt
bafouiller vt, vi
bâfrer vt, vi (circonflexe sur *â*)
bagage nm
bagarre nf
bagatelle nf
bagne nm
bagnole nf
bagou ou **bagout** nm, pl *bagous, bagouts*
bague nf
baguenauder vi, pp *baguenaudé* inv
baguette nf
bah ! interj
bahut nm
bai, e adj
baie nf
baigner vt
bail nm, pl *baux*
bâiller vi, pp *bâillé* inv; *bâilleur, euse* n; *bâillement* nm (ouvrir la bouche) [circonflexe sur *â*]
bailler vt (donner) [sans circonflexe], pp *baillé* dans *baillé belle* → p 40; *bailleur* nm; *bailleresse* nf
bailli nm
bâillon nm; *bâillonner* vt (circonflexe sur *â*)

bain nm
bain-marie nm, pl *bains-marie*
baïonnette nf (tréma sur *ï*)
baiser vt; nm; *baisemain* nm
baisser vt, vi
bajoue nf
bakchich nm, pl *bakchichs*
bal nm, pl *bals*
balader vt; *balade* nf (promenade) ≠ *ballade* (poème)
baladin nm
balafre nf; *balafrer* vt
balai nm
balancer vt; *balance* nf; *balancelle* nf; *balançoire* nf
balayer vt
balbutier vt; *balbutiement* nm
balcon nm
baldaquin nm
baleine nf; *baleineau* nm, pl *baleineaux*
balise nf
balistique nf (un seul *l*)
baliveau nm, pl *baliveaux*
baliverne nf
ballade nf (poème) ≠ *balade* (promenade)
ballant, e adj
ballast nm
balle nf
ballet nm; *ballerine* nf
ballon nm; *ballonner* vt
ballot nm
ballotin nm (emballage)
ballottage nm (deux *t*)
ballotter vt; *ballottement* nm (deux *t*)
ballottine nf (aliment)
ball-trap nm, pl *ball-traps*
balluchon ou **baluchon** nm
balnéaire adj
balourd, e adj
balustrade nf
balustre nm (masculin)
balzan, e adj
bambin nm
bambochade nf
bambocher vi
bambou nm, pl *bambous*
ban nm (proclamation) ≠ *banc* (siège)
banal, e, als adj (courant)
banal, e, aux adj (féodalité)
banane nf
banc nm (siège) ≠ *ban* (proclamation)
bancal, e, als adj
banc-titre nm, pl *bancs-titres*
bande nf
bandeau nm, pl *bandeaux*
banderille nf
banderillero nm, pl *banderilleros*
banderole nf
bandit nm

bandoulière nf (un seul *l*)
banjo nm, pl *banjos*
banlieue nf
banne nf
bannir vt
banque nf; *bancaire* adj
banqueroute nf
banquet nm; *banqueter* vi, pp *banqueté* inv
banquette nf
banquise nf
bantou, e adj, n, pl *bantous, oues*
baobab nm
baptême nm (circonflexe sur *ê*); *baptismal, e, aux* adj; *baptistère* nm; *baptiser* vt
baquet nm
bar nm
baragouin nm; *baragouiner* vt
baraque nf
baratin nm; *baratiner* vt (un seul *t*)
baratte nf; *baratter* vt
barbacane nf
barbare adj, n (masculin ou féminin)
barbe nf
barbeau nm, pl *barbeaux*
barbecue nm, pl *barbecues*
barbe-de-capucin nf, pl *barbes-de-capucin*
barbelé, e adj
barbet, ette n, adj
barbillon nm
barboter vt, vi
barbouiller vt
barbu, e adj
barbue nf
barcarolle nf
bardane nf
barde nm (poète)
barde nf (lard)
bardeau nm (planchette), pl *bardeaux*
barder vt
bardot ou **bardeau** nm (animal), pl *bardots* ou *bardeaux*
barème nm (accent grave)
barge nf
barguigner vi, pp *barguigné* inv
barigoule nf
baril nm
barillet nm
barioler vt
barlong, barlongue adj
barman nm, pl *barmans* ou *barmen*; *barmaid* nf, pl *barmaids*
baromètre nm
baron, onne n; *baronet* ou *baronnet* nm; *baronnie* nf (deux *n*)
baroque adj; nm
baroud nm
barouf nm
barque nf

barre nf
barreau nm, pl *barreaux*
barrer vt
barricade nf
barrière nf
barrique nf
barrir vi, pp *barri* inv
baryton nm
bas nm inv ≠ *bât* (selle)
bas, basse adj; *bassement* adv; *bassesse* nf
basal, e, aux adj
basalte nm (masculin)
basane nf
bas-bleu nm, pl *bas-bleus* → p 6
bas-côté nm, pl *bas-côtés*
bascule nf
base nf
base-ball nm, pl *base-balls*
bas-fond nm, pl *bas-fonds*
basilic nm (plante)
basilique nf (édifice); *basilical, e, aux* adj
bas-jointé, e adj, pl *bas-jointés, es*
basket-ball nm, pl *basket-balls*; *basketteur, euse* n
basoche nf
bas-relief nm, pl *bas-reliefs*
basse-cour nf, pl *basses-cours*
basse-fosse nf, pl *basses-fosses*
basset nm
basse-taille nf, pl *basses-tailles*
bassin nm
bassiner vt
basson nm
bastide nf
bastingage nm
bastion nm
bastonnade nf
bastringue nm (masculin)
bas-ventre nm, pl *bas-ventres*
bât nm (selle) [circonflexe sur â] ≠ *bas*
bataille nf
bataillon nm
bâtard, e adj, n (circonflexe sur premier â)
batardeau nm, pl *batardeaux* (pas de circonflexe)
batavia nf, pl *batavias*
bateau nm, pl *bateaux* (pas de circonflexe); NOMS DE BATEAUX → p 7
bateau-feu nm, pl *bateaux-feux*
bateau-mouche nm, pl *bateaux-mouches*
bateau-pompe nm, pl *bateaux-pompes*
bateleur, euse n
batelier, ère n; *batellerie* nf (avec deux *l*)
bâter vt (circonflexe sur â)
bat-flanc nm inv
bathyal, e, aux adj
bathyscaphe nm
batifoler vi, pp *batifolé* inv
bâtir vt (tous les dérivés ont un circonflexe sur le â : *bâtiment, bâti*, etc)
batiste nf
bâton nm; *bâtonnet* nm (circonflexe sur â)
bâtonnier nm (circonflexe sur â)
battant, e adj → p 36; *battant neuf* → p 35

battre vt, pp *battu, e* (tous les dérivés ont deux *t* : *battement, battage, battue*)
bau nm, pl *baux*
baudet nm
baudrier nm
baudroie nf
baudruche nf
bauge nf
baume nm (masculin) ≠ *bôme* (vergue)
bauxite nf
bavard, e adj, n; *bavarder* vi, pp *bavardé* inv
bave nf
bayadère nf; adj
bayer vi (aux corneilles) ≠ *bailler*, pp *bayé* inv
bazar nm, pl *bazars*
bazarder vt
bazooka nm
béant, e adj
béat, e adj
béatifier vt
beau, bel (devant une voyelle ou un *h* muet), belle adj; *beau* nm; *belle* nf, pl *beaux, belles*
beaucoup adv
beau-fils nm, pl *beaux-fils*
beau-frère nm, pl *beaux-frères*
beau-père nm, pl *beaux-pères*
beaupré nm
beaux-arts nmpl
beaux-parents nmpl
bébé nm
be-bop nm inv
bec nm
bécane nf
bécasse nf; *bécasseau* nm, pl *bécasseaux*
bec-croisé nm, pl *becs-croisés*
bec-de-cane nm, pl *becs-de-cane*
bec-de-corbeau nm, pl *becs-de-corbeau*
bec-de-corbin nm, pl *becs de corbin*
bec-de-lièvre nm, pl *becs-de-lièvre*
bec-de-perroquet nm, pl *becs-de-perroquet*
bec-fin nm, pl *becs-fins*
béchamel nf
bêche nf (circonflexe à tous les dérivés : *bêcher, bêcheur*, etc.)
bécot nm; *bécoter* vt
becquée nf
becquet ou béquet nm
becqueter vt (donner des coups de bec)
becter vt (manger)
bedaine nf
bédane nm (masculin)
bedeau nm, pl *bedeaux*
bedon nm; *bedonner* vi
béer vi; *bée* adj f
beffroi nm
bégayer vt, vi; *bégaiement* nm
bégonia nm, pl *bégonias*
bègue adj, n (masculin ou féminin)
bégueter vi; *béguètement* nm (attention à l'accentuation)
bégueule nf; adj
béguin nm
beige adj; nm
beignet nm

bel adj m sing → beau; *bel et bien* adv
bel canto nm inv
bêler vi, pp *bêlé* inv
belette nf
bélier nm
bélître nm (circonflexe sur î)
belladone nf
bellâtre nm (masculin) [circonflexe sur â]
belle-dame nf, pl *belles-dames*
belle-de-jour nf, pl *belles-de-jour*
belle-de-nuit nf, pl *belles-de-nuit*
belle-famille nf, pl *belles-familles*
belle-fille nf, pl *belles-filles*
bellement adv
belle-mère nf, pl *belles-mères*
belles-lettres nfpl
belle-sœur nf, pl *belles-sœurs*
belligérant, e adj; nm
belliqueux, euse adj
belote nf
bélouga ou béluga nm, pl *bélougas, bélugas*
belvédère nm, pl *belvédères*
bémol nm
bénédicité nm, pl *bénédicités*
bénédictin, e n
bénédiction nf
bénéfice nm
bénéficier vti, pp *bénéficié* inv
benêt adj m (circonflexe sur deuxième é)
bénévole adj, n (masculin ou féminin); *bénévolat* nm
bénin, bénigne adj; *bénignité* nf (attention *gn*)
béni-oui-oui n inv
bénir vt; *bénit, e* adj ≠ *béni, e*, pp du v
benjamin, e n
benjoin nm
benne nf
benoît, e adj (circonflexe sur î)
benzène nm
béquille nf
bercail nm (pas de pl)
berceau nm, pl *berceaux*
bercer vt
béret nm
bergamote nf
berge nf
berger, ère n
bergeronnette nf
béribéri nm, pl *béribéris*
berline nf
berlingot nm
berlue nf
bernard-l'ermite nm inv
berner vt
bernicle nf
besace nf
besaiguë nf (tréma sur ë)
besicles nfpl
besogne nf
besoin nm
besson, onne n
bestial, e, aux adj
bestiaux nmpl
best-seller nm, pl *best-sellers*
bêta nm (lettre), pl *bêtas* (circonflexe sur â)
bêta, bêtasse n, adj, pl *bêtas, bêtasses* (circonflexe sur ê)
bétail nm (pas de pl)

bête nf (circonflexe sur ê)
bétel nm
béton nm ; *bétonner* vt
bette ou blette nf (plante)
betterave nf
beugler vt, vi
beurre nm
beuverie nf
bévue nf
bey nm, pl *beys*
beylical, e, aux adj
biais, e adj ; *biais* nm ; biaiser vi, vt
biaural, e, aux adj
bibelot nm
biberon nm
bible nf
bibliographie nf
bibliophile n (masculin ou féminin)
bibliothèque nf ; *bibliothécaire* n (masculin ou féminin) [attention aux accents]
bicéphale adj
biceps nm inv
biche nf
bichonner vt
bicolore adj
bicoque nf
bicorne nm (masculin)
bicyclette nf (*i* d'abord, *y* ensuite)
bidet nm
bidon nm
bidonville nm
bief nm
bielle nf
bien nm, pl *biens* ; adv ; adj inv
→ p 27 ; *se mettre bien* → p 43
bien-aimé, e adj, pl *bien-aimés, es*
bien-dire nm inv
bien-être nm inv
bienfaisant, e adj ; *bienfaisance* nf
bien-fondé nm, pl *bien-fondés*
bien-fonds nm, pl *biens-fonds*
bienheureux, euse adj, n
biennal, e, aux adj
bienséant, e adj ; *bienséance* nf
bientôt adv
bienveillant, e adj ; *bienveillamment* adv ; *bienveillance* nf
bienvenu, e adj, n
bière nf
biffer vt ; *biffure* nf (deux *f*)
bifocal, e, aux adj
bifteck nm, pl *biftecks*
bifurquer vi ; *bifurcation* nf
bigame adj, n (masculin ou féminin)
bigarade nf (un seul *r*)
bigarreau nm (masculin), pl *bigarreaux*
bigarrer vt ; *bigarrure* nf (deux *r*)
bigler vi, vt
bigophone nm
bigorne nf
bigorneau nm, pl *bigorneaux*
bigorner vt
bigot, e n ; *bigoterie* nf (un seul *t*)
bigoudi nm
bihoreau nm, pl *bihoreaux*
bijou nm, pl *bijoux*
bilan nm

bilatéral, e, aux adj
bilboquet nm
bile nf ; *bileux, euse* adj (inquiet) ≠ *bilieux, euse* adj (de mauvaise santé, de mauvaise humeur) ; *biliaire* adj
bilingue adj, n (masculin ou féminin)
bill nm, pl *bills*
billard nm
bille nf
billet nm ; *billetterie* nf (deux *t*)
billette nf
billevesée nf
billion nm
billon nm
billot nm
bimensuel, elle adj ; *bimensuel* nm
binaire adj
binational, e, aux adj
binaural, e, aux adj
biner vt
biniou nm, pl *binious*
binocle nm
binôme nm (circonflexe sur ô)
binomial, e, aux adj (pas de circonflexe)
biographie nf
biologie nf
biomédical, e, aux adj
biopsie nf
biparti, e ou bipartite adj (pour les deux genres)
bipède adj ; nm
biplan nm
bique nf
bis, e adj
bis adv
bisaïeul, e n, pl *bisaïeuls, es*
bisannuel, elle adj
bisbille nf
biscornu, e adj
biscotte nf
biscuit nm
bise nf
biseau nm, pl *biseaux*
biser vi, pp *bisé* inv
biset nm
bismuth nm
bison nm
bisou ou bizou nm, pl *bisous, bizous*
bisque nf
bisquer vi, pp *bisqué* inv
bisser vt
bissextile adj f
bistouri nm
bistre nm ; adj inv
bistro ou bistrot nm
bitte nf
bitter nm, pl *bitters*
bitume nm
biveau nm, pl *biveaux*
bivouac nm
bizarre adj
bizou ou bisou nm, pl *bizous, bisous*
bizut ou bizuth nm
blackbouler vt
black-out nm inv
black-rot nm, pl *black-rots*
blafard, e adj
blague nf
blaireau nm, pl *blaireaux*
blâme nm ; *blâmer* vt ; *blâmable* adj (circonflexe sur â)

blanc, blanche adj, n ; *blanc* nm ; *blanchâtre* adj ; *blanchir* vt ; *blanchiment* nm
blanc-bec nm, pl *blancs-becs*
blanc-étoc ou blanc-estoc nm, pl *blanc-étocs* ou *blanc-estocs*
blanc-seing nm, pl *blancs-seings*
blanquette nf
blaser vt
blason nm
blasphème nm ; *blasphémer* vt (attention aux accents)
blatérer vi, pp *blatéré* inv
blatte nf
blazer nm, pl *blazers*
blé nm
bled nm, pl *bleds*
blême adj ; *blêmir* vi (circonflexe sur ê)
blennorragie nf (pas de *h*)
blépharite nf
bléser vi, pp *blésé* inv ; *blèsement* nm ; *blésité* nf (attention aux accents)
blesser vt
blet, ette adj ; *blettir* vi
blette ou bette nf (plante)
bleu, e adj ; *bleu* nm, pl *bleus* ; *bleuâtre* adj
bleuet nm
blinder vt
blizzard nm
bloc nm
bloc-cuisine nm, pl *blocs-cuisines*
bloc-diagramme nm, pl *blocs-diagrammes*
bloc-eau nm, pl *blocs-eau*
blockhaus nm inv
bloc-moteur nm, pl *blocs-moteurs*
bloc-notes nm, pl *blocs-notes*
bloc-système nm, pl *blocs-systèmes*
blocus nm inv
blond, e adj, n
bloquer vt ; *blocage* nm
blottir (se) vpr
blouse nf
blouser vt
blue-jean nm, pl *blue-jeans*
blues nm inv (jazz)
bluette nf
bluff nm, pl *bluffs* ; *bluffer* vt, vi
bluter vt
boa nm, pl *boas*
bobèche nf
bobine nf
bobo nm, pl *bobos*
bobsleigh nm, pl *bobsleighs*
bocage nm
bocal nm, pl *bocaux*
bock nm
boette ou boitte nf (amorce)
bœuf nm, pl *bœufs*
boghei, boguet ou buggy nm, pl *bogheis, boguets, buggies*
bogie ou boggie nm, pl *bog(g)ies*
bogue nf
bohème n (masculin ou féminin) [personne] ; nf (vie) ; *bohémien, enne* adj, n (attention aux accents)
boire vt, pp *bu, e*
bois nm inv
boisseau nm, pl *boisseaux*

boisson nf
boite nf (circonflexe sur *i*)
boiter vi, pp *boité* inv (pas d'accent circonflexe)
boitier nm (circonflexe sur *i*)
boitte ou boette nf (amorce)
bol nm
bolchevisme nm; *bolchevique* ou *bolchevik* adj inv en genre, n (masculin ou féminin)
boléro nm
bolet nm
bolide nm
bombage nm
bombance nf
bombarde nf
bombarder vt
bombasin nm
bombe nf
bomber vt
bombyx nm inv
bôme nf (vergue) ≠ *baume* (onguent)
bon, bonne adj → p 27; *bonnement* adv (deux *n*); *bonasse* adj (un seul *n*); *bonté* nf
bonbon nm; *bonbonnière* nf (*n* devant le *b*)
bonbonne nf (*n* devant le *b*)
bon-chrétien nm, pl *bons-chrétiens*
bond nm; *bondir* vi, pp *bondi* inv
bonde nf
bondé, e adj
bonheur nm
bonheur-du-jour nm, pl *bonheurs-du-jour*
bonhomme nm, pl *bonshommes*; adj, pl *bonhommes*
bonhomie nf (avec un seul *m*)
boni nm, pl *bonis*
bonifier vt
boniment nm
bonjour nm, pl *bonjours*
bonne nf
bonne-maman nf, pl *bonnes-mamans*
bonnet nm
bonneteau nm, pl *bonneteaux*
bon-papa nm, pl *bons-papas*
bonsoir nm, pl *bonsoirs*
bonze nm; *bonzesse* nf
boogie-woogie nm, pl *boogie-woogies*
bookmaker nm, pl *bookmakers*
boomerang nm, pl *boomerangs*
boqueteau nm, pl *boqueteaux*
borax nm inv
borborygme nm
bord nm; *border* vt
bordée nf
bordereau nm, pl *bordereaux*
bore nm (corps chimique)
boréal, e, aux ou als adj
borgne adj, n (masculin ou féminin)
borique adj m
borne nf
borne-fontaine nf, pl *bornes-fontaines*
bort nm (diamant)
bosquet nm
bossa-nova nf, pl *bossas-novas*
bossage nm
bosse nf; *bosseler* vt; *bosselement* nm
bosser vt, vi

bossette nf
bossoir nm
bossu, e adj, n
boston nm, pl *bostons*
bot, e adj
botanique nf
botte nf; *botteler* vt; *bottillon* nm; *bottine* nf
boubou nm, pl *boubous*
bouc nm
boucan nm
boucaner vt
boucau nm, pl *boucaux*
boucharde nf
bouche nf
bouche-à-bouche nm inv
boucher vt
boucher, ère n
bouche-trou nm, pl *bouche-trous*
bouchon nm
bouchonner vt
bouchot nm
boucle nf
bouclier nm
bouddha nm; *bouddhique* adj; *bouddhisme* nm; *bouddhiste* adj, n (masculin ou féminin)
bouder vt, vi
boudin nm
boudiner vt
boue nf (fange) ≠ *bout* (fin); *boueux, euse* adj
bouée nf
boueux nm inv
bouffarde nf
bouffée nf
bouffer vt
bouffir vt, vi
bouffon, onne adj
bougainvillée nf ou *bougainvillier* nm
bouge nm
bougeoir nm
bougeotte nf
bouger vt, vi
bougie nf
bougon, onne adj; *bougonner* vi
bougre nm; *bougresse* nf
boui-boui nm, pl *bouis-bouis*
bouillabaisse nf
bouilli nm
bouillie nf
bouillir vi, vt, pp *bouilli, e*
bouillon nm; *bouillonner* vi, vt
bouillotte nf
boulanger, ère n
boule nf
bouleau nm, pl *bouleaux* (arbre) ≠ *boulot* (travail)
boule-de-neige nf, pl *boules-de-neige*
bouledogue nm
boulet nm
boulevard nm
bouleverser vt
boulimie nf
bouline nf
boulingrin nm
boulon nm; *boulonner* vt
boulot, otte adj
boulot nm (travail) ≠ *bouleau* (arbre)
boulotter vt
bouquet nm
bouquetin nm
bouquin nm
bourbe nf

bourbillon nm
bourdaine nf
bourde nf
bourdon nm, *bourdonner* vi
bourg nm
bourgade nf
bourgeois, e adj, n
bourgeon nm; *bourgeonner* vi
bourgeron nm
bourgmestre nm
bourlinguer vi, pp *bourlingué* inv
bourrache nf
bourrade nf
bourrasque nf
bourre nf
bourreau nm, pl *bourreaux*
bourrée nf
bourrelé, e adj; *bourrèlement* nm (attention à l'accentuation)
bourrelet nm
bourrelier nm (un *l*); *bourrellerie* nf (deux *l*)
bourrer vt
bourriche nf
bourrin nm
bourrique nf
bourru, e adj
bourse nf; *boursicoter* vi, pp *boursicoté* inv
boursoufler vt (avec un *f*)
bousculer vt
bouse nf
bousiller vt
boussole nf
boustifaille nf
bout nm (fin) ≠ *boue* (fange)
boutade nf
bout-dehors nm, pl *bouts-dehors*
boute-en-train nm inv
boutefeu nm, pl *boutefeux*
bouteille nf
bouter vt
boutique nf
bouton nm; *boutonneux, euse* adj
bouton-d'argent nm, pl *boutons-d'argent*
bouton-d'or nm, pl *boutons-d'or*
bout-rimé nm, pl *bouts-rimés*
bouture nf
bouvier, ère n; *bouvillon* nm
bouvreuil nm
bovarysme nm
bovidé nm; *bovin, e* adj
bowling nm, pl *bowlings*
bow-string nm, pl *bow-strings*
bow-window nm, pl *bow-windows*
box nm, pl *boxes* ou *box*
boxe nf (sport)
box-office nm, pl *box-offices*
boy nm, pl *boys*
boyau nm, pl *boyaux*
boycotter vt; *boycott* ou *boycottage* nm, pl *boycotts, boycottages*
boy-scout nm, pl *boy-scouts*
bracelet nm
brachial, e, aux adj
brachycéphale n (masculin ou féminin)
braconner vi, vt
brader vt
braguette nf
brahmane nm
brai nm (résine), pl *brais*
braies nfpl (chausses)

brailler vt, vi
brainstorming nm, pl *brainstormings*
brain-trust nm, pl *brain-trusts*
braire vi ; *braiment* nm
braise nf
bramer vi
brancard nm
branche nf
brancher vt
branchies nfpl ; *branchial, e, aux* adj
brandade nf
brande nf
brandir vt
brandon nm
brandy nm, pl *brandys*
branle nm
branle-bas nm inv
branler vt
braque nm (chien)
braque adj, n (personne) [masculin ou féminin]
braquer vt ; *braquage* nm
bras nm inv
brasero nm, pl *braseros*
brasier nm
brassard nm
brasse nf
brassée nf
brasser vt
brasserie nf
brassière nf
brave adj, n (masculin ou féminin)
bravo ! interj ; *bravo* nm, pl *bravos*
break nm, pl *breaks*
breakfast nm, pl *breakfasts*
brebis nf inv
brèche nf
bréchet nm
bredouille adj
bredouiller vt, vi
bref, brève adj ; *brièveté* nf ; *brièvement* adv (attention à l'accentuation)
breitschwanz nm inv
brelan nm
breloque nf
brème nf (accent grave)
bretèche nf
bretelle nf
bretteur nm
bretzel nf ou nm, pl *bretzels* (deux genres)
breuvage nm
brevet nm ; *breveter* vt (pas d'accents)
bréviaire nm
bribe nf
bric-à-brac nm inv
brick nm, pl *bricks*
bricole nf
bride nf
bridge nm
brie nm
briefing nm, pl *briefings*
brigade nf
brigand nm ; *brigander* vi, pp *brigandé* inv
brigantin nm
brigue nf

briller vi, pp *brillé* inv ; *brillant, e* adj ; *brillamment* adv ; *brillance* nf
brimbaler vt
brimborion nm
brimer vt
brin nm
brindille nf
bringuebaler ou brinquebaler vt, vi
brio nm, pl *brios*
brioche nf
brique nf ; *briqueterie* nf (un *t*) ; *briquette* nf (deux *t*)
briquet nm
bris nm inv
brisant nm
briscard ou brisquard nm
brise nf
brisées nfpl
brise-glace nm inv
brise-jet nm inv
brise-lames nm inv
brise-mottes nm inv
briser vt
brise-tout n inv (masculin ou féminin)
brise-vent nm inv
brisquard ou briscard nm
brisque nf
broc nm
brocante nf
brocard nm (plaisanterie) ; *brocarder* vt
brocart nm (étoffe)
broche nf
brocher vt
brochet nm (poisson)
brocoli nm, pl *brocolis*
brodequin nm
broder vt
brome nm (pas de circonflexe)
bromure nm
bronche nf
broncher vi, pp *bronché* inv
broncho-pneumonie nf, pl *broncho-pneumonies*
bronze nm
brosse nf
brou nm, pl *brous* ; *brou de noix* adj inv
brouet nm
brouette nf
brouhaha nm, pl *brouhahas*
brouillamini nm, pl *brouillaminis*
brouillard nm
brouillasse nf
brouille nf
brouillon, onne adj
broussaille nf
brousse nf
brouter vt
broutille nf
brownien adj m
browning nm, pl *brownings*
broyer vt ; *broiement* nm
bru nf
brucelles nfpl
brucellose nf
brugnon nm
bruine nf
bruire vi, pp *brui* inv
bruit nm ; *bruiter* vt

brûle-gueule nm inv
brûle-parfum nm inv
brûle-pourpoint (à) adv
brûler vt (circonflexe sur *û* comme tous les dérivés)
brumaire nm, pl *brumaires*
brumasse nf
brume nf
brun, e adj, n
brusque adj
brut, e adj
brutal, e, aux adj
bruyant, e adj ; *bruyamment* adv
bruyère nf
buanderie nf
bubon nm
buccal, e, aux adj
bûche nf (circonflexe sur *û*)
bûcher nm (circonflexe sur *û*)
bûcher vt (circonflexe sur *û*)
bûcheron, onne n (circonflexe sur *û*)
bucolique adj
budget nm ; *budgétaire* adj (attention à l'accent)
buée nf
buffet nm
buffle nm (deux *f*)
buggy nm, pl *buggies*
bugle nf (plante)
bugle nm (instrument)
building nm, pl *buildings*
buis nm inv
buisson nm ; *buissonneux, euse* adj ; *buissonnier, ière* adj
buisson-ardent nm, pl *buissons-ardents*
bulbe nm (masculin)
bulldozer nm, pl *bulldozers*
bulle nf
bulletin nm
bull-finch nm, pl *bull-finchs*
bull-terrier nm, pl *bull-terriers*
bungalow nm, pl *bungalows*
buraliste n (masculin ou féminin)
bure nf
bureau nm, pl *bureaux*
burette nf
burgrave nm
burin nm
buriner vt
burlesque adj
burnous nm inv
busard nm
busc nm
buse nf
business nm inv ; *businessman* nm, pl *businessmen*
buste nm
but nm (dessein) ≠ *butte* (tertre)
butée nf
buter vt, vi (heurter)
butin nm
butiner vt
butor nm
butte nf (tertre) ; être en butte à ≠ *but* (dessein)
butter vt (terre)
buvable adj
buvard adj m ; nm
buvette nf
buveur, euse n
by-pass nm inv

C

c nm inv
ça pr dém
çà adv ; interj (accent grave sur
à)
cab nm, pl *cabs*
cabale nf
caban nm
cabane nf
cabanon nm
cabaret nm
cabas nm inv
cabestan nm
cabillaud ou cabillau nm, pl
cabillauds, cabillaux
cabine nf
cabinet nm
câble nm (circonflexe sur *â*)
câbleau ou câblot nm, pl
câbleaux, câblots (circonflexe
sur *â*)
caboche nf
cabochon nm
cabosse nf
cabot nm
caboter vi
cabotin, e n, adj
caboulot nm
cabrer vt
cabri nm, pl *cabris*
cabriole nf ; *cabrioler* vi, pp
cabriolé inv
cabriolet nm
cab-signal nm, pl *cab-signaux*
cabus adj m inv
cacahouète ou cacahuète nf
cacao nm ; *cacaoyer* nm
cacatoès ou kakatoès nm inv
cacatois nm inv
cachalot nm
cache-cache nm inv
cache-col nm inv
cache-corset nm inv
cachectique adj, n (masculin ou
féminin)
cachemire nm, pl *cachemires*
cache-nez nm inv
cache-pot nm inv
cacher vt
cacher, casher ou kasher adj
inv (pas d'accent)
cache-radiateur nm inv
cache-sexe nm inv
cachet nm
cachexie nf
cachot nm
cachou nm, pl *cachous*
cacique nm
cacochyme adj
cacodylate nm (masculin)
cacographie nf
cacophonie nf
cactus nm inv ; *cactacée* ou
cactée nf
cadastre nm ; *cadastral, e, aux*
adj

cadavre nm ; *cadavéreux, euse*
ou *cadavérique* adj
caddie nm, pl *caddies*
cade nm
cadeau nm, pl *cadeaux*
cadenas nm inv ; *cadenasser* vt
cadence nf
cadenette nf
cadet, ette adj, n
cadi nm, pl *cadis*
cadran nm
cadre nm
caduc, caduque adj
caducée nm (masculin)
cæcum nm, pl *cæcums* ; *cæcal,
e, aux* adj
cafard, e adj, n (dénonciateur)
cafard nm (insecte ; idées noires)
café nm ; *caféier* nm ;
caféine nf ; *cafetier* nm ; *cafe-
tière* nf ; *cafétéria* nf
café-concert nm, pl *cafés-
concerts*
café-théâtre nm, pl *cafés-
théâtres*
cafouiller vi, pp *cafouillé* inv
cage nf
cageot nm
cagibi nm, pl *cagibis*
cagneux, euse adj
cagnotte nf
cagot, e adj, n
cagou nm, pl *cagous*
cagoule nf
cahier nm
cahin-caha adv
cahot nm (secousse) ≠ *chaos*
(désordre) ; *cahoteux, euse*
adj ; *cahoter* vi
cahute nf
caïd nm, pl *caïds* (tréma sur *ï*)
caïeu ou cayeu nm, pl *caïeux,
cayeux* (tréma sur *ï*)
caillasse nf
caille nf
caillebotis nm
caillebotte nf
cailler vt
caillette nf
caillot nm
caillou nm, pl *cailloux*
caïman nm, pl *caïmans* (tréma
sur *ï*)
caïque nm (masculin) [tréma sur
ï]
cairn nm
caisse nf
cajoler vt
cajou nm, pl *cajous*
cal nm, pl *cals* ; *calleux, euse*
adj
calamar ou calmar nm, pl *calamars, calmars*
calame nm (masculin)
calamine nf
calamité nf

calandre nf
calandrer vt
calanque nf
calcaire adj ; nm
calciner vt
calcium nm, pl *calciums*
calcul nm
cale nf
calebasse nf
calèche nf
caleçon nm
calembour nm
calembredaine nf
calendes nfpl
calendrier nm
cale-pied nm, pl *cale-pieds*
calepin nm
caler vt
calfater vt
calfeutrer vt
calibre nm
calibrer vt
calice nm
calicot nm
calife nm
califourchon (à) adv
câlin, e adj (circonflexe sur *â*)
call-girl nf, pl *call-girls*
calligraphe n (masculin ou
féminin)
callipyge adj
calmar ou calamar nm, pl *calmars, calamars*
calme adj ; nm
calomnie nf
calorie nf
calot nm
calotin nm
calotte nf
calquer vt
calumet nm
calvados nm inv
calvaire nm
calville nf
calvinisme nm
calvitie nf
camaïeu nm, pl *camaïeux*
(tréma sur *ï*)
camail nm, pl *camails*
camarade n (masculin ou
féminin)
camard, e adj
camarilla nf, pl *camarillas*
cambial, e, aux adj
cambiste n (masculin ou
féminin)
cambouis nm inv
cambrer vt
cambrioler vt
cambuse nf
came nf
camée nm (masculin)
caméléon nm
camélia nm, pl *camélias*
camelot nm
camelote nf

camembert nm
caméra nf, pl *caméras*
camérier nm
camériste nf
camerlingue nm
camion nm ; *camionnette* nf
camion-citerne nm, pl *camions-citernes*
camisard nm
camisole nf
camomille nf
camoufler vt
camouflet nm
camp nm
campagne nf
campagnol nm
campanile nm (masculin)
campanule nf (féminin)
campêche nm (masculin) [circonflexe sur *ê*]
camper vt
camphre nm
camping nm, pl *campings*
campus nm inv
camus, e adj
canaille nf
canal nm, pl *canaux*
canapé nm ; *canapé-lit* nm, pl *canapés-lits*
canard nm ; *canardeau* nm, pl *canardeaux*
canarder vt
canari nm, pl *canaris*
cancan nm
cancaner vt
cancer nm ; *cancéreux, euse* adj
cancre nm
cancrelat nm
candélabre nm
candi adj m
candidat, e n ; *candidature* nf
candide adj
candir vt
canéphore nf
caner vi (mourir) ≠ canner (garnir un siège)
canette nf
canevas nm inv
cangue nf
caniche nm
canicule nf
canif nm
canin, e adj
canitie nf
caniveau nm, pl *caniveaux*
cannelier nm (avec un *l*)
cannelle nf (avec deux *l*)
cannelloni nm, pl *cannellonis*
cannelure nf (avec un *l*)
canner vt ; *cannage* nm
cannibale adj, n (masculin ou féminin)
canoë nm, pl *canoës* (attention au tréma) ; *canoéisme* nm (avec accent)
canon nm ; adj m (droit) [les dérivés ont un *n* : *canonique* adj ; *canoniser* vt ; *canonial, e, aux* adj]
canon nm (arme) ; *canonner* vt ; *canonnade* nf ; *canonnière* nf (les dérivés avec deux *n*)
canot nm (les dérivés ont un *t* : *canotier* nm)
cantabile nm, pl *cantabiles*
cantal nm, pl *cantals*
cantate nf

cantatrice nf → p 13
canter nm, pl *canters*
cantharide nf
cantilène nf
cantine nf
cantique nm
canton nm ; *cantonal, e, aux* adj (avec un *n*)
cantonade nf (avec un *n*)
cantonner vt ; *cantonnement* nm (avec deux *n*)
cantonnier nm (avec deux *n*)
cantonnière nf (avec deux *n*)
canule nf
canut, canuse n
caoutchouc nm ; *caoutchouter* vt
cap nm (promontoire)
capable adj
capacité nf
caparaçon nm ; *caparaçonner* vt
cape nf (manteau)
capelage nm ; *capeler* vt
capeline nf
capharnaüm nm, pl *capharnaüms* (attention au tréma)
cap-hornier nm, pl *cap-horniers*
capillaire nm
capilotade nf (un *l*)
capitaine nm
capital, e, aux adj
capital nm, pl *capitaux*
capitation nf
capiteux, euse adj
capitole nm
capiton nm ; *capitonner* vt
capitoul nm
capitulaire adj
capitule nm (masculin)
capituler vi, pp *capitulé* inv
capon, onne adj
caporal nm, pl *caporaux*
capot nm
capot adj inv
capote nf
capoter vi
câpre nf (féminin) [circonflexe sur *â*]
caprice nm
capricorne nm
caprin, e adj
capsule nf
captal nm, pl *captals*
capter vt
captieux, euse adj
captif, ive adj, n
captiver vt
capture nf
capuce nm (masculin)
capuche nf ; *capuchon* nm
capucin nm
capucinade nf
capucine nf
capulet nm
caque nf
caquet nm
car conj
car nm
carabe nm (masculin)
carabine nf
carabiné, e adj
caracal nm, pl *caracals*
caraco nm, pl *caracos*
caracoler vi, pp *caracolé* inv
caractère nm ; *caractériser* vt (attention aux accents)

caracul ou karakul nm, pl *caraculs, karakuls*
carafe nf (un seul *f*)
carafon nm
caramboler vi
carambouille nf
caramel nm ; *caraméliser* vt (attention à l'accentuation)
carapace nf
carat nm
caravane nf
caravansérail nm, pl *caravansérails*
caravelle nf
carbonaro nm, pl *carbonari*
carbonate nm
carbone nm ; *carboniser* vt
carbonnade ou carbonade nf
carburant nm
carbure nm
carcailler vi, pp *carcaillé* inv
carcajou nm, pl *carcajous*
carcan nm
carcasse nf
carcéral, e, aux adj
carcinoïde adj
carcinome nm (masculin)
cardamine nf
cardamome nf
cardan nm
carde nf
carder vt
cardère nf
cardia nm (masculin)
cardiaque adj
cardinal, e, aux adj
cardio-vasculaire adj, pl *cardio-vasculaires*
cardon nm
carême nm (circonflexe sur *ê*)
carême-prenant nm, pl *carêmes-prenants*
carence nf
carène nf ; *caréner* vt (attention aux accents)
caresse nf
caret nm
carex nm inv
car-ferry nm, pl *car-ferries*
cargaison nf
cargo nm
cari, cary ou curry nm
cariatide ou caryatide nf
caribou nm, pl *caribous*
caricature nf ; *caricatural, e, aux* adj
carie nf
carillon nm ; *carillonner* vt
carlin nm
carlingue nf
carmagnole nf
carme nm
carmélite nf
carmin nm
carminatif, ive adj
carminé, e adj
carnage nm
carnassier, ère adj
carnation nf
carnaval nm, pl *carnavals*
carne nf
carné, e adj
carneau nm, pl *carneaux*
carnet nm
carnier nm
carnivore adj, n (masculin ou féminin)
caronade nf

caroncule nf
carotide nf
carotte nf (un *r* et deux *t*)
caroube ou carouge nf
carpe nf (poisson)
carpe nm (os du poignet)
carpeau nm, pl *carpeaux*
carpelle nf
carpette nf
carquois nm inv
carrare nm (masculin)
carre nf
carré, e adj; carré nm; carrément adv
carreau nm, pl *carreaux*
carrefour nm
carreler vt
carrelet nm
carrer (se) vpr
carrick nm, pl *carricks*
carrier nm
carrière nf; carriérisme nm (attention aux accents)
carriole nf
carrosse nm
carrosser vt
carrousel nm (avec deux *r* et un *s*)
carrure nf
cartable nm
carte nf
carte-lettre nf, pl *cartes-lettres*
carter nm, pl *carters*
cartésien, enne adj; cartésianisme nm
cartilage nm
cartographie nf
cartomancie nf
carton nm
carton-pâte nm, pl *cartons-pâtes*
carton-pierre nm, pl *cartons-pierres*
cartouche nm (ornement)
cartouche nf (charge de fusil)
cartulaire nm (masculin)
carvi nm, pl *carvis*
cary, cari ou curry nm
caryatide ou cariatide nf
caryocinèse nf
cas nm inv
casanier, ère adj
casaque nf
casbah nf, pl *casbahs*
cascade nf
cascader vi, pp *cascadé* inv
case nf
caséine nf
casemate nf
caserne nf
cash adv
casher, cacher ou kasher adj inv (pas d'accent)
cash-flow nm, pl *cash-flows*
casino nm, pl *casinos*
casoar nm, pl *casoars*
casque nm
casseau nm, pl *casseaux*
casse-cou nm inv
casse-croûte nm inv
casse-gueule nm inv
casse-noisettes nm inv
casse-noix nm inv
casse-pattes nm inv
casse-pieds nm inv
casse-pierres nm inv
casse-pipe(s) nm, pl *casse-pipes*

casser vt
casse-tête nm inv
cassette nf
cassier nm ou cassie nf
cassis nm inv
cassolette nf
cassonade nf (avec un *n*)
cassoulet nm
castagnettes nfpl
caste nf
castor nm; castoréum nm, pl *castoréums*
castrat nm
casuiste nm
casus belli loc inv
catachrèse nf
cataclysme nm; cataclysmal, e, aux adj
catacombes nfpl
catafalque nm
catalectique adj
cataleptie nf; cataleptique adj, n (masculin ou féminin)
catalogue nm
catalpa nm, pl *catalpas*
catalyse nf
cataplasme nm
catapulte nf
cataracte nf
catarrhe nm (masculin) [le *h* après les deux *r*]
catastrophe nf
catéchèse nf
catéchiser vt
catéchisme nm (pas de *h* après *t*)
catéchumène n (masculin ou féminin)
catégorie nf
caténaire adj; nf
catgut nm, pl *catguts*
catharsis nf inv (féminin)
cathartique adj
cathédrale nf (*h* après *t*)
catherinette nf
cathéter nm; cathétérisme nm (attention à l'accentuation)
cathode nf
catholique adj; catholicisme nm
catimini (en) adv
catin nf (féminin)
catogan nm
cauchemar nm (pas de *d*); cauchemardesque adj
caudal, e, aux adj
causal, e, als ou aux adj
cause nf; causer vt
causse nm (masculin)
caustique adj
cautèle nf; cauteleux, euse adj (attention à l'accentuation)
cautère nm; cautériser vt (attention aux accents)
caution nf; se porter caution → p 43; cautionner vt
cavalcade nf
cavale nf
cavalerie nf
cavatine nf
cave nm (en argot)
cave nf
cave adj (veine)
caveau nm, pl *caveaux*
caveçon nm
caver vt
caverne nf
cavet nm

caviar nm; caviarder vt
cavicorne nm
cavité nf
ce pr, adj dém
céans adv
ceci pr adj dém
cécité nf
céder vt
cédille nf
cédrat nm
cèdre nm
cédule nf
ceindre vt, pp *ceint, e*
ceinture nf
cela pr dém
céladon nm; adj inv
célèbre adj; célébrité nf (attention aux accents)
célébrer vt
celer vt
céleri nm
célérité nf
céleste adj
célestin nm
célibat nm; célibataire adj, n (masculin ou féminin)
celle, celles pr dém
cellier nm
Cellophane nf (nom déposé)
cellule nf
Celluloïd nm (nom déposé)
cellulose nf
celui pr dém; celui-ci, celui-là pr dém
cément nm
cénacle nm
cendre nf
cendrillon nf (féminin)
cène nf (religion) ≠ *scène* (de théâtre)
cénobite nm
cénotaphe nm (masculin)
cens nm inv (impôt) ≠ *sens* (signification)
censé, e adj (supposé) ≠ *sensé, e* (qui a du bon sens)
censorial, e, aux adj
censure nf
cent adj num → p 31; centaine nf; centenaire adj, n (masculin ou féminin); centennal, e, aux adj (avec deux *n*); centésimal, e, aux adj; centième adj ord; centime nm; centuple nm
centaure nm (masculin)
centaurée nf
cent-garde nm, pl *cent-gardes*
centon nm (vers ou prose) ≠ *santon* (personnage)
centre nm; central, e, aux adj
centurie nf; centurion nm
cep (vigne); cépage nm
cèpe nm (champignon)
cependant conj
céphalée nf
céphalopode nm (masculin)
cérame adj
céramique adj
cérat nm
cerbère nm (masculin)
cerceau nm, pl *cerceaux*
cercle nm
cercopithèque nm
cercueil nm
céréale nf (féminin)
cérébelleux, euse adj
cérébral, e, aux adj
cérébro-spinal, e, aux adj

cérémonie nf; **cérémonial** nm, pl *cérémonials*
cerf nm
cerfeuil nm
cerf-volant nm, pl *cerfs-volants*
cerise nf
cérium nm, pl *cériums*
cerne nm (masculin)
cerneau nm, pl *cerneaux*
cerner vt
certain, e adj; **certitude** nf
certes adv
certificat nm
certifier vt
céruléen, enne adj
cérumen nm
céruse nf
cerveau nm, pl *cerveaux*
cervelas nm inv
cervelet nm
cervelle nf
cervical, e, aux adj
cervoise nf
ces adj dém
césarienne nf
cesser vt, vi; **cessant, e** adj → p 36
cessez-le-feu nm inv
cessible adj; **cession** nf (action de céder) ≠ *session* (période)
c'est loc v → p 47 et 48
c'est-à-dire adv
ceste nm
césure nf
cet, cette adj dém
cétacé nm
cétoine nf
ceux pr dém
chabichou nm, pl *chabichous*
chablis nm inv
chabot nm
chacal nm, pl *chacals*
chacun, e pr ind → p 32
chafouin, e adj
chagrin, e adj; **chagrin** nm
châh ou **shâh** nm, pl *châhs, shâhs*
chahut nm
chai nm, pl *chais*
chaîne nf (circonflexe sur *î*)
chair nf (substance) ≠ *chère* (qualité des mets) ≠ *chaire*
chaire nf (tribune) ≠ *chère* (qualité des mets) ≠ *chair*
chaise nf
chaland nm (bateau)
chaland, e n (client)
chalcographie nf
châle nm (circonflexe sur *â*)
chalet nm
chaleur nf
châlit nm (circonflexe sur *â*)
challenge nm; **challenger** nm
chaloir vi, *peu me chaut*
chaloupe nf
chalumeau nm, pl *chalumeaux*
chalut nm
chamade nf
chamailler (se) vpr
chaman nm
chamarrer vt (avec deux *r*)
chambard nm
chambellan nm
chambranle nm (masculin)
chambre nf
chameau nm, pl *chameaux*; **chamelier** nm (un *l*); **chamelle** nf (deux *l*)

chamois nm inv; **chamoiser** vt
champ nm; **champêtre** adj
champagne nf
champart nm
champignon nm; **champignonnière** nf
champion, onne n; **championnat** nm
champlever vt (le *p* ne se prononce pas)
chamsin ou **khamsin** nm, pl *chamsins, khamsins*
chance nf
chanceler vi, pp *chancelé* inv
chancelier nm (un *l*); **chancellerie** nf (deux *l*)
chancre nm
chandail nm, pl *chandails*
chandeleur nf
chandelle nf (deux *l*); **chandelier** nm (un *l*)
changer vt, vi
chanoine nm; **chanoinesse** nf
chanson nf (les dérivés ont deux *n* : **chansonnette, chansonnier, ère**)
chant nm
chanteau nm, pl *chanteaux*
chantepleure nf
chanterelle nf
chantier nm
chantoung ou **shantung** nm, pl *chantoungs, shantungs*
chanvre nm
chaos nm inv (désordre) ≠ *cahot* (secousse); **chaotique** adj
chaparder vt
chape nf
chapeau nm, pl *chapeaux*; **chapelier, ère** n (un *l*); **chapellerie** nf (deux *l*)
chapelain nm
chapelet nm
chapelle nf
chapelure nf
chaperon nm (masculin); **chaperonner** vt
chapiteau nm, pl *chapiteaux*
chapitral, e, aux adj
chapitre nm
chapka nf (féminin), pl *chapkas*
chapon nm; **chaponner** vt
chapska nm (masculin), pl *chapskas*
chaptaliser vt
chaque adj indéf (sans pl)
char nm
charabia nm, pl *charabias*
charade nf
charançon nm
charbon nm; **charbonnage** nm
charcuter vt
charcutier, ère n
chardon nm
chardonneret nm
charger vt
chariot nm (un seul *r*)
charité nf
charivari nm, pl *charivaris*
charlatan nm; **charlatanisme** nm (un seul *n*)
charlotte nf
charmer vt
charmille nf
charnel, elle adj
charnier nm
charnière nf
charnu, e adj

charogne nf
charpente nf
charpie nf
charretier, ère n (deux *r* et un *t*); **charretée** nf (deux *r* et un *t*); **charrette** nf (deux *r* et deux *t*)
charrier vt
charron nm
charroyer vt; **charroi** nm
charrue nf
charte nf
chas nm inv (trou d'une aiguille) ≠ *chat* (animal)
chasse nf (sport)
châsse nf (coffre à reliques) [circonflexe sur *â*]
chasse-clou nm, pl *chasse-clous*
chassé-croisé nm, pl *chassés-croisés*
chasselas nm inv
chasse-mouches nm inv
chasse-neige nm inv
chasse-pierres nm inv
chasser vt; **chasseur** nm; **chasseresse** nf
chassie nf (liquide); **chassieux, euse** adj
châssis nm inv (cadre) [circonflexe sur *â*]
chaste adj
chasuble nf
chat nm (animal) ≠ *chas* (d'une aiguille); **chatte** nf; **chatière** nf (un seul *t*); **chatterie** nf (deux *t*)
châtaigne nf (circonflexe sur *â*)
châtain, e adj; **châtain** nm (circonflexe sur *â*)
château nm, pl *châteaux* (circonflexe sur *â*)
chateaubriand ou **châteaubriant** nm
châtelain, aine n (circonflexe sur *â*)
chat-huant nm, pl *chats-huants*
châtier vt; **châtiment** nm (circonflexe sur *â*)
chaton nm
chatouiller vt
chatoyer vi, pp *chatoyé* inv; **chatoiement** nm (sans circonflexe)
châtrer vt (circonflexe sur *â*)
chattemite nf
chatterton nm
chaud, e adj; **chaudière** nf
chaud-froid nm, pl *chauds-froids*
chaudron nm; **chaudronnier** nm
chauffe-assiettes nm inv
chauffe-bain nm, pl *chauffe-bains*
chauffe-biberon nm, pl *chauffe-biberons*
chauffe-eau nm inv
chauffe-pieds nm inv
chauffe-plats nm inv
chauffer vt
chauler vt
chaume nm
chaumière nf
chausse nf
chaussée nf
chausse-pied nm, pl *chausse-pieds*
chausser vt

chausse-trape ou chausse-trappe nf, pl *chausse-trap(p)es*
chauve nm
chauve-souris nf, pl *chauves-souris*
chauvin, e adj
chaux nf inv
chavirer vt, vi
chéchia nf, pl *chéchias*
check-list nf, pl *check-lists*
check-up nm inv
chef nm; *cheffesse* nf (populaire)
chef-d'œuvre nm, pl *chefs-d'œuvre*
chef-lieu nm, pl *chefs-lieux*
cheikh nm, pl *cheikhs*
chéiroptère ou chiroptère nm
chelem nm, pl *chelems*
chemin nm
chemineau nm, pl *chemineaux* (vagabond) ≠ *cheminot* (employé SNCF)
chemin de fer nm, pl *chemins de fer*
cheminée nf
cheminer vi, pp *cheminé* inv
cheminot nm (employé SNCF) ≠ *chemineau* (vagabond)
chemise nf
chenal nm, pl *chenaux*
chenapan nm
chêne nm (circonflexe sur ê)
chéneau nm, pl *chéneaux*
chenet nm
chènevière nf (accent grave)
chènevis nm inv (accent grave)
chenil nm
chenille nf
chenu, e adj
cheptel nm
chèque nm; *chéquier* nm (attention aux accents)
cher, ère adj; *cher* adv → p 27; *cherté* nf
chercher vt
chère nf (qualité des mets) ≠ *chair* (substance) ≠ *chaire* (tribune)
chérir vt
chérubin nm
chester nm, pl *chesters*
chétif, ive adj
chevaine ou chevesne nm (masculin)
cheval nm, pl *chevaux* (les dérivés avec un *l* : *chevalier, chevaleresque*, etc.)
cheval-arçons ou cheval d'arçons nm inv
cheval-vapeur nm, pl *chevaux-vapeur*
chevaucher vt, vi
chevau-léger nm, pl *chevau-légers*
chevêche nf (circonflexe sur ê)
chevesne ou chevaine nm (masculin)
chevet nm
chevêtre nm (circonflexe sur le deuxième ê)
cheveu nm, pl *cheveux*
cheville nf
cheviotte nf
chèvre nf; *chevreau* nm, pl *chevreaux*; *chevrier, ère* n (attention à l'accentuation)
chèvrefeuille nm (accent grave)

chevreuil nm; *chevrotin* nm (faon du chevreuil) ≠ *chevrotain* (ruminant)
chevron nm
chevronné, e adj
chevrotain nm (ruminant) ≠ *chevrotin* (faon du chevreuil)
chevroter vi, vt; *chevrotement* nm
chevrotine nf
chewing-gum nm, pl *chewing-gums*
chez prép; *chez-moi, chez-soi, chez-toi* nm inv
chianti nm, pl *chiantis*
chiasme nm
chiasse nf
chic nm; adj inv en genre
chicane nf
chiche adj
chiche-kebab nm, pl *chiches-kebabs*
chichi nm, pl *chichis*
chicon nm
chicorée nf
chicot nm
chicotin nm
chien nm; *chienne* nf
chiendent nm
chienlit nf (désordre); nm (mascarade)
chier vi, vt; *chiure* nf
chiffe nf
chiffon nm; *chiffonner* vt
chiffrer vt
CHIFFRES (noms de) → p 15
chignole nf
chignon nm
chimère nf; *chimérique* adj (attention aux accents)
chimie nf
chimpanzé nm
chinchilla nm, pl *chinchillas*
chiner vt
chiourme nf
chiper vt
chipie nf
chipolata nf, pl *chipolatas*
chipoter vi
chips nfpl
chique nf
chiquenaude nf
chiromancie nf
chiroptère ou chéiroptère nm
chirurgie nf; *chirurgical, e, aux* adj
chistera nm (masculin), pl *chisteras* (pas d'accent)
chlamyde nf
chloral nm, pl *chlorals*
chlore nm
choc nm
chocolat nm
choéphore nf
chœur nm; *choriste* n (masculin ou féminin)
choir vi, pp *chu, e*
choisir vt; *choix* nm inv
cholédoque adj m
choléra nm
cholestérol nm (pas de *h* après *t*)
chômer vt, vi; *chômage* nm (circonflexe sur ô)
chope nf
chopine nf
choquer vt
choral nm (chant), pl *chorals*

choral, e, als ou aux adj (relatif aux chœurs)
chorale nf (chanteurs)
chorée nf
chorège nm (masculin)
chorégraphie nf
chorizo nm, pl *chorizos*
chorus nm inv
chose nf → p 8; *quelque chose, autre chose, peu de chose, grand-chose* sont du masculin → p 28
chott nm, pl *chotts*
chou nm, pl *choux*
chouan nm; *chouannerie* nf
choucas nm inv
chouchou nm, pl *chouchous*; *chouchoute* nf
choucroute nf
chouette nf
chou-fleur nm, pl *choux-fleurs*
chou-rave nm, pl *choux-raves*
chow-chow nm, pl *chows-chows*
choyer vt
chrême nm; *chrémeau* nm, pl *chrémeaux* (attention aux accents)
chrestomathie nf
chrétien, enne adj; *chrétienté* nf; *christianiser* vt
christ nm
christiania nm, pl *christianias*
chrome nm
chromolithographie nf; *chromo* nm, pl *chromos*
chronique adj (qui dure); *chronicité* nf
chronique nf
chronographe nm
chronologie nf
chronomètre nm
chrysalide nf
chrysanthème nm (masculin) [avec *y* et *th*]
chrysocal nm, pl *chrysocals*
chrysolite nf (pas de *h* après *t*)
chuchoter vt, vi
chuinter vi, vt
chut! interj
chute nf
chyle nm (masculin)
chyme nm (masculin)
ci adv → p 61
ci-annexé, e adj → p 36, 37
cible nf
ciboire nm (masculin)
ciboulette nf
cicatrice nf; *cicatriciel, elle* adj
cicérone nm, pl *cicérones* (avec accent)
ci-devant n inv (masculin ou féminin)
cidre nm
ciel nm, pl *cieux* ou *ciels* → p 15
cierge nm
cigale nf
cigare nm
ci-gît loc v
cigogne nf; *cigogneau* nm, pl *cigogneaux*
ciguë nf (tréma sur ë)
ci-inclus, e adj → p 36, 37
ci-joint, e adj → p 36, 37
cil nm; *ciliaire* adj (un seul *l*)
cilice nm (masculin)
ciller vt, vi
cimaise nf
cime nf

ciment nm
cimeterre nm (masculin)
cimetière nm
cimier nm
cinabre nm (masculin)
ciné-club nm, pl *ciné-clubs*
cinéma nm; *cinémathèque* nf
cinématique nf
cinéraire nf
cinétique adj; nf
cingler vt
cinq adj num inv; *cinquante*
  adj num inv; *cinquantenaire*
  adj; *cinquantième* adj ord; *cin-*
  quième adj ord
cintre nm
cintrer vt
cipaye nm (masculin), pl
  cipayes
cipolin nm
cippe nm (masculin)
circaète nm
circoncire vt, pp *circoncis, e*
circonférence nf
circonflexe adj
circonlocution nf
circonscrire vt, pp *circonscrit, e*
circonspect, e adj; *circonspec-*
  tion nf
circonstance nf; *circonstanciel,*
  elle adj
circonvenir vt, pp *circonvenu, e*
circonvolution nf
circuit nm
circuler vi, pp *circulé* inv
circumnavigation nf
circumpolaire adj
cire nf; *cirer* vt
ciron nm
cirrhose nf (deux *r* et *h* après *r*)
cirrus nm inv
cisailler vt; *cisailles* nfpl
cisalpin, e adj
ciseler vt
ciseau nm, pl *ciseaux* → p 14
ciste nm (masculin) [arbre]
ciste nf (féminin) [coffre, tombe]
cistre nm (masculin) [instrument
  de musique]
citadelle nf
citadin, e n, adj
cité nf
cité-dortoir nf, pl *cités-dortoirs*
cité-jardin nf, pl *cités-jardins*
citer vt
citérieur, e adj
citerne nf
cithare nf
citoyen, enne n; *citoyenneté* nf
citrate nm; *citrique* adj
citron nm; adj inv; *citronnade*
  nf
citrouille nf
civet nm
civette nf
civière nf
civil, e adj, n
civiliser vt
civique adj
clabauder vi, pp *clabaudé* inv
claie nf
clair, e adj
clairet, ette adj; *clairet* nm
clair-obscur nm, pl *clairs-*
  obscurs
claire-voie nf, pl *claires-voies*
clairière nf
clairon nm; *claironner* vt

clairsemé, e adj
clairvoyant, e adj
clamer vt
clampin nm
clan nm
clandestin, e adj
clapet nm
clapier nm
clapoter vi, pp *clapoté* inv
clapper vi, pp *clappé* inv
claque nf
claquemurer vt
claqueter vi, pp *claqueté* inv
clarifier vt
clarine nf
clarinette nf (un seul *n*)
classe nf
classique adj; *classicisme* nm
clastique adj
claudiquer vi; *claudication* nf;
  claudicant, e adj ≠ *claudiquant*
  pprés du v
clause nf
claustra nm, pl *claustra* ou
  claustras
claustral, e, aux adj
claustrer vt
claustrophobie nf
clavaire nf (féminin)
claveau nm, pl *claveaux*
clavecin nm; *claveciniste* n
  (masculin ou féminin)
clavelée nf
clavette nf
clavicule nf
clavier nm
clayère nf
clayon nm; *clayonnage* nm
clearing nm, pl *clearings*
clef ou clé nf
clématite nf
clément, e adj; *clémence* nf
clepsydre nf
cleptomane ou kleptomane n
  (masculin ou féminin)
cleptomanie ou kleptomanie nf
clerc nm
clergé nm
clérical, e, aux adj
cliché nm
clicher vt
client, e n; *clientèle* nf
cligner vt
clignoter vi, pp *clignoté* inv
climat nm
climatérique adj
clin nm
clinfoc nm
clinique adj; nf; *clinicien, enne*
  n
clinquant nm
clinquant, e adj
clip nm
clipper nm
clique nf
cliquet nm
cliqueter vi, pp *cliqueté* inv; *cli-*
  quètement ou *cliquettement*
  nm; *cliquetis* nm inv (attention
  à l'accentuation)
cliquette nf
clisse nf
cliver vt
cloaque nm; *cloacal, e, aux* adj
cloche nf
cloche-pied (à) loc adv
clocher nm; *clocheton* nm; *clo-*
  chette nf

clocher vi, pp *cloché* inv
cloison nf; *cloisonner* vt
cloître nm (circonflexe sur *î*)
clopin-clopant adv
clopiner vi, pp *clopiné* inv
cloporte nm (masculin)
cloque nf
clore vt, pp *clos, e*; *clos* nm inv
closeau nm, pl *closeaux*
close-combat nm, pl *close-*
  combats
clôture nf (circonflexe sur *ô*)
clou nm, pl *clous*
clovisse nf (féminin)
clown nm, pl *clowns*;
  clownesque adj
cloyère nf
club nm, pl *clubs*
cluse nf
clystère nm
coaccusé, e n
coach nm, pl *coachs* ou
  coaches
coacquéreur nm
coadjuteur nm
coaguler vt, vi
coaliser vt
coaltar nm, pl *coaltars*
coasser vi, pp *coassé* inv
coaxial, e, aux adj
cobalt nm
cobaye nm
cobéa nm, pl *cobéas*
cobra nm, pl *cobras*
coca nf
cocagne nf
cocaïne nf (tréma sur le *ï*)
cocarde nf
cocasse adj
coccinelle nf
coccyx nm inv
coche nm (bateau, diligence)
coche nf (entaille)
cochenille nf
cocher nm; *cochère* adj f
cocher vt
cochet nm (jeune coq)
cochléaria nm
cochon nm; *cochon, onne* adj,
  n; *cochonnaille* nf; *cochonner*
  vt
cocker nm
cockpit nm, pl *cockpits*
cocktail nm, pl *cocktails*
coco nm, pl *cocos*; *cocotier* nm
cocon nm
cocotte
Cocotte-Minute nf (nom
  déposé), pl *Cocottes-Minute*
coda nf, pl *codas*
code nm
codéine nf
codex nm inv
codicille nm (masculin) [deux *l*]
codifier vt
coefficient nm
cœlentéré nm
coéquipier, ère n
coercitif, ive adj; *coercition* nf
cœur nm; *cœur-de-pigeon* nm,
  pl *cœurs-de-pigeon*
coexister vi, pp *coexisté* inv
coffin nm
coffre nm
coffre-fort nm, pl *coffres-forts*
cogérer vt; *cogestion* nf
cogitation nf
cognac nm

cognassier nm
cognée nf
cogner vt
cognition nf
cohabiter vi, pp *cohabité* inv
cohérent, e adj; *cohérence* nf
cohéreur nm
cohéritier, ère n
cohésif, ive adj; *cohésion* nf
cohorte nf
cohue nf
coi, coite adj; *se tenir coi* →
   p 43
coiffe nf
coin nm (angle) ≠ *coing* (fruit)
coincer vt
coïncider vi, pp *coïncidé* inv;
   coïncident, e adj ≠ *coïncidant*
   pprés du v (attention aux tré-
   mas); *coïncidence* nf
coinculpé, e n (tréma)
coing nm (fruit) ≠ *coin* (angle)
coke nm, pl *cokes; cokéfier* vt
col nm
cola ou kola nm, pl *colas, kolas*
col-bleu nm, pl *cols-bleus*
colchique nm (masculin)
colcotar nm
cold-cream nm, pl *cold-creams*
col-de-cygne nm, pl *cols-de-
cygne*
coléoptère nm
colère nf; *coléreux, euse* adj;
   colérique adj (attention aux
   accents)
colibacille nm
colibri nm, pl *colibris*
colifichet nm
colimaçon nm
colin nm
colin-maillard nm, pl *colin-mail-
lards*
colin-tampon nm, pl *colin-
tampons*
colique nf
colis nm inv
colite nf
collaborer vi, pp *collaboré* inv;
   collaboration nf; *collabora-
tionniste* adj
collapsus nm inv
collatéral, e, aux adj (deux *l*)
collation nf; *collationner* vt
colle nf
collecte nf
COLLECTIF (nom) *accord du participe* → p 37; *accord de l'adjectif* → p 29; *accord du verbe*
→ p 46
collection nf; *collectionner* vt
collège nm; *collégial, e, aux*
   adj; *collégien, enne* n (attention aux accents)
collègue n (masculin ou
   féminin)
collenchyme nm (masculin)
collerette nf
collet nm
colleter (se) vpr
collier nm
colliger vt
collimateur nm (avec deux *l*)
colline nf
collision nf
collocation nf
collodion nm
colloïde nm (masculin); *colloï-
dal, e, aux* adj

colloque nm (masculin)
collusion nf
collutoire nm (masculin)
collyre nm (masculin)
colmater vt
colocataire n (masculin ou féminin) [avec un *l*]
colombe nf
colon nm (tous les dérivés avec
   un *n* : *colonial, colonie, colo-
nialisme,* etc)
côlon nm (intestin) [circonflexe
   sur ô]
colonel nm
colonne nf; *colonnade* nf
colophane nf
coloquinte nf
colorer vt
colosse nm; *colossal, e, aux*
   adj
colostrum nm, pl *colostrums*
colporter vt
coltiner vt
columbarium nm, pl *colum-
bariums*
col-vert ou colvert nm, pl *cols-
verts, colverts*
colza nm, pl *colzas*
coma nm, pl *comas*
combat nm; *combatif, ive* adj;
   combativité nf (attention un *t*);
   combattre vt, pp *combattu,* e;
   combattant, e n (attention deux
   t)
combe nf
combien adv
combine nf
combiner vt
comble nm (toit; haut degré)
comble adj (plein)
combustible adj; nm
combustion nf
come-back nm inv
comédie nf
comestible adj
comète nf
comice nm (réunion)
comice nf (poire)
comique adj
comité nm
comitial, e, aux adj
comma nm, pl *commas*
commander vt
commandite nf
commando nm, pl *commandos*
comme adv; conj; *accord du
verbe* → p 45
commémorer vt
commencer vt
commensal, e, aux n
comment adv
commenter vt
commerce nm; *commercer* vi,
   vti, pp *commercé* inv; *com-
mercial, e, aux* adj
commère nf; *commérage* nm
   (attention aux accents)
commettre vt, pp *commis, ise*
comminatoire adj
commis nm inv
commisération nf
commissaire nm; *commissariat*
   nm
commissaire-priseur nm, pl
   commissaires-priseurs
commission nf; *commissionner*
vt
commissoire adj

commissure nf
commode adj; *commodément*
adv
commode nf
commodore nm, pl *commodores*
commotion nf; *commotionner* vt
commuer vt
commun, e adj; *communément*
adv
communal, e, aux adj
communard, e n
communauté nf
commune nf
communier vi, pp *communié* inv
communion nf
communiquer vt; *communica-
tion* nf; *communicant, e* adj ≠
   communiquant pprés du v
communisme nm
commuter vt
compact, e adj; *compacité* nf
compagnie nf
compagnon nm; *compagne* nf
comparable adj
comparaison nf
comparaître vi (circonflexe
   sur î), pp *comparu* inv; *compa-
rution* nf
comparer vt
comparse n (masculin ou
   féminin)
compartiment nm
compas nm inv
compasser vt
compassion nf
compatir vti, pp *compati* inv
compatriote n (masculin ou
   féminin)
compendium nm, pl *com-
pendiums*
compenser vt
compère nm; *compérage* nm
   (attention aux accents)
compère-loriot nm, pl *com-
pères-loriots*
compétent, e adj; *compétence*
nf
compétition nf
compiler vt
complainte nf
complaire vti, pp *complu* inv
complaisant, e adj; *complai-
sance* nf; *complaisamment*
adv
complément nm
complet, ète adj; *complètement*
   adv; *compléter* vt (attention
   aux accents)
complexe adj; nm
complexion nf
complice adj, n (masculin ou
   féminin)
complies nfpl
compliment nm
compliquer vt; *complication* nf
complot nm; *comploter* vt
componction nf
comportement nm; *comporte-
mental, e, aux* adj
comporter vt
composer vt
composite adj
composter vt
compote nf
compound adj inv
compréhension nf
comprendre vt, pp *compris, ise;
   non compris* → p 36, 37

comprimer vt; *compresse* nf
compris (y) adj → p 36, 37
compromettre vt, pp *compromis, e*
compte(-)chèques nm, pl *comptes(-)chèques*
compte-fils nm inv
compte-gouttes nm inv
compter vt; *compte* nm; *se rendre compte* → p 43
compte(-)rendu nm, pl *comptes(-)rendus*
compte-tours nm inv
comptoir nm
compulser vt
comput nm
comte nm; *comtesse* nf; *comté* nm
concasser vt
concave adj
concéder vt; *concession* nf; *concessionnaire* adj, n (masculin ou féminin)
concentrer vt
concentrique adj
concept nm; *conception* nf
concerner vt
concert nm
concerto nm, pl *concertos*
concevoir vt, pp *conçu, e*
conchoïdal, e, aux adj
conchyliologie nf
concierge n (masculin ou féminin)
concile nm; *conciliaire* adj
conciliabule nm
concilier vt
concis, e adj
concitoyen, enne n
conclave nm
conclure vt, pp *conclu, e*
concombre nm (masculin)
concomitant, e adj; *concomitance* nf (un *m*, un *t*); *concomitamment* adv
concordat nm
concorde nf
concorder vi
concourir vti, pp *concouru* inv (un seul *r*)
concours nm inv
concret, ète adj; *concrètement* adv; *concrétiser* vt (attention aux accents)
concrétion nf
concubin, e n
concupiscent, e adj; *concupiscence* nf (attention *sc*)
concurrent, e adj, n; *concurrence* nf; *concurremment* adv; *concurrentiel, elle* adj
concussion nf; *concussionnaire* adj, n (masculin ou féminin)
condamner vt
condenser vt
condescendre vti, pp *condescendu* inv
condiment nm
condisciple n (masculin ou féminin)
condition nf; *conditionnel, elle* adj
condoléances nfpl
condominium nm, pl *condominiums*
condor nm
condottiere nm, pl *condottieri*

conduire vt, pp *conduit, e*
cône nm; *conique* adj (pas de circonflexe sur les dérivés)
confection nf; *confectionner* vt
confédéral, e, aux adj
confédérer vt
conférence nf
conférer vt
confesser vt; *confession* nf; *confessionnal* nm, pl *confessionnaux*; *confessionnel, elle* adj
confetti nm, pl *confettis*
confiant, e adj; *confiance* nf
confident, e n; *confidence* nf
confier vt
configuration nf
confiner vti
confins nmpl
confire vt, pp *confit, ite*; *confit* nm
confirmer vt
confisquer vt; *confiscation* nf
confiteor nm inv
conflagration nf
conflit nm; *conflictuel, elle* adj
confluer vi; *confluent* nm ≠ confluant pprés du v; *confluence* nf
confondre vt, pp *confondu, e*; *confusion* nf
conforme adj
confort nm
confraternité nf
confrère nm; *confrérie* nf (attention aux accents)
confronter vt
confus, e adj; *confusément* adv; *confusion* nf
congé nm; *congédier* vt; *congédiement* nm
congeler vt; *congélation* nf (attention à l'accentuation)
congénère adj, n (masculin ou féminin)
congénital, e, aux adj
congestion nf; *congestionner* vt
conglomérer vt
conglutiner vt
congratuler vt
congre nm
congrégation nf; *congréganiste* adj, n (masculin ou féminin)
congrès nm; *congressiste* n (masculin ou féminin)
congru, e adj; *congrûment* adv (circonflexe sur *û*)
conifère nm (masculin)
conjectural, e, aux adj
conjecture nf
conjoint, e adj, n
conjonction nf
conjonctivite nf
conjoncture nf
conjugal, e, aux adj
conjuguer vt; *conjugaison* nf
conjurer vt
connaître vt, pp *connu, e*; *connaissance* nf (sans circonflexe)
connecter vt; *connexion* nf
connétable nm
connexe adj
connivence nf
conque nf
conquérir vt, pp *conquis, ise*; *conquête* nf (circonflexe sur ê)
conquistador nm, pl *conquistadores*

consacrer vt; *consécration* nf
consanguin, e adj
conscient, e adj; *consciemment* adv; *conscience* nf
conscrit nm; *conscription* nf
consécutif, ive adj
conseil nm (tous les dérivés ont deux *l* : *conseiller, conseilleur*)
consentir vti, vt, pp *consenti, e*
conséquent, e adj; *conséquemment* adv; *conséquence* nf
conserver vt; *conserve* nf
considérable adj
considérer vt
consigner vt
consister vti, pp *consisté* inv
consistoire nm (masculin)
consœur nf
console nf
consoler vt
consolider vt
consommer vt (avec deux *m*)
consomptible adj; *consomption* nf
consonant, e adj; *consonance* nf (un seul *n*)
consonne nf (deux *n*); *consonantique* adj (un seul *n*)
consort adj m
consortium nm, pl *consortiums*
consorts nmpl
conspirer vt
conspuer vt
constant, e adj; *constamment* adv; *constance* nf
constater vt; *constat* nm
consteller vt
consterner vt
constiper vt
constituer vt; *constitution* nf; *constitutionnel, elle* adj
constriction nf
construire vt, pp *construit, e*; *construction* nf
consubstantiel, elle adj
consul nm; *consulat* nm
consulter vt
consumer vt
contact nm
contagion nf
container nm, pl *containers*
contaminer vt
conte nm
contempler vt
contemporain, e adj, n
contempteur, trice n
contenir vt, pp *contenu, e*; *contenant* nm; *contenance* nf
content, e adj; *contenter* vt
contentieux, euse adj; *contentieux* nm
contester vt
contexte nm
contigu, contiguë adj (tréma sur e); *contiguïté* nf (tréma sur *i*)
continent, e adj; *continence* nf
continent nm; *continental, e, aux* adj
contingent, e adj; *contingence* nf
continuer vt; *continu, e* adj; *continûment* adv (circonflexe sur *û*)
contondant, e adj
contorsion nf; *contorsionner (se)* vpr
contour nm

contracter vt
contraindre vt, pp *contraint, e*; *contrainte* nf
contraire adj ; nm
contralto nm, pl *contraltos*
contrarier vt
contraste nm
contrat nm ; *contractuel, elle* adj, n
contravention nf
contre prép
contre-allée nf, pl *contre-allées*
contre-amiral nm, pl *contre-amiraux*
contre-appel nm, pl *contre-appels*
contre-attaque nf, pl *contre-attaques*
contrebalancer vt
contrebande nf
contrebas (en) loc adv
contrebasse nf
contrecarrer vt
contrechamp nm
contre-chant nm, pl *contre-chants*
contrecœur (à) loc adv
contrecoup nm
contre-courant nm, pl *contre-courants*
contredanse nf
contredire vt, pp *contredit, e*; *contradiction* nf
contrée nf
contre-écrou nm, pl *contre-écrous*
contre-enquête nf, pl *contre-enquêtes*
contre-épreuve nf, pl *contre-épreuves*
contre-espionnage nm, pl *contre-espionnages*
contre-essai nm, pl *contre-essais*
contre-exemple nm, pl *contre-exemples*
contre-expertise nf, pl *contre-expertises*
contrefaire vt, pp *contrefait, e*; *contrefaçon* nf
contre-fenêtre nf, pl *contre-fenêtres*
contre-feu nm, pl *contre-feux*
contrefiche nf
contre-fil nm, pl *contre-fils*
contre-filet nm, pl *contre-filets*
contrefort nm
contre-haut (en) loc adv
contre-indiquer vt ; *contre-indication* nf, pl *contre-indications*
contre-jour nm, pl *contre-jours*
contre-lettre nf, pl *contre-lettres*
contremaître, esse n
contre-manifestant, e n, pl *contre-manifestants, es*; *contre-manifestation* nf, pl *contre-manifestations*
contre-offensive nf, pl *contre-offensives*
contrepartie nf
contre-pente nf, pl *contre-pentes*
contre-performance nf, pl *contre-performances*
contrepèterie nf
contre-pied nm, pl *contre-pieds*
contre-plaqué nm, pl *contre-plaqués*

contrepoids nm inv
contre-poil (à) loc adv
contrepoint nm
contrepoison nm
contre-projet nm, pl *contre-projets*
contre-proposition nf, pl *contre-propositions*
contrer vt
contre-rail nm, pl *contre-rails*
contre-révolution nf, pl *contre-révolutions*
contrescarpe nf
contreseing nm
contresens nm inv
contresigner vt
contretemps nm inv
contre-torpilleur nm, pl *contre-torpilleurs*
contretype nm
contre-valeur nf, pl *contre-valeurs*
contre-vapeur nf, pl *contre-vapeurs*
contrevenir vti, pp *contrevenu* inv
contrevent nm
contrevérité nf
contre-visite nf, pl *contre-visites*
contre-voie nf, pl *contre-voies*
contribuer vti, pp *contribué* inv
contrit, e adj ; *contrition* nf
contrôle nm (circonflexe sur ô)
contrordre nm
controuvé, e adj
controverse nf
contumace nf ; *contumax* adj, n inv (masculin ou féminin)
contusion nf ; *contusionner* vt
convaincre vt, pp *convaincu, e*; *convaincant, e* adj ≠ *convainquant* pprés du v ; *conviction* nf
convalescent, e adj, n ; *convalescence* nf
convection nf
convenir vti, pp *convenu, e*
convent nm
convention nf ; *conventionnel, elle* adj
conventuel, elle adj
converger vi, pp *convergé* inv ; *convergent, e* adj ≠ *convergeant* pprés du v ; *convergence* nf
convers, e adj
converser vi, pp *conversé* inv
convertir vt ; *conversion* nf
convexe adj
convier vt
convive n (masculin ou féminin)
convivial, e, aux adj ; *convivialité* nf
convoiter vt
convoler vti, pp *convolé* inv
convoquer vt ; *convocation* nf
convoyer vt ; *convoi* nm
convulsion nf
coolie nm, pl *coolies*
coopérer vti, pp *coopéré* inv
coordonner vt ; *coordonné* nm ; *coordonnée* nf (deux *n*) ; *coordination* nf ; *coordinateur, trice* (un seul *n*) ou *coordonnateur, trice* adj, n (deux *n*)
copain nm ; *copine* nf
copal nm, pl *copals*
copartager vt

copeau nm, pl *copeaux*
copie nf
copieux, euse adj
coposséder vt
coprah ou copra nm, pl *coprahs, copras*
coproduire vt
coprophage adj
copropriété nf
copulation nf
copule nf (féminin)
copyright nm, pl *copyrights*
coq nm ; *coquelet* nm
coq-à-l'âne nm inv
coquard ou coquart nm
coque nf
coquelicot nm
coqueluche nf
coquemar nm
coquet, ette adj ; *coquettement* adv ; *coquetterie* nf
coquetier nm
coquille nf
coquin, e n ; *coquinerie* nf
cor nm (instrument de musique ; durillon) ≠ *corps*
corail nm, pl *coraux*; *corallien, enne* adj ; *corallin, e* adj ; *coralliaire* nm (masculin) [avec deux *l*]
corbeau nm, pl *corbeaux*
corbeille nf
corbillard nm
corbillon nm
corbin nm
corde nf ; *cordeau* nm, pl *cordeaux*; *cordelette* nf
cordial, e, aux adj
cordon nm
cordon-bleu nm, pl *cordons-bleus*
cordonnier nm
coreligionnaire n (masculin ou féminin) [un seul *r*]
coriace adj
coriandre nf (féminin)
corindon nm
cormoran nm
cornac nm
cornage nm
cornaline nf
cornard nm
corne nf
corned-beef nm inv
cornée nf
corneille nf
cornélien, enne adj
cornemuse nf
corner vi, vt
cornet nm
cornette nf (coiffure)
cornette nm (militaire)
corniaud ou corniot nm
corniche nf
cornichon nm
corniste n (masculin ou féminin)
cornouiller nm
cornue nf
corollaire nm (masculin) [un *r*, deux *l*]
corolle nf
coron nm
coronaire adj
coroner nm, pl *coroners*
corozo nm, pl *corozos*
corporal nm, pl *corporaux*
corporation nf

corps nm ≠ *cor* (instrument; durillon); *corporel, elle* adj

corps-mort nm, pl *corps-morts*

corpulent, e adj; *corpulence* nf

corpuscule nm (masculin)

corral nm, pl *corrals*

correct, e adj

corrélation nf; *corrélatif, ive* adj

correspondre vti, pp *correspondu* inv; *correspondant, e* adj, n; *correspondance* nf

corrida nf, pl *corridas*

corridor nm

corriger vt; *correction* nf; *correctionnel, elle* adj; *correctionnaliser* vt

corroborer vt

corroder vt, vi

corrompre vt, pp *corrompu, e*; *corruption* nf

corrosif, ive adj; *corrosif* nm

corroyer vt; *corroi* nm

corsage nm

corsaire nm

corselet nm

corser vt

corset nm; *corseter* vt

cortège nm

cortex nm inv

cortical, e, aux adj

cortisone nf

corvée nf

corvette nf

corymbe nm (masculin)

coryphée nm (masculin)

coryza nm, pl *coryzas*

cosaque nm

cosinus nm inv

cosmétique nm (masculin)

cosmographie nf

cosmopolite adj

cosmos nm inv

cosse nf

cosser vi, pp *cossé* inv

cossu, e adj

costaud adj inv en genre; nm

costume nm

cosy nm, pl *cosys*

cote nf (valeur) ≠ *côte* (rivage) ≠ *cotte* (vêtement)

côte nf (rivage; os) ≠ *cote* (valeur) ≠ *cotte* (vêtement); *costal, e, aux* adj; *côtier, ère* adj

côté nm

coteau nm, pl *coteaux* (pas de circonflexe sur o)

côtelé, e adj (circonflexe sur ô)

côtelette nf (circonflexe sur ô)

coterie nf

cothurne nm (masculin)

cotignac nm

cotillon nm

cotiser vi, vt

coton nm; *cotonnade* nf; *cotonneux, euse* adj

coton-poudre nm, pl *cotons-poudres*

côtoyer vt; *côtoiement* nm (circonflexe sur le premier ô)

cotre nm

cottage nm

cotte nf (vêtement) ≠ *cote* (valeur) ≠ *côte* (rivage)

cotylédon nm

cou nm (partie du corps), pl *cous* ≠ *coup* (choc)

couac nm

couard, e adj, n

couche-culotte nf, pl *couches-culottes*

coucher vt

couci-couça adv

coucou nm, pl *coucous*

coude nm

cou-de-pied nm, pl *cous-de-pied*

coudoyer vt; *coudoiement* nm

coudre vt, pp *cousu, e*

coudrier nm; *coudraie* nf

couenne nf

couette nf

couffin nm

cougouar nm, pl *cougouars*

coulemelle nf

couler vt, vi

couleur nf; *noms composés* → p 19; *adjectifs et noms de couleur* → p 29, 30

couleuvre nf; *couleuvreau* nm, pl *couleuvreaux*

couleuvrine nf

coulis nm inv

coulisse nf

coulisseau nm, pl *coulisseaux*

couloir nm

coulomb nm

coulpe nf

coup nm (choc) ≠ *cou* (partie du corps)

coup-de-poing nm, pl *coups-de-poing*

coupe nf

coupe-chou nm, pl *coupe-choux*

coupe-cigares nm inv

coupe-circuit nm inv

coupée nf

coupe-faim nm inv

coupe-feu nm inv

coupe-file nm inv

coupe-gorge nm inv

coupe-jarret nm, pl *coupe-jarrets*

coupe-légumes nm inv

coupellation nf

coupe-ongles nm inv

coupe-papier nm inv

couper vt, vi

coupe-racines nm inv

couperose nf

coupe-vent nm inv

couple nm

couplet nm

coupole nf

coupon nm

cour nf (lieu) ≠ *cours* (leçon) ≠ *court* (tennis)

courage nm

courant, e adj; *couramment* adv

courant nm

courbatu, e adj; *courbature* nf (un seul *t*); *courbaturer* vt

courbe adj; nf

courge nf

courir vi, vt (un seul *r*), pp *couru, e* → p 39

courlis nm inv

couronne nf

courre vt (seulem dans *chasse à courre*)

courrier nm; *courriériste* n (masculin ou féminin) [attention à l'accentuation]

courroie nf

courroux nm inv; *courroucer* vt

cours nm inv (leçon) ≠ *cour* (lieu) ≠ *court* (tennis)

course nf

coursier nm

coursive nf

court, e adj → p 27; *se trouver court* → p 43

court nm (tennis) ≠ *cour* (lieu) ≠ *cours* (leçon)

courtage nm

courtaud, e adj

court-bouillon nm, pl *courts-bouillons*

court-circuit nm, pl *courts-circuits*

court-courrier nm, pl *court-courriers*

courtepointe nf

courtier, ère n

courtilière nf (un seul *l*)

courtine nf

courtisan, ane n; *courtisanerie* nf (un seul *n*)

courtiser vt

court-jointé, e adj, pl *court-jointés, es*

court-jus nm, pl *courts-jus*

courtois, e adj

court-vêtu, e adj, pl *court-vêtus, es*

couscous nm inv

cousin, e n

coussin nm; *coussinet* nm

couteau nm, pl *couteaux*; *coutelas* nm inv; *coutelier* nm (un *l*); *coutellerie* nf (deux *l*)

coûter vt, vi → p 39; *coût* nm (circonflexe sur *û*)

coutil nm

coutre nm (masculin)

coutume nf

couture nf

couvent nm

couver vt

couvercle nm

couvre-chef nm, pl *couvre-chefs*

couvre-feu nm, pl *couvre-feux*

couvre-joint nm, pl *couvre-joints*

couvre-lit nm, pl *couvre-lits*

couvre-nuque nm, pl *couvre-nuques*

couvre-pieds nm inv

couvre-plat nm, pl *couvre-plats*

couvrir vt, pp *couvert, e*

covenant nm

cover-girl nf, pl *cover-girls*

cow-boy nm, pl *cow-boys*

cow-pox nm inv

coxalgie nf

coxarthrose nf

coyote nm

crabe nm

cracher vt, vi; *crachoter* vi, pp *crachoté* inv

cracking nm, pl *crackings*

craie nf; *crayeux, euse* adj

craindre vt, pp *craint, e*

cramoisi, e adj

crampe nf

crampon nm; *cramponner* vt

cran nm

crâne nm (tête)

crâne adj (fier)

crapaud nm

crapaudine nf

crapouillot nm

crapule nf; adj
craque nf
craqueler vt
craquelin nm
craquer vt, vi
craqueter vi; *craquètement* nm (attention aux accents)
crase nf
crash nm, pl *crashs* ou *crashes*
crassane nf
crasse nf
cratère nm
cravache nf
cravate nf (un seul *t*)
crawl nm, pl *crawls*
crayon nm; *crayonner* vt
crayon-feutre nm, pl *crayons-feutres*
créance nf
crécelle nf
crécerelle nf
crèche nf
crédence nf
crédible adj
crédit nm; *créditer* vt
credo nm inv
crédule adj
créer vt
crémaillère nf
crémant nm
crématoire adj
crème nf; *crémerie* nf; *crémeux, euse* adj; *crémier, ère* n (attention aux accents)
crémone nf
créneau nm, pl *créneaux*; *créneler* vt
créner vt
créole adj, n (masculin ou féminin)
créosote nf (féminin)
crêpage nm (circonflexe sur ê)
crêpe nm (étoffe) [circonflexe sur ê]; *crêper* vt
crêpe nf (galette); *crêperie* nf
crépine nf
crépinette nf
crépir vt; pp *crépité* inv
crépon nm (accent aigu)
crépu, e adj (accent aigu)
crépuscule nm
crescendo adv; nm, pl *crescendos*
cresson nm; *cressonnière* nf
crésus nm inv
crétacé, e adj
crête nf (circonflexe sur ê)
crête-de-coq nf, pl *crêtes-de-coq*
crétin, e n; *crétinisme* nm
cretonne nf
creuser vt
creuset nm
creux, creuse adj; *creux* nm
crève-cœur nm inv
crève-la-faim n inv (masculin ou féminin)
crever vt
crevette nf
criailler vi, pp *criaillé* inv
crible nm (masculin)
cric nm
cricket nm, pl *crickets*
cricri nm
crier vi, vt; *cri* nm
crime nm; *criminel, elle* adj, n
crin nm

crincrin nm
crinière nf
crinoline nf
crique nf
criquet nm
crise nf
crisper vt
crisser vi, pp *crissé* inv
cristal nm, pl *cristaux*; *cristallin, e* adj; *cristallin* nm; *cristalliser* vt (deux *l*)
criste-marine nf, pl *cristes-marines*
critère nm (masculin)
critérium nm, pl *critériums*
critiquer vt; *critiquable* adj; *critique* nf; n (personne) [masculin ou féminin]
croasser vi, pp *croassé* inv
croc nm
croc-en-jambe nm, pl *crocs-en-jambe* (prononcé [krɔk ɑ̃-])
croche nf
croche-pied nm, pl *croche-pieds*
crochet nm; *crocheter* vt
crochu, e adj
crocodile nm
crocus nm inv
croire vt, pp *cru, e* ≠ *crû* (de *croître*)
croisade nf
croiser vt
croiseur nm
croisière nf
croître vi, pp *crû, crue, crus, crues* (avec circonflexe au masculin singulier) ≠ *cru* (de *croire*); *croît* nm (avec circonflexe); *croissance* nf (sans circonflexe)
croix nf inv
cromlech nm, pl *cromlechs*
croque-mitaine nm, pl *croque-mitaines*
croque-monsieur nm inv
croque-mort nm, pl *croque-morts*
croquer vt
croquet nm
croquette nf
croquignole nf
croquis nm inv
crosne nm
cross nm inv
crosse nf
crotale nm (masculin)
croton nm
crotte nf
crouler vi, pp *croulé* inv
croup nm
croupe nf
croupier nm
croupière nf
croupion nm
croupir vi, pp *croupi, e*
croustade nf
croustiller vi, pp *croustillé* inv
croûte nf (circonflexe sur û)
crown-glass nm inv
croyant, e adj, n; *croyance* nf
cru nm (terroir)
cru, e adj ≠ *crû* (de *croître*); *crûment* adv (circonflexe sur û); *crudité* nf
cruche nf
crucial, e, aux adj

crucifier vt; *crucifiement* nm; *crucifixion* nf
crucifix nm inv
crue nf
cruel, elle adj; *cruauté* nf
cruor nm, pl *cruors*
crural, e, aux adj
crustacé nm
cruzeiro nm, pl *cruzeiros*
cryoscopie nf
crypte nf
cryptogame nm (masculin)
cryptogramme nm (masculin)
cryptographie nf
csardas nf inv
cube nm
cubital, e, aux adj
cubitus nm inv
cueillir vt, pp *cueilli, e*; (tous les dérivés en -*uei*-: *cueillette*)
cuiller ou cuillère nf; *cuillerée* nf; *cuilleron* nm (attention à l'accentuation)
cuir nm
cuirasse nf
cuire vt, vi, pp *cuit, e*
cuisine nf
cuisse nf
cuisseau nm (partie du veau), pl *cuisseaux*
cuissot nm (cuisse de gros gibier)
cuistre nm (masculin)
cuivre nm
cul nm
culasse nf
cul-blanc nm, pl *culs-blancs*
culbute nf
cul-de-basse-fosse nm, pl *culs-de-basse-fosse*
cul-de-jatte n (masculin ou féminin), pl *culs-de-jattes*
cul-de-lampe nm, pl *culs-de-lampe*
cul-de-sac nm, pl *culs-de-sac*
culinaire adj
culminer vi, pp *culminé* inv
culot nm
culotte nf → p 14; *culotter* vt
culpabilité nf
culte nm
cul-terreux nm, pl *culs-terreux*
cultiver vt
cumin nm
cumul nm
cumulus nm inv
cumulo-nimbus nm inv
cunéiforme adj
cupide adj
cupule nf
curable adj
curaçao nm, pl *curaçaos*
curare nm
curatelle nf
curateur, trice n
cure nf
curé nm
cure-dent(s) nm, pl *cure-dents*
curée nf
cure-ongles nm inv
cure-oreille nm, pl *cure-oreilles*
cure-pipe(s) nm, pl *cure-pipes*
curer vt
cureter vt (un seul *t*)
curette nf (deux *t*)
curie nf
curieux, euse adj, n
curling nm, pl *curlings*

curriculum vitae nm inv ou
  curriculum nm, pl *curriculums*
curry, cary ou **cari** nm
curseur nm
cursif, ive adj
curviligne adj
cuscute nf (féminin)
custode nf (féminin)
cutané, e adj
cut-back nm, pl *cut-backs*
cutine nf
cuti-réaction nf, pl *cuti-réac-
  tions; **cuti** nf, pl *cutis*
cutter nm, pl *cutters*
cuve nf

cuveau nm, pl *cuveaux*
cuvée nf
cyanhydrique adj (*h* après *n*)
cyanogène nm (masculin)
cyanose nf (féminin)
cyanure nm (masculin)
cybernétique nf
cyclable adj
cyclamen nm, pl *cyclamens*
cycle nm; *cyclique* adj
cyclisme nm
cyclo-cross nm inv
cyclone nm
cyclopéen, enne adj
cyclothymie nf

cyclotron nm
cygne nm
cylindre nm
cymbale nf
cynégétique adj; nf
cynique adj; *cynisme* nm
cynocéphale nm
cynodrome nm
cyprès nm inv
cyrillique adj
cystite nf
cytise nm (masculin)
cytologie nf
czar ou **tsar** ou **tzar** nm, pl
  czars, tsars, tzars

d

d nm inv
dactylo n ; *dactylographe* n (masculin ou féminin)
dada nm, pl *dadas*
dadais nm inv
dadaïsme nm
dague nf
daguet nm
dahlia nm, pl *dahlias* (*h* avant le *l*)
daigner vt, pp *daigné* inv → p 40
daim nm ; *daine* nf
daimyô nm, pl *daimyôs*
dais nm inv
dalle nf
dalmatien, enne n
dalmatique nf
dalot nm
daltonien, enne adj, n
dam nm (sing)
damas nm inv
damasquiner vt
damasser vt
dame ! interj
dame nf
dame-d'onze-heures nf, pl *dames-d'onze-heures*
dame-jeanne nf, pl *dames-jeannes*
damer vt
damner vt ; *damnation* nf
damoiseau nm, pl *damoiseaux* ; *damoiselle* nf
dan nm, pl *dans*
dancing nm, pl *dancings*
dandin nm
dandiner (se) vpr
dandy nm, pl *dandys*
danger nm
dans prép
danse nf
dantesque adj
daphné nm (masculin)
daphnie nf
dard nm
darder vt
dare-dare adv
darne nf
darse nf
dartre nf (féminin)
darwinisme nm
date nf (temps) ≠ *datte* (fruit)
datif nm
dation nf
datte nf (fruit) ≠ *date* (temps)
datura nm (masculin), pl *daturas*
daube nf
dauber vt
dauphin nm ; *dauphine* nf
daurade ou dorade nf
davantage adv
davier nm
de prép
dé nm
déambuler vi, pp *déambulé* inv

débâcle nf (circonflexe sur *â*)
déballer vt
débander vt
débarbouiller vt
débarder vt
débarquer vt, vi ; *débarcadère* nm ; *débarquement* nm
débarrasser vt ; *débarras* nm inv (deux *r*)
débat nm
débâtir vt (circonflexe sur *â*)
débattre vt, pp *débattu, e*
débaucher vt
débet nm, pl *débets*
débile adj, n (masculin ou féminin)
débine nf
débiner vt
débit nm
déblatérer vti, pp *déblatéré* inv
déblayer vt ; *déblaiement* nm ; *déblai* nm
débloquer vt ; *déblocage* nm
déboires nmpl
déboiser vt
déboîter vt (circonflexe sur *î*)
débonnaire adj
déborder vt
débotter vt
déboucher vt, vi
débouler vt
déboulonner vt
débourber vt
débourrer vt
débourser vt ; *débours* nm inv
debout adv
débouter vt
déboutonner vt
débraillé, e adj
débrayer vt
débrider vt
débris nm inv
débrouiller vt
débroussailler vt
débucher vt
débusquer vt
début nm
deçà (en) loc prép (accent grave sur *à*)
décacheter vt
décade nf
décadent, e adj ; *décadence* nf
décadrer vt
décaféiné, e adj
décaisser vt
décalage nm
décalaminer vt
décalcifier vt
décaler vt
décalotter vi, vt
décalque nm ; *décalquer* vt ; *décalquage* nm ; *décalcomanie* nf
décamper vi, pp *décampé* inv
décan nm
décanat nm

décanter vt
décaper vt
décapiter vt
décapode nm
décapoter vt
décapsuler vt
décarreler vt
décasyllabe adj ; nm
décathlon nm ; *décathlonien* nm
décatir vt, pp *décati, e*
décavé, e adj
décéder vi ; *décès* nm inv (attention aux accents)
déceler vt
décélérer vi, pp *décéléré* inv
décembre nm, pl *décembres*
décemvir nm, pl *décemvirs*
décennal, e, aux adj
décent, e adj ; *décence* nf ; *décemment* adv
décentraliser vt
décentrer vt
décerner vt
décevoir vt, pp *déçu, e* ; *déception* nf
déchaîner vt (circonflexe sur *î*)
déchanter vi, pp *déchanté* inv
décharge nf
décharné, e adj
déchausser vt
dèche nf
déchéance nf
déchet nm
déchiffrer vt
déchiqueter vt
déchirer vt
déchoir vi, pp *déchu, e*
déchristianiser vt
décibel nm (masculin)
décider vt ; *décision* nf
décimal, e, aux adj
décimer vt
deck-house nm, pl *deck-houses*
déclamer vt
déclarer vt
déclasser vt
déclencher vt
déclic nm
déclin nm
décliner vt, vi
déclive adj
déclouer vt
décocher vt
décoction nf
décoder vt
décoiffer vt
décoincer vt
décolérer vi, pp *décoléré* inv
décollation nf
décollement nm
décoller vt
décolleter vt ; *décolleté* nm
décolorer vt
décombres nmpl (masculin)
décommander vt
décompenser vt

décomplexer vt
décomposer vt
décomprimer vt
décompter vt
déconcentrer vt
déconcerter vt
déconfit, e adj
décongeler vt
décongestionner vt
déconseiller vt
déconsidérer vt
décontenancer vt
décontracter vt
déconvenue nf
décorer vt ; *décor* nm
décorner vt
décortiquer vt ; *décorticage* nm
décorum nm, pl *décorums*
décote nf
découcher vi, pp *découché* inv
découdre vt, pp *décousu, e*
découler vi, pp *découlé* inv
découper vt
découpler vt
décourager vt
découronner vt
décours nm inv
décousu, e adj
découvrir vt, pp *découvert, e*
décrasser vt
décrépir vt
décrépit, e adj (vieux) ≠ *décrépi*
  pp de *décrépir*
decrescendo adv ; nm, pl *de-
crescendos*
décret nm ; *décréter* vt (attention aux accents)
décrier vt
décrire vt, pp *décrit, e ; description* nf
décrocher vt
décrochez-moi-ça nm inv
décroiser vt
décroître vi (circonflexe sur *î*),
  pp *décru* inv ; *décroissance*
nf ; *décrue* nf
décrypter vt
décubitus nm inv
de cujus nm inv
déculotter vt
décuple adj ; nm
décurion nm
décuscuteuse nf
dédaigner vt ; *dédain* nm
dédale nm (masculin)
dedans adv ; nm inv
dédicace nf
dédier vt
dédire (se) vpr, pp *dédit, e ;
dédit* nm
dédommager vt
dédorer vt
dédouaner vt
dédoubler vt
déduire vt, pp *déduit, e ; déduc-
tion* nf
déesse nf, f de *dieu*
défaillir vi, pp *défailli* inv
défaire vt, pp *défait, e*
défaite nf
défalquer vt ; *défalcation* nf
défatiguer vt ; *défatigant, e* adj
  ≠ *défatiguant* pprés du v ;
défatigant nm
défausser vt
défaut nm
défaveur nf
défectif, ive adj

défection nf
défendre vt, pp *défendu, e*
défenestrer vt
déféquer vt ; *défécation* nf
déférer vt, vti ; *déférent, e* adj ≠
  déférant pprés du v ; *défé-
rence* nf
déferler vt, vi
déferrer vt
défeuiller vt
défi nm
défibrer vt
déficeler vt
déficient, e adj ; *déficience* nf
déficit nm, pl *déficits*
défier (se) vpr ; *défiant, e* adj ;
défiance nf
défigurer vt
défiler vt, vi
définir vt
déflagration nf
déflation nf
déflecteur nm
défleurir vt, vi ; *défloraison* nf
déflorer vt
défolier vt
défoncer vt
déformer vt
défouler (se) vpr
défraîchir vt (circonflexe sur *î*)
défrayer vt
défricher vt
défriser vt
défroncer vt
défroque nf
défunt, e adj, n
dégager vt
dégaine nf
dégainer vt (sans circonflexe)
déganter vt
dégarnir vt
dégât nm (circonflexe sur *â*)
dégazonner vt
dégeler vt, vi ; *dégel* nm ; *dége-
lée* nf
dégénérer vi ; *dégénérescence*
nf
dégermer vt
dégingandé, e adj
dégivrer vt
déglutir vt
dégoiser vt
dégommer vt
dégonfler vt
dégorger vt
dégotter ou dégoter vt
dégouliner vi, pp *dégouliné* inv
dégoupiller vt
dégourdir vt
dégoûter vt (écœurer) ; *dégoût*
  nm (accent circonflexe sur *û*)
dégoutter vi (tomber goutte à
  goutte), pp *dégoutté* inv
dégrader vt
dégrafer vt (un seul *f*)
dégraisser vt
dégras nm inv
degré nm
dégressif, ive adj
dégrever vt ; *dégrèvement* nm
  (attention aux accents)
dégringoler vt
dégriser vt
dégrossir vt
dégrouper vt
déguenillé, e adj
déguerpir vi, pp *déguerpi* inv
dégueuler vt

déguiser vt
déguster vt
déhancher (se) vpr
dehors adv ; nm inv
déicide n (masculin ou féminin) ; nm
déifier vt
déisme nm
déjà adv
déjanter vt
déjection nf
déjeter vt
déjeuner vi, pp *déjeuné* inv ;
déjeuner nm
déjouer vt
déjuger vt
de jure adv
delà adv (accent grave sur *à*)
délabrer vt
délacer vt (défaire les lacets) ≠
  délasser (reposer)
délai nm
délai-congé nm, pl *délais-
congés*
délaisser vt
délasser vt (reposer) ≠ *délacer*
  (défaire les lacets)
délation nf ; *délateur, trice* n
délaver vt
délayer vt
deleatur nm inv
délecter (se) vpr
déléguer vt ; *délégation* nf
délester vt
délétère adj
délibéré, e adj
délibérer vt, pp *délibéré* inv
délicat, e adj
délice nm → p 8
délictueux, euse adj
délier vt
délimiter vt
délinquant, e n ; *délinquance* nf
déliquescent, e adj ; *déliques-
cence* nf
délire nm ; *délirer* vi, pp *déliré*
  inv
delirium tremens nm inv
délit nm
délivrer vt
déloger vt
déloyal, e, aux adj
delphinium nm, pl *delphiniums*
delta nm, pl *deltas*
déluge nm
déluré, e adj
délustrer vt
démagogie nf
démailler vt
démailloter vt (un seul *t*)
demain adv
démancher vt
demande nf ; *demandeur,
eresse* ou *euse* n
démanger vi, pp *démangé* inv
démanteler vt ; *démantèlement*
  nm (attention aux accents)
démantibuler vt
démaquiller vt
démarche nf
démarier vt
démarquer vt ; *démarcation* nf
démarrer vt, vi (avec deux *r*)
démasquer vt
démâter vt (circonflexe sur *â*)
démêler vt (circonflexe sur *ê*)
démembrer vt
déménager vt

démener (se) vpr
dément, e adj, n ; *démence* nf
démentir vt, pp *démenti, e*
démériter vi, pp *démérité* inv
démesuré, e adj
démettre vt, pp *démis, e*
démeubler vt
demeurant (au) loc adv
demeure nf
demeurer vi → p 36
demi, e adj → p 27 ; *demi* nm
demi préf (tous les composés avec trait d'union) → p 27
demi-brigade nf, pl *demi-brigades*
demi-cercle nm, pl *demi-cercles*
demi-dieu nm, pl *demi-dieux*
demi-douzaine nf, pl *demi-douzaines*
demi-finale nf, pl *demi-finales*
demi-fond nm inv
demi-frère nm, pl *demi-frères*
demi-gros nm inv
demi-heure nf, pl *demi-heures*
demi-jour nm inv
démilitariser vt
demi-lune nf, pl *demi-lunes*
demi-mal nm, pl *demi-maux*
demi-mesure nf, pl *demi-mesures*
demi-mondaine nf, pl *demi-mondaines*
demi-mort, e adj, pl *demi-morts, es*
demi-mot (à) loc adv
déminer vt
déminéraliser vt
demi-pause nf, pl *demi-pauses*
demi-pension nf, pl *demi-pensions*
demi-pièce nf, pl *demi-pièces*
demi-place nf, pl *demi-places*
demi-reliure nf, pl *demi-reliures*
demi-saison nf, pl *demi-saisons*
demi-sang nm inv
demi-sel nm inv
demi-sœur nf, pl *demi-sœurs*
demi-solde nm inv ; nf, pl *demi-soldes* → p 20
démission nf ; *démissionner* vi, vt
demi-tarif nm, pl *demi-tarifs*
demi-tasse nf, pl *demi-tasses*
demi-teinte nf, pl *demi-teintes*
demi-tour nm, pl *demi-tours*
démiurge nm
démobiliser vt
démocrate adj, n (masculin ou féminin) ; *démocratie* nf
démocrate-chrétien, enne n, pl *démocrates-chrétiens, ennes*
démoder (se) vpr
démographie nf
demoiselle nf
démolir vt
démon nm
démonétiser vt
démonte-pneu nm, pl *démonte-pneus*
démonter vt
démontrer vt ; *démonstration* nf
démoraliser vt
démordre vti, pp *démordu* inv
démouler vt
démoustiquer vt ; *démoustication* nf
démultiplier vt ; *démultiplication* nf

démunir vt
démuseler vt
démystifier vt
dénatalité nf
dénationaliser vt (avec un seul *n*)
dénaturaliser vt
dénaturer vt
dendrite nf
déniaiser vt
dénicher vt
denier nm
dénier vt ; *dénégation* nf ; *déni* nm
dénigrer vt
déniveler vt (un seul *l*) ; *dénivellation* nf ; *dénivellement* nm (dérivés avec deux *l*)
dénombrer vt
dénominateur nm
dénommer vt (deux *m*) ; *dénomination* nf (un seul *m*)
dénoncer vt
dénoter vt
dénouer vt ; *dénouement* nm
dénoyauter vt
dénoyer vt
denrée nf
dense adj
dent nf ; *dental, e, aux* adj
dent-de-lion nf, pl *dents-de-lion*
dentelle nf ; *dentellier, ère* adj (avec deux *l*) ; *dentelure* nf ; *denteler* vt (avec un *l*)
denticule nm (masculin)
dentifrice adj ; nm
dénuder vt
dénué, e adj ; *dénuement* nm
dénutrition nf
déodorant nm
déontologie nf
dépailler vt
dépanner vt
dépaqueter vt
dépareiller vt
déparer vt
départ nm
départager vt
département nm ; *départemental, e, aux* adj
départir vt
dépasser vt
dépaver vt
dépayser vt
dépecer vt ; *dépeçage* nm ; *dépècement* nm (attention à l'accentuation)
dépêche nf (circonflexe sur ê)
dépêcher vt (circonflexe sur ê)
dépeigner vt
dépeindre vt, pp *dépeint, e*
dépenaillé, e adj
dépendant, e adj ; *dépendance* nf
dépendre vti, pp *dépendu* inv
dépendre vt, pp *dépendu, e*
dépens nmpl
dépense nf
déperdition nf
dépérir vi, pp *dépéri* inv
dépêtrer vt (circonflexe sur ê)
dépeupler vt ; *dépopulation* nf
déphaser vt
dépiauter vt
dépiler vt
dépiquer vt ; *dépiquage* nm
dépister vt
dépit nm

déplacer vt
déplaire vti, pp *déplu* inv
déplanter vt
déplâtrer vt (circonflexe sur â)
déplier vt
déplisser vt
déplomber vt
déplorer vt
déployer vt ; *déploiement* nm
déplumer vt
dépoétiser vt
dépolir vt
dépolitiser vt
dépolluer vt
déponent, e adj ; *déponent* nm
dépopulation nf
déporter vt
déposer vt
déposséder vt
dépôt nm (circonflexe sur ô)
dépoter vt
dépouiller vt
dépoussiérer vt
dépourvu, e adj
dépraver vt
déprécation nf
déprécier vt
déprédation nf
déprendre (se) vpr, pp *dépris, e*
déprimer vt ; *dépression* nf
de profundis nm inv
depuis prép
dépurer vt
député nm
députer vt
déraciner vt
dérader vi, pp *déradé* inv
dérager vi, pp *déragé* inv
dérailler vi, pp *déraillé* inv
déraisonner vi, pp *déraisonné* inv ; *déraison* nf
déranger vt
déraper vi, pp *dérapé* inv
déraser vt
dératé, e n
dératiser vt
derby nm, pl *derbys* ou *derbies*
derechef adv
dérégler vt ; *dérèglement* nm (attention aux accents)
déréliction nf
dérider vt
dérision nf
dérisoire adj
dériver vt
derme nm ; *dermatose* nf
dernier, ère adj, n ; *dernièrement* adv
dernier-né, dernière-née adj, n, pl *derniers-nés, dernières-nées*
dérober vt
dérocher vt
déroger vti, pp *dérogé* inv
dérouiller vt
dérouler vt
déroute nf
derrick nm, pl *derricks*
derrière prép ; nm
derviche nm
des art
dès prép
désabonner vt
désabuser vt
désaccord nm
désaccoutumer vt
désaffecter vt
désaffection nf
désagréable adj

désagréger vt; *désagrégation* nf
désagrément nm
désaimanter vt
désaltérer vt
désamorcer vt
désapparier vt
désappointer vt
désapprendre vt, pp *désappris, e*
désapprouver vt; *désapprobation* nf
désapprovisionner vt
désarçonner vt
désargenter vt
désarmer vt
désarroi nm
désarticuler vt
désassembler vt
désassimiler vt
désastre nm
désavantage nm
désavouer vt; *désaveu* nm, pl *désaveux*
désaxer vt
desceller vt
descendre vi, vt, pp *descendu, e*
description nf
déséchouer vt
désembourgeoiser vt
désemparer vi (seulement dans *sans désemparer*)
désemplir vt
désencadrer vt
désenchaîner vt (circonflexe sur *î*)
désenchanter vt
désenclaver vt
désencombrer vt
désenfler vi, vt
désenfumer vt
désengager vt
désengorger vt
désenivrer vt (un seul *n*)
désennuyer vt
désensabler vt
désensibiliser vt
désentoiler vt
désentortiller vt
désentraver vt
désenvaser vt
désenvenimer vt
déséquilibre nm
désert, e adj; *désert* nm
déserter vt
désescalade nf
désespérer vt; *désespérément* adv
désespoir nm
déshabiller vt
déshabituer vt
désherber vt
déshérence nf
déshériter vt
déshonnête adj
déshonneur nm (deux *n*); *déshonorer* vt (un seul *n*)
déshumaniser vt
déshydrater vt
déshydrogéner vt
desiderata nmpl
design nm, pl *designs*
designer vt
désillusion nf; *désillusionner* vt
désincarné, e adj
désincruster vt
désinence nf
désinfecter vt

désintégrer vt
désintéresser vt
désintoxiquer vt; *désintoxication* nf
désinvestir vt
désinvolte adj
désir nm
désister (se) vpr
désobéir vti, pp *désobéi* inv; *désobéissant, e* adj; *désobéissance* nf
désobliger vt; *désobligeant, e* adj; *désobligeamment* adv
désobstruer vt
désodoriser vt
désœuvré, e adj
désoler vt
désolidariser (se) vpr
désopilant, e adj
désordonné, e adj
désordre nm
désorganiser vt
désorienter vt
désormais adv
désosser vt
despote nm
desquamer vt, vi
desquels, elles pr rel
dessabler vt (deux *s*)
dessaisir vt (deux *s*)
dessaler vt (deux *s*)
dessangler vt (deux *s*)
dessécher vt; *dessèchement* nm (attention aux accents)
dessein nm (but) ≠ *dessin*
desseller vt
desserrer vt
dessert nm
desserte nf
dessertir vt
desservir vt
dessiccation nf (deux *s*, deux *c*)
dessin nm ≠ *dessein* (but); *dessiner* vt
dessoler vt
dessouder vt
dessouler ou dessoûler vi, vt
dessous adv; nm inv
dessous-de-bras nm inv
dessous-de-plat nm inv
dessus adv; nm inv
dessus-de-lit nm inv
destabiliser vt
destin nm; *destiner* vt
destituer vt
destrier nm
destroyer nm
destruction nf
déstructurer vt; *déstructuration* nf (accent aigu sur *é*)
désuet, ète adj; *désuétude* nf (attention aux accents)
désunir vt, pp *désuni, e*; *désunion* nf
détacher vt
détail nm, pl *détails*
détaler vi, pp *détalé* inv
détartrer vt
détaxe nf
détecter vt
détective nm
déteindre vt, vi, pp *déteint, e*
dételer vt
détendre vt, pp *détendu, e*
detenir vt, pp *détenu, e*
déterger vt; *détergent* nm ≠ *détergeant* pprés du v

détériorer vt
déterminer vt
déterrer vt (avec deux *r*)
détester vt
détirer vt
détoner vi, pp *détoné* inv (exploser); *détonation* nf (avec un *n*)
détonner vi, pp *détonné* inv (sortir du ton) [avec deux *n*]
détordre vt, pp *détordu, e*; *détorsion* nf
détourner vt
détoxiquer vt; *détoxication* nf
détracteur, trice adj, n
détraquer vt
détrempe nf
détresse nf
détriment nm
détritus nm inv
détroit nm
détromper vt
détrôner vt (circonflexe sur *ô*)
détrousser vt
détruire vt, pp *détruit, e*; *destruction* nf
dette nf
deuil nf
deux adj num; *deuxième* adj ord
deux-pièces nm inv
deux-points nm inv
deux-ponts nm pl
deux-roues nm inv
deux-temps nm inv
dévaler vt
dévaliser vt
dévaloriser vt
dévaluer vt
devancer vt
devant prép; nm, pl *devants*
devanture nf
dévaster vt
déveine nf
développer vt (un *l*, deux *p*)
devenir vi, pp *devenu, e*
déverbal, e, aux adj
dévergonder (se) vpr
dévernir vt
déverrouiller vt
devers prép
dévers nm inv (accent aigu)
déverser vt
dévêtir vt, pp *dévêtu, e*
dévider vt
dévier vt; *déviation* nf; *déviationnisme* nm
devin, devineresse n
devis nm inv
dévisager vt
devise nf
deviser vti, pp *devisé* inv
dévisser vt
dévoiler vt
devoir vt, pp *dû, due, dus, dues* (circonflexe au masculin singulier)
devoir nm
dévolu, e adj
dévorer vt
dévot, e adj, n; *dévotion* nf
dévouer (se) vpr; *dévouement* nm
dévoyer vt
dextérité nf
dey nm, pl *deys*

diabète nm; *diabétique* adj, n (masculin ou féminin) [attention aux accents]
diable nm; *diablesse* nf
diabolo nm, pl *diabolos*
diacre nm; *diaconat* nm
diacritique adj
diadème nm (masculin)
diagnostic nm; *diagnostique* adj; *diagnostiquer* vt
diagonal, e, aux adj; *diagonale* nf
diagramme nm (masculin)
dialecte nm; *dialectal, e, aux* adj
dialectique adj; nf
dialogue nm
dialyse nf
diamant nm
diamètre nm; *diamétral, e, aux* adj; *diamétralement* adv (attention aux accents)
diane nf
diantre! interj
diapason nm
diapédèse nf
diaphane adj
diaphragme nm
diapositive nf
diaprer vt
diarrhée nf
diaspora nf, pl *diasporas*
diastase nf
diatribe nf
dichotomie nf (*h* après *c*)
dicotylédone nf (féminin)
dictame nm (masculin)
dictature nf; *dictateur* nm; *dictatorial, e, aux* adj
dicter vt; *dictée* nf
diction nf
dictionnaire nm
dicton nm
didactique adj
dièdre nm (masculin)
diérèse nf
dièse nm (masculin)
diesel nm, pl *diesels*
diète nf; *diététique* adj (attention aux accents)
dieu nm, pl *dieux*
diffamer vt
différer vt, vti; *différence* nf; *différend* nm (débat); *différent, e* adj ≠ *différant* pprés du v; *différemment* adv; *différentiel, elle* adj
difficile adj
difforme adj
diffus, e adj
diffuser vt
digérer vt; *digeste* nm; adj; *digestion* nf
digital, e, aux adj
digne adj
digression nf
digue nf
diktat nm, pl *diktats*
dilacérer vt
dilapider vt
dilater vt
dilatoire adj
dilection nf
dilemme nm (avec deux *m*)
dilettante n (masculin ou féminin), pl *dilettantes*
diligent, e adj; *diligemment* adv; *diligence* nf

diluer vt
diluvien, enne adj
dimanche nm, pl *dimanches* → p 14
dîme nf (circonflexe sur *î*)
dimension nf
diminuendo adv
diminuer vt, vi
dinar nm, pl *dinars*
dinde nf
dindon nm; *dindonneau* nm, pl *dindonneaux*
dîner vi, pp *dîné* inv; *dîner* nm, pl *dîners; diseur, euse* n
dinghy nm, pl *dinghies* ou *dinghys*
dingo nm, pl *dingos*
dingue adj, n (masculin ou féminin)
dinosaure nm
diocèse nm; *diocésain, e* adj, n (attention aux accents)
dionysiaque adj
diorama nm
diorite nf
diphtérie nf
diphtongue nf; *diphtongaison* nf
diplodocus nm inv
diplomate nm; adj
diplôme nm (circonflexe sur *ô*)
diptyque nm
dire vt, pp *dit, e; dire* nm, pl *dires; diseur, euse* n
direct, e adj
directeur, trice adj, n; *directorial, e, aux* adj
diriger vt
dirimant, e adj
discal, e, aux adj
discerner vt
disciple n (masculin ou féminin)
discipline nf
disc-jockey n, pl *disc-jockeys*
disco adj; nm, pl *discos*
discobole n (masculin ou féminin)
discontinu, e adj
disconvenir vti, pp *disconvenu* inv
discophile n (masculin ou féminin)
discorde nf
discordant, e adj
discount nm, pl *discounts*
discourir vt, pp *discouru* inv; *discours* nm; *discursif, ive* adj
discourtois, e adj
discrédit nm
discret, ète adj; *discrétion* nf (attention à l'accentuation)
discrétionnaire adj
discriminer vt
disculper vt
discuter vt; *discussion* nf
disert, e adj
disette nf
disgrâce nf (circonflexe sur *â*); *disgracier* vt; *disgracieux, euse* adj (les dérivés sans circonflexe)
disjoindre vt, pp *disjoint, e; disjonction* nf
disloquer vt; *dislocation* nf
disparaître vi, pp *disparu, e; disparition* nf
disparate adj; nm ou nf (des deux genres)
dispatching nm, pl *dispatchings*

dispendieux, euse adj
dispensaire nm
dispenser vt
disperser vt
disponible adj
dispos, e adj
disposer vt
disproportion nf
dispute nf
disqualifier vt
disque nm; *disquaire* n (masculin ou féminin)
dissemblable adj
disséminer vt
dissension nf
dissentiment nm
disséquer vt; *dissection* nf
disserter vt, pp *disserté* inv
dissident, e adj, n; *dissidence* nf
dissimilitude nf
dissimuler vt
dissiper vt
dissocier vt
dissolu, e adj ≠ *dissous, oute* pp du v *dissoudre*
dissoner vi, pp *dissoné* inv; *dissonance* nf; *dissonant, e* adj (avec un seul *n*)
dissoudre vt, pp *dissous, oute; dissolution* nf
dissuader vt; *dissuasion* nf
dissyllabe ou dissyllabique adj; nm
dissymétrie nf
distance nf; *distancer* vt (devancer); *distancer (se)* vpr (théâtre)
distant, e adj
distendre vt, pp *distendu, e*
distiller vt (deux *l*)
distinct, e adj
distinguer vt; *distinguo* nm, pl *distinguos* (avec un *u*)
distique nm
distorsion nf
distraire vt, pp *distrait, e; distraction* nf
distribuer vt; *distribution* nf; *distributionnalisme* nm; *distributionnel, elle* adj
district nm
dithyrambe nm (masculin)
dito adv
diurèse nf; *diurétique* adj (attention aux accents)
diurne adj
diva nf, pl *divas*
divaguer vi, pp *divagué* inv; *divagation* nf
divan nm
diverger vi, pp *divergé* inv; *divergent, e* adj ≠ *divergeant* pprés du v; *divergence* nf
divers, e adj
divertir vt
dividende nm (avec un *e*)
divin, e adj
divination nf
diviniser vt
diviser vt
divorce nm
divulguer vt; *divulgation* nf
dix adj num; *dix-huit* adj num; *dix-huitième* adj ord; *dixième* adj ord; *dix-neuf* adj num; *dix-neuvième* adj ord; *dix-sept* num; *dix-septième* adj ord

dizain nm
dizaine nf
djebel nm, pl *djebels*
djellaba nf, pl *djellabas*
djinn nm, pl *djinns*
do nm inv
doberman nm, pl *dobermans*
docile adj
dock nm; *docker* nm
docte adj
docteur nm; *doctoresse* nf; *doctorat* nm; *doctoral, e, aux* adj
doctrine nf
document nm
dodécaphonisme nm
dodécasyllabe adj; nm
dodeliner vti, pp *dodeliné* inv
dodo nm, pl *dodos*
dodu, e adj
dog-cart nm, pl *dog-carts*
doge nm
dogme nm
dogue nm
doigt nm
dol nm, pl *dols*
dolce adv
doléances nfpl
dolent, e adj
dollar nm
dolman nm, pl *dolmans*
dolmen nm, pl *dolmens*
doloire nf (féminin)
domaine nm; *domanial, e, aux* adj
dôme nm (circonflexe sur ô)
domestique adj; *domestiquer* vt; *domestication* nf
domicile nm
dominer vt
dominicain, e n
dominical, e, aux adj
dominion nm
domino nm, pl *dominos*; *dominoterie* nf
dommage nm
dompter vt
don nm (titre de noblesse) ≠ *don* (cadeau); *doña* nf
donc conj
dondon nf
donjon nm
donner vt, *donné à* (et l'infinitif) → p 41; *se donner raison, tort* → p 43; *don* nm (cadeau) ≠ *don* (titre de noblesse); dérivés avec deux *n* : *donne* nf; *donnée* nf; *donneur, euse* n; dérivés avec un seul *n* : *donataire* n (masculin ou féminin); *donation* nf; *donateur, trice* n

donquichottisme nm
dont pr rel
donzelle nf
doper vt; *doping* nm, pl *dopings*
dorade ou daurade nf
dorénavant adv
dorer vt
doris nm inv (bateau)
doris nf inv (mollusque)
dorloter vt
dormir vi, pp *dormi* inv
dorsal, e, aux adj
dortoir nm
doryphore nm
dos nm inv, *se mettre à dos* → p 43
dos-d'âne nm inv
dose nf
dossard nm
dossier nm
dot nf
douaire nm
douairière nf
douane nf
douar nm, pl *douars*
double adj
douche nf
douer vt
douille nf
douillet, ette adj
douleur nf; *douloureux, euse* adj
douro nm, pl *douros*
douter vti, pp *douté* inv; *doute* nm
douve nf
doux, douce adj; *douceâtre* adj
douze adj num inv; *douzaine* nf; *douzième* adj ord
doyen, enne n; *doyenné* nm
drachme nf (féminin)
draconien, enne adj
drag nm, pl *drags*
dragée nf
drageon nm
dragon nm
dragonne nf
drague nf; *draguer* vt; *dragage* nm; *dragueur* nm
drain nm
drainer vt
drakkar nm, pl *drakkars*
drame nm
drap nm
drapeau nm, pl *drapeaux*
drastique adj
drawback nm, pl *drawbacks*
dresser vt
dribbler vt
drill nm (singe), pl *drills*
drille nm (compagnon)
drisse nf

drive-in nm inv
driver vt
drogman nm, pl *drogmans*
drogue nf
droit nm
droit, e adj; *droit* adv → p 27
drôle adj, n (masculin ou féminin); *drôlesse* nf (circonflexe sur ô)
dromadaire nm
drop-goal nm, pl *drop-goals*
droppage nm
drosser vt
dru, e adj
drugstore nm, pl *drugstores*
druide nm; *druidesse* nf
drupe nf (féminin)
dryade nf
du art
dû, due, dus, dues adj; *dû* nm; *dûment* adv (circonflexe sur û)
dual, e, aux adj
dualisme nm
dubitatif, ive adj
duc nm; *duchesse* nf
ducat nm
ductile adj
duègne nf
duel nm; *duelliste* nm
duettiste n (masculin ou féminin)
duffle-coat nm, pl *duffle-coats*
dugong nm, pl *dugongs*
dum-dum adj inv
dumping nm, pl *dumpings*
dundee nm, pl *dundees*
dunette nf
duo nm, pl *duos*
duodécimal, e, aux adj
duodénum nm, pl *duodénums*; *duodénal, e, aux* adj
dupe nf; adj
duplex nm inv
duplicata nm, pl *duplicata* ou *duplicatas*
duplicité nf
duquel pr rel, pl *desquels*
dur, e adj
dure-mère nf, pl *dures-mères*
durer vi, pp *duré* inv; *durant* prép
duumvir nm, pl *duumviri* ou *duumvirs*
duvet nm
dynamique adj
dynamite nf
dynamo nf, pl *dynamos*
dynastie nf
dysenterie nf
dyslexie nf
dyspnée nf
dyssocial, e, aux adj (deux *s*)

e

e nm inv
eau nf, pl *eaux*
eau-de-vie nf, pl *eaux-de-vie*
eau-forte nf, pl *eaux-fortes*
eaux-vannes nfpl
ébahir vt
ébarber vt
ébattre (s') vpr, pp *ébattu, e ;
ébats* nmpl
ébaubi, e adj
ébauche nf
ébène nf (féminin)
ébéniste n
éberlué, e adj
éblouir vt
ébonite nf (féminin)
éborgner vt
éboueur nm
ébouillanter vt
ébouler vt
ébourgeonner vt
ébouriffer vt (un *r* et deux *f*)
ébourrer vt
ébouter vt
ébrancher vt
ébranler vt
ébraser vt
ébrécher vt ; *ébrèchement* nm
(attention aux accents)
ébriété nf
ébrouer (s') vpr
ébruiter vt
ébullition nf
éburnéen, enne adj
écaille nf
écarlate adj ; nf
écarquiller vt
écarteler vt ; *écartèlement* nm
(attention aux accents)
écarter vt ; *écart* nm
ecce homo nm inv
ecchymose nf
ecclésiastique adj ; nm
écervelé, e adj, n
échafaud nm
échalas nm inv
échalote nf (un seul *t*)
échancrer vt
échange nm
échanson nm
échantillon nm ; *échantillonner*
vt
échappatoire nf (féminin)
[deux *p*]
échapper vti (deux *p*) ; *l'échapper belle* → p 40
écharde nf
écharpe nf
échasse nf
échauder vt
échauffer vt
échauffourée nf (deux *f* et un *r*)
échéant, e adj ; *échéance* nf
échec nm ; *échecs* nmpl
échelle nf
échelon nm ; *échelonner* vt

écheniller vt
écheveau nm, pl *écheveaux*
écheveler vt
échevin nm
échidné nm (masculin)
échine nf
échinoderme nm
échiquier nm
écho   nm   (bruit)   ≠   *écot*
(paiement) ; *se faire l'écho* →
p 43 ; *échographie* nf ; *échola-
lie* nf ; *échotier, ère* n
échoir vi, pp *échu, e*
échoppe nf
échouer vt, vi
éclabousser vt
éclair nm
éclaircie nf
éclaircir vt
éclaire nf
éclairer vt
éclampsie nf
éclater vi
éclectique adj
éclipse nf
éclisse nf
éclopé, e adj
éclore vi, pp *éclos, e ; éclosion*
nf
écluse nf
écobuer vt
écœurer vt
écoinçon nm
école nf
écologie nf
éconduire vt, pp *éconduit, e*
économe adj, n (masculin ou
féminin)
écope nf ; *écoper* vt
écorce nf
écorcher vt
écorner vt
écosser vt
écot   nm   (paiement)   ≠   *écho*
(bruit)
écouler vt
écourgeon ou escourgeon nm
écourter vt
écouter vt
écoutille nf
écouvillon nm
écrabouiller vt
écran nm
écraser vt
écrémer vt
écrêter vt (circonflexe sur ê)
écrevisse nf
écrier (s') vpr
écrin nm
écrire vt, pp *écrit, e*
écriteau nm, pl *écriteaux*
écritoire nf (féminin)
écrou nm, pl *écrous*
écrouelles nfpl
écrouer vt
écrouler (s') vpr

écru,e adj
ectoplasme nm (masculin)
ectropion nm
écu nm
écueil nm
écuelle nf
éculé, e adj
écume nf
écureuil nm
écurie nf
écusson nm ; *écussonner* vt
écuyer, ère n
eczéma nm, pl *eczémas ; eczé-
mateux, euse* adj
edelweiss nm inv (masculin)
éden nm
édenté, e adj, n
édicter vt
édicule nm (masculin)
édifice nm
édifier vt
édile nm (masculin)
édit nm
éditer vt
édredon nm
édulcorer vt
éduquer vt ; *éducation* nf
effacer vt
effarer vt ; *effarement* nm (un
seul *r*)
effaroucher vt
effectif, ive adj
effectuer vt
efféminer vt
efférent, e adj
effervescent, e adj ; *efferves-
cence* nf
effet nm
effeuiller vt
efficace adj
efficient, e adj ; *efficience* nf
effigie nf
effiler vt
effilocher vt
efflanqué, e adj
effleurer vt
efflorescent, e adj ; *efflores-
cence* nf
effluve nm (parfois féminin au
pl)
effondrer vt
efforcer (s') vpr ; *effort* nm
effraction nf
effraie nf (féminin)
effranger vt
effrayer vt
effréné, e adj
effriter vt
effroi nm ; *effroyable* adj
effronté, e adj
effusion nf
égailler (s') vpr (se disperser) ≠
égayer (amuser)
égal, e, aux adj → p 26
égard nm
égarer vt

égayer vt (amuser) ≠ s'égailler (se disperser)
égérie nf
égide nf (féminin)
églantier nm
églefin ou aiglefin nm
église nf
églogue nf (féminin)
ego nm inv; égoïsme nm (tréma sur *ï*)
égoïne nf (tréma sur *ï*)
égorger vt
égosiller (s') vpr
égout nm (pas de circonflexe); égoutier nm
égoutter vt (avec deux *t*)
égrainer ou égrener vt; égreneuse nf
égrapper vt
égratigner vt
égrillard, e adj
égriser vt
égruger vt
eh ! interj
éhonté, e adj
eider nm
éjaculer vt
éjecter vt
élaborer vt
élaguer vt; élagage nm
élan nm
élancer vi
élargir vt
élastique adj; nm
eldorado nm, pl eldorados
élection nf
électricité nf
électroaimant nm
électrocardiogramme nm
électrochoc nm
électrocuter vt
électrode nf
électrogène adj
électrolyse nf
électrolyte nm (masculin)
électroménager adjm
électron nm; électronique nf
électrophone nm
électrum nm, pl électrums
élégant, e adj; élégamment adv; élégance nf
élégie nf
élément nm
éléphant nm; éléphanteau nm, pl éléphanteaux
élève n (masculin ou féminin)
élever vt
elfe nm
élider vt; élision nf
éligible adj
élimer vt
éliminer vt
élingue nf (féminin)
élire vt, pp élu,e
élite nf
élixir nm, pl élixirs
elle pr pers
ellébore ou hellébore nm (masculin)
ellipse nf; elliptique adj; ellipsoïdal, e, aux adj
élocution nf
éloge nm
éloigner vt
élongation nf
éloquent, e adj; éloquence nf; éloquemment adv
élucider vt

élucubration nf
éluder vt
élyséen, enne adj
élytre nm (masculin)
elzévir nm, pl elzévirs
émacié, e adj
émail nm, pl émaux; émailler vt
émanciper vt
émaner vi, pp émané inv
émarger vt
émasculer vt
embâcle nm (masculin) [circonflexe sur *â*]
emballer vt
embarcation nf
embardée nf
embargo nm, pl embargos
embarquer vt; embarcadère nm; embarquement nm
embarras nm inv; embarrasser vt (deux *r*, deux *s*)
embastiller vt
embauche nf
embaumer vt
embellir vt, pp embelli, e
emberlificoter vt
embêter vt (circonflexe sur *ê*)
emblaver vt
emblée (d') loc adv
emblème nm; emblématique adj (attention aux accents)
embobeliner vt
embobiner vt
emboîter vt (circonflexe sur *î*)
embolie nf
embonpoint nm (pas de *m* avant *p*)
embosser vt
embouche nf
emboucher vt; embouchure nf
embourber vt
embourgeoiser vt
embout nm
embouteiller vt
emboutir vt, pp embouti, e
embrancher (s') vpr
embraser vt
embrasse nf
embrasser vt
embrasure nf
embrayer vt
embrigader vt
embringuer vt
embrocation nf
embrocher vt
embrouiller vt; embrouille nf; embrouillamini nm, pl embrouillaminis
embroussaillé, e adj
embrumer vt
embruns nmpl
embryon nm; embryonnaire adj
embu, e adj
embûche nf (circonflexe sur *û*)
embuer vt
embusquer vt; embuscade nf
éméché, e adj
émeraude nf; adj inv
émerger vi; émergent, e adj ≠ émergeant pprés du v; émergence nf
émeri nm, pl émeris
émerillon nm
émérite adj
émerveiller vt
émétique adj
émettre vt, pp émis, e
émeu nm, pl émeus

émeute nf
émietter vt
émigrer vi
émincer vt
éminence nf; NOMS DE TITRE → p 26, 34
éminent, e adj; éminemment adv
émir nm
émissaire nm
émission nf
emmagasiner vt
emmailloter vt
emmancher vt
emmêler vt (circonflexe sur *ê*)
emménager vt, vi
emmener vt
emmenthal ou emmental nm, pl emment(h)als
emmieller vt (deux *l*)
emmitoufler vt (un *t* et un *f*)
emmurer vt
émoi nm
émollient, e adj (deux *l*)
émolument nm
émonctoire nm (masculin)
émonder vt; émotionner vt
émotion nf; émotionner vt
émoucher vt
émouchet nm
émoulu, e adj
émousser vt
émoustiller vt
émouvoir vt, pp ému, e
empailler vt
empaler vt
empan nm
empanacher vt
empaqueter vt
emparer (s') vpr
empâter vt (circonflexe sur *â*)
empathie nf
empattement nm (deux *t*)
empaumer vt
empaumure nf
empêcher vt (circonflexe sur *ê*)
empeigne nf
empenné, e adj (deux *n*)
empereur nm; impératrice nf
empeser vt
empester vt, vi
empêtrer vt (circonflexe sur *ê*)
emphase nf; emphatique adj
emphysème nm
empiècement nm
empierrer vt
empiéter vti, pp empiété inv; empiétement nm
empiffrer (s') vpr
empiler vt
empire nm
empirer vi
empirique adj
emplacement nm
emplâtre nm (circonflexe sur *â*)
emplette nf
emplir vt, pp empli, e
employer vt; emploi nm
emplumer vt
empocher vt
empoigner vt
empois nm inv
empoisonner vt
empoissonner vt
emporium nm, pl emporia
emporte-pièce nm inv
emporter vt
empoté, e adj, n

empoter vt
empourprer vt
empreint, e adj (marqué) ≠ *emprunt* nm (prêt)
empreinte nf
empresser (s') vpr
emprise nf
emprisonner vt
emprunt nm (prêt) ≠ *empreint, e* adj ; *emprunter* vt
emprunté, e adj (embarrassé)
empuantir vt
empuse nf (féminin)
empyrée nm (masculin)
empyreume nm (masculin)
émule n (masculin ou féminin)
émulsion nf ; *émulsionner* vt
en prép
en pr pers ; *accord du participe passé avec* EN → p 38
enamourer (s') ou *énamourer* (s') vpr
énarque n (masculin ou féminin)
en-avant nm inv
en-but nm inv
encablure nf (pas de circonflexe sur *a*)
encadrer vt
encager vt
encaisser vt
encan nm (sing)
encanailler (s') vpr
encapuchonner vt
encaquer vt
encarter vt ; *encart* nm
en-cas nm inv
encastrer vt
encaustique nf (féminin)
enceindre vt, pp *enceint, e* ; *enceinte* nf (mur)
enceinte adj f
encens nm inv
encéphale nm (masculin)
encercler vt
enchaîner vt (circonflexe sur *î*)
enchanter vt ; *enchanteur* nm ; *enchanteresse* nf
enchâsser vt (circonflexe sur *â*)
enchatonner vt (pas de circonflexe sur *a*)
enchère nf ; *enchérir* vti, vi, pp *enchéri* inv (attention aux accents)
enchevêtrer vt (circonflexe sur *ê*)
enchifrené, e adj (un seul *f*)
enclave nf
enclencher vt
enclin, e adj
enclise nf ; *enclitique* nm
enclore vt, pp *enclos, e* ; *enclos* nm
enclouer vt
enclume nf (féminin)
encoche nf
encoignure nf
encoller vt
encolure nf
encombrer vt
encontre de (à l') loc prép
encorbellement nm
encorder (s') vpr
encore adv
encorner vt
encourager vt
encourir vt, pp *encouru, e*
encrasser vt

encre nf ; *encrer* vt ; *encrage* nm ≠ *ancrage* (de *ancre*)
encroûter vt (circonflexe sur *û*)
encuver vt
encyclique nf
encyclopédie nf
endémique adj
endenter vt
endetter vt
endeuiller vt
endêver vi, pp *endêvé* inv (circonflexe sur *ê*)
endiablé, e adj
endiguer vt
endimanché, e adj
endive nf
endocarde nm
endocarpe nm
endocrine adj f
endoctriner vt
endolorir vt, pp *endolori, e*
endommager vt
endoréisme nm
endormir vt, pp *endormi, e*
endos nm inv ; *endosser* vt
endothélium nm, pl *endothéliums* ; *endothélial, e, aux* adj
endroit nm
enduire vt, pp *enduit, e* ; *enduit* nm
endurcir vt
endurer vt ; *endurant, e* adj ; *endurance* nf
énergie nf ; *énergétique* adj
énergumène n (masculin ou féminin)
énerver vt
enfant n (masculin ou féminin) ; *enfance* nf ; *enfantin, ine* adj ; *enfanter* vt
enfariner vt
enfer nm
enfermer vt
enferrer vt (deux *r*)
enfeu nm, pl *enfeus*
enfiévrer vt
enfiler vt
enfin adv
enflammer vt
enfler vt
enfoncer vt
enfouir vt, pp *enfoui, e*
enfourcher vt
enfourner vt
enfreindre vt, pp *enfreint, e*
enfuir (s') vpr, pp *enfui, e*
enfumer vt
engager vt
engainer vt
engeance nf
engelure nf
engendrer vt
engin nm
engineering nm, pl *engineerings*
englober vt
engloutir vt
engluer vt
engoncer vt
engorger vt
engouement nm (attention *-ement*) ; *engouer (s')* vpr
engouffrer vt
engoulevent nm
engourdir vt
engrais nm inv
engraisser vt
engranger vt

engrener vt ; *engrènement* nm ; *engreneuse* nf (attention à l'accentuation)
engueuler vt
enguirlander vt
enhardir vt
enharnacher vt
énigme nf (féminin)
enivrer vt (un seul *n*)
enjamber vt
enjeu nm, pl *enjeux*
enjoindre vt, pp *enjoint, e*
enjôler vt (circonflexe sur *ô*)
enjoliver vt
enjoué, e adj
enkyster (s') vpr
enlacer vt
enlaidir vt
enlever vt ; *enlèvement* nm (attention aux accents)
enliser vt
enluminer vt
enneiger vt
ennemi, e n, adj (deux *n*, un *m*)
ennoblir vt (sens figuré) ≠ *anoblir* (sens propre)
ennuyer vt ; *ennui* nm
énoncer vt ; *énoncé* nm
enorgueillir (s') vpr
énorme adj ; *énormément* adv
enquérir (s') vpr, pp *enquis, e* ; *enquête* nf
enraciner vt
enrager vi
enrayer vt ; *enraiement* ou *enrayement* nm
enrégimenter vt
enregistrer vt
enrhumer vt
enrichir vt
enrober vt
enrôler vt (circonflexe sur *ô*)
enrouer vt
enrouler vt
enrubanner vt (avec deux *n*)
ensabler vt
ensacher vt
ensanglanter vt
enseigne nf (drapeau) ; nm (homme)
enseigner vt
ensemble adv ; nm
ensemencer vt
enserrer vt (deux *r*)
ensevelir vt, pp *enseveli, e*
ensoleiller vt
ensommeillé, e adj
ensorceler vt
ensuite adv
ensuivre (s') vpr (aux temps composés, *en* est le plus souvent séparé du verbe par l'auxiliaire : *il s'en est suivi*)
entacher vt
entaille nf
entamer vt ; *entame* nf (féminin)
entartrer vt
entasser vt
entendement nm
entendre vt, pp *entendu, e*
enter vt
entériner vt
entérite nf
enterrer vt
en-tête nm (masculin), pl *en-têtes*
entêter vt (circonflexe sur *ê*)
enthousiasme nm (*h* après *t*)

enticher (s') vpr

entier, ère adj ; *entièrement* adv

entièreté nf (attention à l'accentuation)

entité nf

entoiler vt

entomologie nf (pas de *h*)

entonner vt (deux *n*)

entonnoir nm (deux *n*)

entorse nf

entortiller vt

entourer vt

entournure nf

entracte nm

entraide nf ; *entraider (s')* vpr

entrailles nfpl

entr'aimer (s') vpr (avec apostrophe)

entrain nm

entraîner vt (circonflexe sur *î*)

entrait nm

entr'apercevoir vt, pp *entr'aperçu, e* (avec apostrophe)

entrave nf

entre prép → p 59

entrebâiller vt (circonflexe sur
â)

entre-bande nf, pl *entre-bandes*

entrechat nm

entrechoquer (s') vpr

entrecôte nf (féminin) [circon-
flexe sur *ô*]

entrecouper vt

entrecroiser vt

entrecuisse nm (masculin)

entre-déchirer (s') vpr (avec
apostrophe)

entre-deux nm inv (masculin)

entre-deux-guerres nf inv ou
nm inv (des deux genres)

entre-dévorer (s') vpr

entrée nf

entrefaites nfpl

entrefilet nm

entregent nm

entr'égorger (s') vpr (avec apostrophe)

entrejambe nm (masculin)

entrelacer vt ; *entrelacs* nm inv

entrelarder vt

entremêler vt (circonflexe sur ê)

entremets nm inv

entremettre (s') vpr, pp *entre-
mis, e*

entre-nœud nm, pl *entre-nœuds*

entrepont nm

entreposer vt

entrepôt nm (circonflexe sur ô)

entreprendre vt, pp *entrepris, e*

entrer vi, vt

entresol nm

entre-temps adv

entretenir vt, pp *entretenu, e ;
entretien* nm

entretoise nf

entre-tuer (s') vpr

entrevoie nf

entrevoir vt, pp *entrevu, e ;
entrevue* nf

entropie nf

entrouvrir vt, pp *entrouvert, e*

entuber vt

énumérer vt

envahir vt

envaser vt

enveloppe nf (un *l*, deux *p*)

envenimer vt

envergure nf

---

envers prép ; nm inv

envi (à l') loc adv (à qui mieux
mieux) [pas de *e*]

envie nf (désir)

environ adv ; *environs* nmpl ;
environner vt

envisager vt

envol nm

envoûter vt (circonflexe sur *û*)

envoyer vt ; *envoi* nm ;
envoyeur, euse n

enzyme nm ou nf (des deux
genres)

épacte nf (féminin)

épagneul, e n

épais, aisse adj ; *épaisseur* nf ;
épaissir vt

épancher vt

épandage nm

épanouir vt

épargne nf

éparpiller vt

épars, e adj

éparvin nm

épater vt ; *épatant, e* adj ; *épa-
tamment* adv

épaulard nm

épaule nf

épaulé-jeté nm, pl *épaulés-jetés*

épave nf

épeautre nm

épée nf ; *épéiste* n (masculin ou
féminin)

épeiche nf

épeler vt (un seul *l*) ; *épellation*
nf (attention deux *l*)

épenthèse nf ; *épenthétique* adj
(attention aux accents)

éperdu, e adj ; *éperdument* adv

éperlan nm

éperon nm ; *éperonner* vt

épervier nm

éphèbe nm

éphémère adj ; *éphéméride* nf
(attention aux accents)

épi nm

épice nf (féminin)

épicéa nm (masculin), pl
épicéas

épicène adj

épicentre nm

épicerie nf

épicondyle nm

épicurien, enne adj

épicycle nm (masculin)

épidémie nf

épiderme nm (masculin)

épididyme nm (masculin)

épier vt

épieu nm, pl *épieux*

épigastre nm (masculin)

épiglotte nf (féminin)

épigone nm (masculin)

épigramme nf (féminin)

épigraphe nf (féminin)

épilepsie nf ; *épileptique* adj, n
(masculin ou féminin)

épiler vt

épilobe nm (masculin)

épilogue nm (masculin) ; *épilo-
guer* vti, pp *épilogué* inv

épinard nm

épine nf

épinette nf

épine-vinette nf, pl *épines-
vinettes*

épingle nf

épinoche nf (féminin)

épiphénomène nm

épiphyse nf

épique adj

épiscopal, e aux adj ; *épiscopat*
nm

épisode nm

épistaxis nf inv (féminin)

épistémologie nf

épistolaire adj

épitaphe nf (féminin)

épithalame nm (masculin)

épithélium nm, pl *épithéliums*

épithète nf (féminin)

épitoge nf (féminin)

épitomé nm (masculin), pl
épitomés

épître nf (circonflexe sur *î*)

éploré, e adj

éplucher vt

épointer vt

éponge nf

éponyme adj

épopée nf

époque nf

épouiller vt

époumoner (s') vpr (un seul *n*)

épouser vt ; *époux, épouse* n

épousseter vt

épouvanter vt ; *épouvantail* nm,
pl *épouvantails*

éprendre (s') vpr, pp *épris, e*

éprouver vt

epsilon nm, pl *epsilons*

épucer vt

épuiser vt

épure nf

épurer vt

équarrir vt

équateur nm ; *équatorial, e, aux*
adj

équation nf

équerre nf

équestre adj

équiangle adj

équidistant, e adj

équilatéral, e, aux adj

équilibre nm

équille nf

équin, e adj

équinoxe nm (masculin) ; *équi-
noxial, e, aux* adj

équipe nf

équiper vt

équipollent, e adj

équitation nf

équité nf

équivaloir vti, pp *équivalu* inv ;
équivalent, e adj ≠ équivalant
pprés du v ; *équivalence* nf

équivoque adj ; nf (féminin)

érable nm

éradiquer vt ; *éradication* nf

érafler vt

érailler vt

ère nf (époque) ≠ erre (vitesse)

érection nf

éreinter vt

érésipèle ou érysipèle nm
(masculin)

erg nm, pl *ergs*

ergastule nm (masculin)

ergot nm

ergoter vi, pp *ergoté* inv

ériger vt

ermite nm

éroder vt ; *érosion* nf

érotique adj

erratique adj (deux *r*)

---

erratum nm, pl *errata* (le pl *errata* peut aussi être sing)
erre nf (vitesse) ≠ ère (époque)
errer vi, pp *erré* inv
erreur nf; *erroné, e* adj (deux *r*, un *n*)
ers nm inv
ersatz nm inv
erse adj; nm (dialecte)
erse nf (anneau)
éructer vt
érudit, e adj, n
érugineux, euse adj
éruption nf
érysipèle ou érésipèle nm (masculin)
érythème nm (masculin)
ès prép
esbroufe nf (un seul *f*)
escabeau nm, pl *escabeaux*
escadre nf
escalade nf
escale nf
escalier nm
escalope nf (féminin)
escamoter vt
escampette nf
escarbille nf
escarbot nm
escarboucle nf
escarcelle nf
escargot nm
escarmouche nf
escarpe nf (muraille)
escarpe nm (bandit)
escarpé, e adj
escarpin nm
escarpolette nf
escarre nf (féminin)
eschatologie nf (*h* après *c*)
esche nf
escient nm
esclaffer (s') vpr
esclandre nm (masculin)
esclave n (masculin ou féminin)
escogriffe nm (masculin)
escompte nm (masculin)
escopette nf
escorte nf
escouade nf
escourgeon ou écourgeon nm
escrime nf (féminin)
escroc nm; *escroquer* vt
escudo nm, pl *escudos*
ésotérique adj
espace nm (masculin)
espadon nm
espadrille nf
espagnolette nf
espalier nm
espar nm, pl *espars*
espèce nf; *toute espèce de* → p 24, 25, 47
espéranto nm
espérer vt; *espérance* nf; *espoir* nm
espiègle adj; *espièglerie* nf
espingole nf
espion, onne n; *espionner* vt
esplanade nf
esprit nm
esprit-de-sel nm inv
esprit-de-vin nm inv
esquif nm, pl *esquifs*
esquille nf

esquimau, aude adj, pl *esquimaux, audes* (relatif aux Eskimos ou Esquimaux)
esquinter vt
esquisse nf
esquive nf
essaim nm; *essaimer* vi
essarter vt
essayer vt; *essai* nm
esse nf
essence nf; *essentiel, elle* adj
esseulé, e adj
essieu nm, pl *essieux*
essor nm
essorer vt
essoriller vt
essoucher vt
essouffler vt (deux *f*)
essuie-glace nm, pl *essuie-glaces*
essuie-mains nm inv
essuie-meubles nm inv
essuie-pieds nm inv
essuie-verres nm inv
essuyer vt
est nm inv
estacade nf
estafette nf → p 6
estafilade nf
estaminet nm
estampe nf
estampille nf
ester vi, pp *esté* inv
esthétique adj; *esthète* n (masculin ou féminin) [attention aux accents]
estime nf
estival, e, aux adj
estoc nm, pl *estocs*
estocade nf
estomac nm; *estomaquer* vt
estomper vt
estourbir vt
estrade nf
estragon nm
estrapade nf
estropier vt
estuaire nm (masculin)
estudiantin, e adj
esturgeon nm
et conj
êta nm, pl *êtas* (circonflexe sur ê)
étable nf
établi nm, pl *établis*
établir vt
étage nm
étai nm, pl *étais*
étain nm
étal nm, pl *étals* ou *étaux*
étale adj; nm
étaler vt
étalon nm; *étalonner* vt
étambot nm
étamer vt
étamine nf
étanche adj
étancher vt
étang nm
étape nf
état nm
état-major nm, pl *états-majors*
étau nm, pl *étaux*
étayer vt; *étaiement* nm
et cetera, etc. loc adv
été pp inv de *être* → p 36
été nm
éteindre vt, pp *éteint, e*

étendard nm (*d* à la fin)
étendre vt, pp *étendu, e*; *étendue* nf
éternel, elle adj
éternuer vi, pp *éternué* inv; *éternuement* nm (attention -*ement*)
étésien adj m
étêter vt (circonflexe sur ê)
éther nm, pl *éthers*
éthique adj
ethnie nf; *ethnique* adj; ADJECTIFS ETHNIQUES → p 16
éthologie nf
éthyle nm (masculin)
étiage nm
étincelle nf (deux *l*); *étinceler* vi, pp *étincelé* inv (un *l*); *étincellement* nm (deux *l*)
étioler vt
étiologie nf
étiquette nf; *étiqueter* vt; *étiquetage* nm (dérivés avec un *t*)
étirer vt
étoffe nf
étoile nf
étole nf
étonner vt (deux *n*); *étonnant, e* adj; *étonnamment* adv
étouffe-chrétien nm inv
étouffer vt
étoupe nf
étoupille nf
étourdi, e adj, n; *étourdiment* adv
étourneau nm, pl *étourneaux*
étrange adj
étranger, ère adj, n
étrangler vt
étrave nf
être vi, pp *été* inv; *être* nm, pl *êtres*
étreindre vt, pp *étreint, e*; *étreinte* nf
étrenne nf
êtres nmpl (circonflexe sur ê)
étrier nm
étrille nf
étriper vt
étriqué, e adj
étrivière nf
étroit, e adj
étron nm
étude nf
étui nm
étuve nf
étymologie nf (pas de *h* après *t*)
eu pp de *avoir*; *eu à* (et l'infinitif) → p 41
eucalyptus nm inv
eucharistie nf
euh! interj
eugénisme nm ou *eugénique* nf
eunuque nm (masculin)
euphémique adj; *euphémisme* nm
euphonie nf
euphorbe nf (féminin)
euphorie nf
eurêka! interj
euristique ou heuristique adj; nf
eurodollar nm
eurythmie nf
euthanasie nf (*h* après *t*)
eux pr pers
évacuer vt
évader (s') vpr

évaluer vt
évanescent, e adj; *évanescence* nf
évangile nm
évanouir (s') vpr, pp *évanoui, e*
évaporer vt
évaser vt
évêché nm; *évêque* nm (circonflexe sur *ê*)
éveil nm; *éveiller* vt
événement nm; *événementiel, elle* adj (accents aigus)
évent nm
éventail nm, pl *éventails*
éventaire nm
éventer vt
éventrer vt
éventuel, elle adj; *éventualité* nf
évertuer (s') vpr
évident, e adj; *évidemment* adv; *évidence* nf
évider vt
évier nm
évincer vt; *éviction* nf
éviter vt
évoluer vi
évolution nf; *évolutionnisme* nm
évoquer vt; *évocation* nf
evzone nm, pl *evzones*
ex abrupto loc adv
exacerber vt
exact, e adj
exaction nf
ex aequo adj inv; n (masculin ou féminin) inv
exagérer vt; *exagéré, e* adj; *exagérément* adv
exalter vt
examen nm; *examiner* vt
exarque nm; *exarchat* nm
exaspérer vt
exaucer vt
ex cathedra loc adv
excéder vt; *excédent* nm
exceller vi, pp *excellé* inv; *excellent, e* adj; *excellemment* adv; *excellence* nf
excentrer vt
excentrique adj
excepter vt; *excepté* prép → p 36, 37; *exception* nf; *exceptionnel, elle* adj
excès nm inv; *excessif, ive* adj (attention à l'accentuation)
exciper vti, pp *excipé* inv
excipient nm
exciser vt
exciter vt
exclamer (s') vpr
exclure vt, pp *exclu, e; exclusion* nf
excommunier vt
excrément nm
excréter vt
excroissance nf

excursion nf; *excursionner* vi, pp *excursionné* inv
excuse nf
exeat nm inv
exécrer vt
exécuter vt
exégèse nf; *exégétique* adj (attention à l'accentuation)
exemple nm
exempt, e adj; *exemption* nf
exequatur nm inv
exercer vt; *exercice* nm
exérèse nf
exergue nm (masculin)
exhaler vt; *exhalaison* nf; *exhalation* nf (*h* après *x*)
exhausser vt
exhaustif, ive adj
exhiber vt; *exhibition* nf; *exhibitionnisme* nm (*h* après *x*)
exhorter vt
exhumer vt
exiger vt; *exigeant, e* adj; *exigence* nf
exigu, exiguë adj (tréma sur *ë*); *exiguïté* nf (tréma sur *i*)
exil nm
exister vi, pp *existé* inv; *existant, e* adj; *existence* nf; *existentialisme* nm
ex-libris nm inv
exocet nm, pl *exocets*
exode nm (masculin)
exogame adj
exonérer vt
exorbitant, e adj (pas de *h*)
exorciser vt
exorde nm (masculin)
exosmose nf
exotérique adj
exotique adj
expansion nf; *expansionnisme* nm (avec *an*)
expatrier vt
expectative nf
expectorer vt
expédient nm
expédier vt; *expédition* nf; *expéditionnaire* adj
expérience nf
expérimenter vt; *expérimental, e, aux* adj
expert, e adj; *expert* nm
expert-comptable nm, pl *experts-comptables*
expier vt
expirer vt, pp *expiré, e*
expirer vi, pp *expiré* inv
explétif, ive adj
explicite adj
expliquer vt; *explicable* adj; *explication* nf
exploit nm
exploiter vt
explorer vt
exploser vi, pp *explosé* inv
exporter vt

exposer vt
exprès, esse adj (formel); *expressément* adv (attention aux accents)
exprès adj inv; nm inv (lettre, paquet)
exprès adv (voulu)
express adj inv; nm inv (train, café)
exprimer vt; *expression* nf; *expressionnisme* nm
exproprier vt
expulser vt
expurger vt
exquis, e adj; *exquisément* adv (attention à l'accent)
exsangue adj
exsanguino-transfusion nf, pl *exsanguino-transfusions*
exsuder vi
extase nf; *extatique* adj
extension nf (avec *en*)
exténuer vt
extérieur, e adj; *extérioriser* vt
exterminer vt
externe adj
exterritorialité nf
extinction nf
extirper vt
extorquer vt; *extorsion* nf
extra nm inv; adj inv
extrader vt; *extradition* nf
extra-dry adj inv
extra-fin, e adj, pl *extra-fins, es*
extra-fort nm, pl *extra-forts*
extraire vt, pp *extrait, e; extrait* nm
extrajudiciaire adj
extralégal, e, aux adj
extralucide adj
extra-muros loc adv
extraordinaire adj
extrapoler vt
extraterrestre adj, n (masculin ou féminin)
extra-utérin, ine adj, pl *extra-utérins, ines*
extravagant, e adj; *extravagance* nf
extraverti, e adj, n; *extraversion* nf
extrême, e adj; *extrêmement* adv; *extrémiste* adj, n (masculin ou féminin); *extrémité* nf (attention aux accents)
extrême-onction nf, pl *extrêmes-onctions*
extrême-oriental, e, aux adj
extrinsèque adj
extrusion nf
exubérant, e adj (pas de *h*)
exulter vi, pp *exulté* inv (pas de *h*)
exutoire nm (masculin)
ex-voto nm inv
eye-liner nm, pl *eye-liners*

f

f nm inv
fa nm inv
fable nf; *fabliau* nm, pl *fabliaux*
fabrique nf
fabriquer vt; *fabrication* nf;
  fabricant, e n ≠ *fabriquant*
  pprés du v
fabuleux, euse adj
façade nf
face nf; *facial, e, aux* adj;
  faciès nm inv
face-à-face nm inv
face-à-main nm, pl *faces-à-main*
facétie nf; *facétieux, euse* adj
facette nf
fâcher vt; *fâcheux, euse* adj
  (circonflexe sur â)
facile adj
façon nf; *façonner* vt
faconde nf
fac-similé nm, pl *fac-similés*
facteur nm
factice adj
faction nf; *factieux, euse* adj;
  factionnaire nm
factitif, ive adj
factotum nm, pl *factotums*
factrice nf (fém de *facteur*)
factum nm, pl *factums*
facture nf
faculté nf
fade adj
fading nm, pl *fadings*
fagot nm; *fagoter* vt
faible adj; *faiblir* vi, pp *faibli* inv
faïence nf (tréma sur *i*)
faignant, e ou feignant, e adj, n
faille nf
faillible adj
faillir vi, pp *failli* inv; *failli, e* n;
  faillite nf
faim nf
fainéant, e adj, n; *fainéanter* vi,
  pp *fainéanté* inv
faire vt, pp *fait, e*; *se faire grâce,
  se faire fort, se faire jour,
  l'écho, se faire justice* → p 43;
  fait (suivi de l'infinitif) → p 41,
  43
faire-part nm inv
faire-valoir nm inv
fair-play adv
faisan nm; *faisandeau* nm, pl
  faisandeaux; *faisane* nf
faisceau nm, pl *faisceaux*
fait nm (événement) ≠ *faix*
  (charge)
faîte nm (circonflexe sur *î*)
fait-tout nm inv ou faitout nm, pl
  faitouts
faix nm (charge) ≠ *fait* (événement)
fakir nm, pl *fakirs*
falaise nf
falbala nm, pl *falbalas*

fallacieux, euse adj
falloir vi, pp *fallu* inv
falot nm (lanterne)
falot, falote adj (terne)
falourde nf
falsifier vt
famé, e adj
famélique adj
fameux, euse adj
famille nf; NOM DE FAMILLE
  → p 17; *familial, e, aux* adj;
  familiariser vt; *familier, ère* adj
  (les dérivés avec un seul *l*)
famine nf
fanal nm, pl *fanaux*
fanatique adj, n (masculin ou
  féminin)
fandango nm, pl *fandangos*
fane nf
fanfare nf
fanfaron, onne adj, n; *fanfaron-
  nade* nf
fanfreluche nf
fange nf
fanion nm
fanon nm
fantaisie nf
fantasia nf, pl *fantasias*
fantasmagorie nf
fantasme nm
fantasque adj
fantassin nm
fantastique adj
fantoche nm
fantôme nm (circonflexe sur ô);
  fantomatique adj (dérivé sans
  circonflexe)
faon nm
faquin nm
far nm (gâteau) ≠ *fard* (enduit)
  ≠ *fart* (pour les skis)
faramineux, euse adj
farandole nf
faraud, e adj
farce nf
fard nm (enduit) ≠ *far* (gâteau)
  ≠ *fart* (pour les skis)
fardeau nm, pl *fardeaux*
farfadet nm
farfouiller vi, pp *farfouillé* inv
faribole nf
farine nf
farniente nm, pl *farnientes*
farouche adj
fart nm (pour les skis) ≠ *fard*
  (enduit) ≠ *far* (gâteau); *farter*
  vt
fascicule nm
fascine nf
fasciner vt
fascisme nm
faste nm
fastidieux, euse adj
fat nm; adj m; *fatuité* nf
fatal, e, als adj; *fatalité* nf

fatiguer vt; *fatigant, e* adj ≠
  fatiguant pprés du v; *fatigable*
  adj
fatras nm inv
faubourg nm; *faubourien, enne*
  adj
faucher vt
faucheux nm inv
faucille nf
faucon nm; *fauconneau* nm, pl
  fauconneaux
faufiler vt
faune nm (mythologie); *fau-
  nesse* nf
faune nf (animaux)
faute nf
fauteuil nm
fauteur, trice n
fauve adj; nm
fauvette nf
faux nf inv
faux, fausse adj
faux-bourbon nm, pl *faux-
  bourdons*
faux-fuyant nm, pl *faux-fuyants*
faux-monnayeur nm, pl *faux-
  monnayeurs*
faux-pont nm, pl *faux-ponts*
faux-semblant nm, pl *faux-
  semblants*
faux-sens nm inv
faveur nf; *favori, ite* adj, n
fayot nm; *fayoter* vi, pp *fayoté*
  inv
féal, e, aux adj
fébrile adj
fèces nfpl; *fécal, e, aux* adj
  (attention aux accents)
fécond, e adj
fécule nf; *féculent* nm
fédérer vt; *fédéral, e, aux* adj
fée nf; *féerie* nf; *féerique* adj
  (un seul accent sur le premier
  é)
feed-back nm inv
feeder nm, pl *feeders*
feignant, e ou faignant, e adj, n
feindre vt, pp *feint, e*; *feinte* nf
feld-maréchal nm, pl *feld-maré-
  chaux*
fêler vt (circonflexe sur ê)
félibre nm (masculin)
félicité nf
féliciter vt; *félicitations* nfpl
félin, e adj
fellaga ou fellagha nm, pl
  fellag(h)as
fellah nm, pl *fellahs*
fellation nf
félon, onne adj; *félonie* nf (un
  seul *n*)
felouque nf
fêlure nf (circonflexe sur ê)
femelle nf
femme nf (deux *m*); *féminin, e*
  adj (un seul *m*)

fémur nm ; *fémoral, e, aux* adj
fenaison nf
fendre vt, pp *fendu, e*
fenêtre nf (circonflexe sur le
  second ê)
féodal, e, aux adj
fer nm ; *ferrer* vt (tous ses
  dérivés de *fer* ont deux *r*)
fer-blanc nm ; *fers-blancs* ;
  ferblantier nm
férié, e adj
férir vt
fermail nm, pl *fermaux*
ferme adj
ferme nf
ferment nm
fermer vt
féroce adj
ferret nm
ferronnier, ère n (deux *r*, deux
  n)
ferroviaire adj
ferry-boat nm, pl *ferry-boats*
fertile adj
féru, e adj
férule nf
fervent, e adj ; *ferveur* nf
fesse nf
fesse-mathieu nm, pl *fesse-
  mathieux*
festin nm
festival nm, pl *festivals*
festivité nf
feston nm ; *festonner* vt
festoyer vi ; *festoiement* nm
fête nf (circonflexe sur ê)
Fête-Dieu nf, pl *Fêtes-Dieu*
fétiche nm
fétide adj
fétu nm, pl *fétus*
feu nm, pl *feux*
feu, e adj, pl *feus, feues* → p 26
feuille nf
feuille-morte adj inv
feuillet nm ; *feuilleter* vt
feuilleton nm ; *feuilletoniste* n
  (masculin ou féminin)
feuler vi, pp *feulé* inv
feutre nm (masculin)
fève nf ; *féverole* nf (attention
  aux accents)
février nm, pl *févriers*
fez nm inv
fi ! interj
fiable adj ; *fiabilité* nf
fiacre nm
fiancer vt ; *fiançailles* nfpl
fiasco nm, pl *fiascos*
fiasque nf
fibranne nf (avec deux *n*)
fibre nf
fibrille nf
fibrome nm (sans circonflexe)
fibule nf
ficelle nf ; *ficeler* vt (un seul *l*)
fiche nf
fichtre ! interj
fichu, e adj
fichu nm
fiction nf
fidéicommis nm inv
fidèle adj ; *fidélité* nf (attention
  aux accents)
fiduciaire adj
fief nm
fieffé, e adj
fiel nm ; *fielleux, euse* adj
fiente nf

fier (se) vpr
fier, ère adj ; *fiérot, ote* adj ;
  fierté nf
fier-à-bras nm, pl *fier(s)-à-bras*
fièvre nf ; *fiévreux, euse* adj
  (attention aux accents)
fifre nm
fifrelin nm
fifty-fifty nm, pl *fifty-fifties*
  (yacht)
fifty-fifty adv
figer vt
fignoler vt
figue nf
figuration nf
figure nf
fil nm
filament nm
filandière nf
file nf
filer vt
filet nm
filière nf
filigrane nm (masculin)
fille nf ; *fillette* nf
filleul, e n
film nm
filon nm
filou nm, pl *filous* ; *filouter* vt
fils nm inv ; *filial, e, aux* adj ;
  filiation nf
filtre nm
filtre-presse nm, pl *filtres-
  presses*
fin nf ; *final, e, als* ou *aux* adj ;
  final ou *finale* nm (musique),
  pl *final(e)s* ; *finale* nf (dernière
  épreuve)
fin, fine adj ; *fin* adv → p 27 ;
  finesse nf
finance nf
finasser vi, pp *finassé* inv
finassier, ère n
finaud, e adj
finette nf
fini, e adj ; *finitude* nf
finir vt
finish nm (au sing)
fin-keel nm, pl *fin-keels*
fiole nf
fioritures nfpl
firmament nm
firman nm
firme nf
fisc nm ; *fiscal, e, aux* adj
fission nf ; *fissile* ou *fissible* adj
fissure nf
fiston nm
fistule nf
fixe adj
fjord nm, pl *fjords*
flaccidité nf (deux *c*)
flache nf (féminin)
flacon nm ; *flaconnage* nm
fla-fla nm inv
flageller vt
flageoler vi
flageolet nm
flagorner vt
flagrant, e adj
flair nm
flamand nm (langue)
flamant nm (oiseau)
flambage nm
flambant, e adj ; *flambant neuf*
  → p 35

flambard nm
flambeau nm, pl *flambeaux*
flambée nf
flamber vt
flamberge nf
flamboyer vi, pp *flamboyé* inv ;
  flamboiement nm
flamingant, e adj, n
flamme nf
flan nm (tarte)
flanc nm (côté)
flanc-garde nf, pl *flancs-gardes*
flancher vi, pp *flanché* inv
flandrin nm
flanelle nf
flâner vi, pp *flâné* inv (circonflexe sur â)
flanquer vt
flapi, e adj
flaque nf
flash nm, pl *flashs* ou *flashes*
flash-back nm inv
flasque adj ; *flaccidité* nf
flatter vt
flatulent, e adj ; *flatulence* ou
  flatuosité nf
flavescent, e adj
fléau nm, pl *fléaux*
flèche nf ; *fléchette* nf (attention
  aux accents)
fléchir vt
flegme nm
flemme nf
flétrir vt
fleur nf ; *fleurir* vt, vi ; *fleuriste* n
  (masculin ou féminin)
fleurdelisé, e adj
fleurer vi, pp *fleuré* inv
fleuret nm
fleuve nm
flexible adj
flexion nf
flexueux, euse adj
flibuste nf ; *flibustier* nm
flipper nm
flipper vi, pp *flippé* inv
flirt nm, pl *flirts* ; *flirter* vi, pp
  flirté inv
floche adj
flocon nm ; *floconner* vi
floculer vi
flonflon nm
flood adj inv
flopée nf
flore nf ; *floral, e, aux* adj
floréal nm, pl *floréals*
florès (faire) loc v
florilège nm
florin nm
florissant, e adj
flot nm (pas de circonflexe)
flotte nf
flotter vi, vt
flou, e adj, pl *flous, floues* →
  p 10
flouer vt
fluage nm
fluctuer vi, pp *fluctué* inv
fluent, e adj
fluet, ette adj
fluide adj ; nm
fluor nm, pl *fluors*
fluorescent, e adj ; *fluores-
  cence* nf (attention au *sc*)
flûte nf (circonflexe sur û)
fluvial, e, aux adj
flux nm inv
fluxion nf

foc nm, pl *focs*
focal, e, aux adj
fœhn ou fôhn nm, pl *fœhns, fôhns*
foëne ou fouëne nf (féminin) [tréma sur *ë*]
fœtus nm inv; *fœtal, e, aux* adj
foi nf (fidélité)
foie nm (viscère)
foin nm
foire nf; *foirail* ou *foiral* nm, pl *foirails, foirals*
fois nf (quantité)
foison (à) adv; *foisonner* vi, pp *foisonné* inv
fol adj m sing → fou
folâtre adj (circonflexe sur *â*); *folâtrer* vi, pp *folâtré* inv
folichon, onne adj (un seul *l*)
folio nm, pl *folios*
folioter vt
folklore nm, pl *folklores*
follet adj m
follicule nm (masculin)
fomenter vt
foncé, e adj
foncer vt
foncier, ère adj
fonction nf; *fonctionner* vi, pp *fonctionné* inv
fond nm (partie basse) ≠ *fonds* (bien immobilier); *fondamental, e, aux* adj
fonder vt
fondre vt, pp *fondu, e*
fondrière nf
fonds nm (bien immobilier) ≠ *fond* (partie basse)
fontaine nf
fontanelle nf
fontange nf (féminin)
fonte nf
fonts (baptismaux) nmpl
football nm, pl *footballs*
footing nm, pl *footings*
for nm inv (for intérieur) ≠ *fort* (puissant) ≠ *fors* (prép)
forain, e adj; *forain* nm
forban nm
forçat nm
force nf
forcené, e adj, n
forceps nm inv
forcing nm, pl *forcings*
forclos, e adj; *forclusion* nf
forer vt
forêt nf (circonflexe sur *ê*); *forestier, ière* adj (pas de circonflexe)
forfaire vt; *forfait* nm (crime)
forfait nm; *forfaitaire* adj
forfanterie nf
forge nf; *forgeron* nm
format nm
forme nf; *formaliser* vt
formeret nm
formidable adj
formol nm, pl *formols*
formule nf
forniquer vi; *fornication* nf
fors prép ≠ *for* (intérieur) ≠ *fort* (puissant)
fort, e adj (puissant) ≠ *fors* (prép) ≠ *for* (for intérieur); *fort* adv → p 27; *se faire fort* → p 27, 43; *fortifier* vt
forte adv
forte-piano adv; nm inv

forteresse nf
fortin nm
fortiori (a) loc adv
fortissimo adv
fortuit, e adj
fortune nf
forum nm, pl *forums*
fosse nf; *fossé* nm; *fossette* nf
fossile nm
fossoyeur nm
fou, fol (devant une voyelle ou un *h* muet), folle adj; *fou* nm; *folle* nf, pl *fous, folles*
fouace ou fougasse nf
fouailler vt
foucade nf
foudre nf (décharge du ciel) → p 8
foudre nm (tonneau)
foudroyer vt; *foudroiement* nm
fouëne ou foëne nf (féminin) [tréma sur *ë*]
fouet nm; *fouetter* vt
fougasse ou fouace nf
fougère nf; *fougeraie* nf
fougue nf
fouiller vt
fouine nf
fouiner vi, pp *fouiné* inv
fouir vt
foulard nm
foule nf; *une foule de* → p 29, 37, 46
foulée nf
fouler vt
foulque nf
four nm
fourbe adj, n (masculin ou féminin)
fourbir vt
fourbu, e adj
fourche nf
fourchette nf
fourgon nm; *fourgonnette* nf
fourgonner vi, pp *fourgonné* inv
fourgon-pompe nm, pl *fourgons-pompes*
fourmi nf; *fourmilier* nm; *fourmilière* nf (un seul *l*); *fourmiller* vi, pp *fourmillé* inv (deux *l*)
fourmilion ou fourmi-lion nm, pl *fourmilions, fourmis-lions*
fournaise nf
fourneau nm, pl *fourneaux*
fournée nf
fournil nm
fournir vt; *fourniment* nm
fourrage nm
fourrager vi, pp *fourragé* inv
fourragère nf
fourreau nm, pl *fourreaux*
fourrer vt
fourre-tout nm inv
fourrier nm
fourrière nf
fourrure nf (deux *r*)
fourvoyer vt; *fourvoiement* nm
foutre vt, pp *foutu, e*; *foutaise* nf; *foutoir* nm; *foutral, e, als* adj
fox-terrier nm, pl *fox-terriers*
fox-trot nm inv
foyer nm
frac nm, pl *fracs*
fracasser vt; *fracas* nm inv
fractal, e, als adj
fraction nf; NOMS DE FRACTION → p 29, 37; *fractionner* vt

fracture nf
fragile adj
fragment nm
frai nm, pl *frais*
frais, fraîche adj; *frais* adv → p 27; *fraîcheur* nf; *fraîchir* vi, pp *fraîchi* inv (attention au circonflexe sur les dérivés)
frais nmpl (dépenses)
fraise nf
fraisil nm
framboise nf
framée nf
franc nm
franc- *(composés avec)* → p 19
franc, franque adj (peuple)
franc, franche adj (loyal)
franc-alleu nm, pl *francs-alleux*
franc-bord nm, pl *francs-bords*
franc-bourgeois nm, pl *francs-bourgeois*
franc-comtois, e adj, pl *francs-comtois, franc-comtoises*
franchir vt
franchise nf
franc-jeu nm, pl *francs-jeux*
francisque nf (féminin)
franc-maçon, onne n, pl *francs-maçons, franc-maçonnes*
franco adv
francolin nm
franc-parler nm, pl *francs-parlers*
franc-tireur nm, pl *francs-tireurs*
frange nf
frangipane nf
franquette (à la bonne) loc adv
frapper vt
frasque nf
fraternel, elle adj; *fraterniser* vti, pp *fraternisé* inv
fraude nf
fraxinelle nf
frayer vt
frayeur nf
fredaine nf
fredonner vt
freezer nm, pl *freezers*
frégate nf
frein nm; *freiner* vt
frelater vt
frêle adj (circonflexe sur *ê*)
frelon nm
freluquet nm
frémir vi, pp *frémi* inv
frêne nm (circonflexe sur *ê*)
frénésie nf; *frénétique* adj
fréquent, e adj; *fréquemment* adv; *fréquence* nf
fréquenter vt
frère nm; *frérot* nm (attention aux accents)
fresque nf
fressure nf
fret nm; *fréter* vt (attention à l'accentuation)
frétiller vi, pp *frétillé* inv
fretin nm
friable adj
friand, e adj
friandise nf
fricandeau nm, pl *fricandeaux*
fricasser vt
fric-frac nm inv
friche nf
fricot nm
fricoter vt, vi
friction nf; *frictionner* vt

frigide adj f
frigorifier vt ; *frigo* nm, pl *frigos*
frileux, euse adj
frimaire nm, pl *frimaires*
frimas nm inv
frime nf
frimousse nf
fringale nf
fringant, e adj
fringue nf ; *fringuer* vt
fripe nf
friper vt
fripon, onne adj ; *friponnerie* nf
frire vt, pp *frit, e ; frite* nf
frise nf
friser vt
frisquet, ette adj
frisson nm ; *frissonner* vi, pp *frissonné* inv
frivole adj
froc nm, pl *frocs*
froid, e adj
froisser vt
frôler vt (circonflexe sur ô)
fromage nm
froment nm
froncer vt
frondaison nf
fronde nf
front nm ; *frontal, e, aux* adj
fronteau nm, pl *fronteaux*
frontière nf ; *frontalier, ière* adj, n
frotter vt
frou-frou ou froufrou nm, pl *frous-frous* ou *froufrous* ; *froufrouter* vi, pp *froufrouté* inv
fructidor nm, pl *fructidors*

fructifier vi, pp *fructifié* inv
fructose nm
fructueux, euse adj
frugal, e, aux adj
frugivore adj, n (masculin ou féminin)
fruit nm
frusque nf
fruste adj
frustrer vt
fuchsia nm (masculin), pl *fuchsias* ; adj inv (couleur)
fuchsine nf
fucus nm inv
fuel-oil nm, pl *fuel-oils*
fugace adj
fugue nf
führer nm, pl *führers* (tréma sur ü devant *h*)
fuir vt, pp *fui, e ; fuite* nf
fulgurer vi, pp *fulguré* inv
fuligineux, euse adj
full nm, pl *fulls*
fulmicoton nm
fulminate nm
fulminer vt, vi
fume-cigare nm inv
fume-cigarette nm inv
fumée nf
fumer vt
fumet nm
fumeterre nf (féminin)
fumier nm ; *fumure* nf
fumigateur nm
fumiste adj, n (masculin ou féminin)
funambule n (masculin ou féminin)

funèbre adj
funérailles nfpl
funéraire adj
funeste adj
funiculaire nm
fur et à mesure (au) loc adv
furet nm
fureter vi, pp *fureté* inv
fureur nf
furibond, e adj
furie nf
furioso adv
furoncle nm
furtif, ive adj
fusain nm
fuseau nm, pl *fuseaux* ; *fuseler* vt
fusée nf
fusée-sonde nf, pl *fusées-sondes*
fuselage nm
fuser vi, pp *fusé* inv
fusible adj ; nm
fusil nm ; *fusiller* vt (deux *l*) ; *fusilier* nm (un seul *l*)
fusil-mitrailleur nm, pl *fusils-mitrailleurs*
fusion nf ; *fusionner* vt
fustanelle nf
fustiger vt
fût nm (circonflexe sur û)
futaie nf
futaille nf
futaine nf
fût-ce loc v → p 47
futé, e adj
futile adj
futur, e adj
fuyard nm

g

g nm inv
gabardine nf
gabare nf
gabarit nm
gabegie nf
gabelle nf; *gabelou* nm, pl *gabelous*
gabier nm
gabion nm; *gabionnage* nm
gâche nf; *gâchette* nf (circonflexe sur *â*)
gâcher vt; *gâchis* nm (circonflexe sur *â*)
gadget nm, pl *gadgets*
gadoue nf
gaélique adj
gaffe nf (maladresse)
gaffe nf (perche)
gaffer vi, vt
gag nm; *gagman* nm, pl *gagmen*
gaga n (masculin ou féminin), adj, pl *gagas* ou *gaga*
gage nm; *gageure* nf
gagne-pain nm inv
gagne-petit nm inv
gagner vt; *gain* nm
gai, gaie adj; *gaiement* adv; *gaieté* nf (attention au *e*)
gaïac nm, pl *gaïacs* (tréma sur *i*)
gaillard nm
gaillard, e adj
gaillette nf; *gailletin* nm
gaine nf
gal nm, pl *gals*
gala nm, pl *galas*
galant, e adj; *galamment* adv
galantine nf
galapiat nm
galaxie nf; *galactique* adj
galbe nm
gale nf (maladie) ≠ *galle* (noix)
galéasse nf
galéjade nf
galère nf; *galérien* nm (attention aux accents)
galerie nf
galet nm
galetas nm inv
galette nf
galgal nm, pl *galgals*
galhauban nm
galimatias nm inv
galion nm
galiote nf
galipette nf
galipot nm
galle nf (noix) ≠ *gale* (maladie)
gallican, e adj
gallicisme nm
gallinacé nm
gallique adj
gallon nm (unité de mesure) ≠ *galon* (ruban)

gallo-romain, e adj, pl *gallo-romains, es*
galoche nf
galon nm (ruban) ≠ *gallon* (unité de mesure); *galonner* vt
galop nm; *galoper* vi (un *p*), pp *galopé* inv
galopin nm
galoubet nm
galvaniser vt
galvano nm, pl *galvanos*
galvauder vt
gambade nf
gambit nm, pl *gambits*
gamelle nf
gamète nm (masculin)
gamin, e n; *gaminerie* nf
gamma nm, pl *gammas*
gammare nm (masculin)
gamme nf
ganache nf
gandin nm
gandoura nf, pl *gandouras*
gang nm; *gangster* nm; *gangstérisme* nm (attention à l'accentuation)
ganglion nm; *ganglionnaire* adj
gangrène nf; *gangrener* vt (attention à l'accentuation)
gangue nf
ganse nf
gant nm
garage nm
garance nf; adj inv (couleur)
garant, e adj; *se porter garant* → p 43
garce nf
garcette nf
garçon nm; *garçonne* nf; *garçonnet* nm
garde nf (surveillance)
garde nm (surveillant)
garde-barrière n (masculin ou féminin), pl *gardes-barrière(s)*
garde-boue nm inv
garde-chasse nm, pl *gardes-chasse(s)*
garde-chiourme nm, pl *gardes-chiourme(s)*
garde-corps nm inv
garde-côte(s) nm (bateau), pl *garde-côtes*
garde-feu nm inv
garde-fou nm, pl *garde-fous*
garde-française nm, pl *gardes-françaises*
garde-magasin nm, pl *gardes-magasin(s)*
garde-malade n (masculin ou féminin), pl *gardes-malade(s)*
garde-manger nm inv
garde-marine nm, pl *gardes-marine*
garde-meuble(s) nm, pl *garde-meubles*

gardénia nm (masculin), pl *gardénias*
garden-party nf, pl *garden-parties*
garde-pêche nm, pl *gardes-pêche* (personnes) et *garde-pêche* (bateaux)
garde-place nm, pl *garde-places*
garde-rivière nm, pl *gardes-rivière(s)*
garde-robe nf, pl *garde-robes*
garde-temps nm inv
garde-voie nm, pl *gardes-voie(s)*
garde-vue nm inv
gardian nm
gardien, enne n; *gardiennage* nm
gardon nm
gare nf
gare! interj
garenne nf
garer vt
gargantua nm, pl *gargantuas*
gargariser (se) vpr
gargote nf (un seul *t*)
gargouille nf
gargoulette nf
gargousse nf
garnement nm
garnir vt
garnison nf
garou nm, pl *garous*
garrigue nf
garrot nm; *garrotter* vt (deux *r* et deux *t*)
gars nm inv
gas-oil, gasoil ou gazole nm, pl *gas-oils, gasoils, gazoles*
gaspiller vt
gastéropode nm
gastrique adj
gastronome n (masculin ou féminin)
gastrula nf, pl *gastrulas*
gâteau nm, pl *gâteaux* (circonflexe sur *â*)
gâte-bois nm inv
gâter vt; *gâteux, euse* adj; *gâtisme* nm (circonflexe sur *â*)
gâte-sauce nm inv
gâtine nf (circonflexe sur *â*)
gattilier nm (deux *t*, un *l*)
gauche adj; nf
gaucho nm, pl *gauchos*
gaude nf
gaudriole nf
gaufre nf
gaule nf
gaullien, enne adj; *gaullisme* nm
gaulois, e adj
gaupe nf
gausser (se) vpr

109

gave nm
gaver vt
gavial nm, pl *gavials*
gavotte nf
gayal nm, pl *gayals*
gaz nm inv; *gazéifier* vt
gaze nf (étoffe)
gazelle nf
gazette nf; *gazetier* nm (avec un *t*)
gazole nm
gazon nm; *gazonner* vt
gazouiller vi
geai nm, pl *geais*
géant, e n
gecko nm, pl *geckos*
géhenne nf
geindre vi, pp *geint* inv; *geignement* nm
geisha nf, pl *geishas*
gel nm; *geler* vt; *gelée* nf; *gélifier* vt (un *l*) [attention à l'accentuation]
gélatine nf
gelinotte ou *gélinotte* nf
gémellaire adj
géminer vt
gémir vi, pp *gémi* inv
gemmail nm, pl *gemmaux*
gemme nf (féminin)
gémonies nfpl
gencive nf
gendarme nm
gendre nm
gêne nf (embarras); *gêner* vt (circonflexe sur ê)
gène nm; *génétique* adj; nf (attention aux accents)
généalogie nf
génépi ou *genépi* nm, pl *génépis, genépis*
général, e, aux adj
général nm, pl *généraux*
générer vt
généreux, euse adj; *générosité* nf
genèse nf
genet nm (cheval)
genêt nm (plante) [circonflexe sur le second ê]
génétique adj; nf
genette nf
génie nm; *génial, e, aux* adj
genièvre nm; *genévrier* nm (attention aux accents)
génisse nf
génital, e, aux adj
génitif nm
génocide nm
genou nm, pl *genoux*; *genouillère* nf
genre nm
gens nmpl → p 8
gent nf
gentiane nf
gentil, ille adj; *gentiment* adv; *gentillesse* nf
gentilhomme nm, pl *gentilshommes*
gentleman nm, pl *gentlemen*
gentleman-farmer nm, pl *gentlemen-farmers*
gentleman's agreement nm, pl *gentlemen's agreements*
gentry nf, pl *gentrys*
génuflexion nf
géodésie nf

géographe n (masculin ou féminin)
geôle nf; *geôlier, ère* n (circonflexe sur ô)
géologie nf
géomètre n (masculin ou féminin); *géométrie* nf (attention aux accents)
géorgique adj
géosynclinal nm, pl *géosynclinaux*
géothermie nf
géranium nm, pl *géraniums*
gerbe nf
gerboise nf
gercer vt; *gerçure* nf
gérer vt; *gérant, e* n; *gérance* nf
gerfaut nm
germain, e adj
germe nm
germinal nm, pl *germinals*
gérondif nm
gérontocratie nf; *gérontologie* nf
gerseau nm, pl *gerseaux*
gésier nm
gésir vi; *ci-gît* loc v
gesse nf
gestation nf
geste nm (mouvement)
geste nf (chanson)
gestion nf; *gestionnaire* n (masculin ou féminin)
geyser nm, pl *geysers*
ghetto nm, pl *ghettos*
gibbon nm
gibbosité nf
gibecière nf
gibelotte nf
giberne nf
gibet nm
gibier nm; *giboyeux, euse* adj
giboulée nf
gibus nm inv
gicler vi
gifle nf; *gifler* vt (un seul *f*)
gigantesque adj
gigogne adj
gigolo nm, pl *gigolos*
gigot nm
gigoter vi, pp *gigoté* inv (un seul *t*)
gigue nf
gilet nm
gin nm, pl *gins*
gin-fizz nm inv
gingembre nm
gingival, e, aux adj
ginguet, ette adj
giorno (a) loc adj inv
girafe nf; *girafeau* nm, pl *girafeaux* (un seul *f*)
girandole nf
giration nf
giravion nm
girl nf, pl *girls*
girodyne nm (masculin)
girofle nm (masculin)
giroflée nf
girolle nf
giron nm
girond, e adj
girouette nf
gisant, e adj
gît → *gésir*
gitan, e n
gîte nm (logis) [circonflexe sur î]

gîte nf (d'un navire) [circonflexe sur î]
givre nm
glabre adj
glace nf; *glacial, e, als* ou *aux* adj; *glacis* nm inv; *glaçon* nm
gladiateur nm
glaïeul nm (tréma sur ï)
glaire nf
glaise nf
glaive nm
gland nm
glande nf
glaner vt
glapir vi, vt
glas nm inv
glaucome nm
glauque adj
glèbe nf
glénoïde ou *glénoïdal, e, aux* adj
glial, e, aux adj
glisser vt; *glissando* nm, pl *glissandos*
global, e, aux adj
globe nm
globe-trotter n (masculin ou féminin), pl *globe-trotters*
globulaire adj
globule nm (masculin)
gloire nf; *glorieux, euse* adj; *gloriole* nf
glomérule nm (masculin)
gloria nm (masculin), pl *glorias*
glose nf
glossaire nm
glosso-pharyngien, enne adj, pl *glosso-pharyngiens, ennes*
glotte nf; *glottal, e, aux* adj
glouglou nm, pl *glouglous*; *glouglouter* vi, pp *glouglouté* inv
glousser vi, vt
glouton, onne adj; *gloutonnerie* nf
glu nf (pas de *e*); *gluant, e* adj
gluau nm, pl *gluaux*
glucide nm (masculin)
glucose nm (masculin)
glume nf (féminin)
gluten nm, pl *glutens*
glycémie nf
glycérine nf
glycine nf (*y* d'abord, *i* après)
glycocolle nm (masculin)
glycogène nm
glyptique nf
glyptothèque nf
gneiss nm inv
gnocchi nm, pl *gnocchis*
gnome nm
gnomique adj
gnomon nm
gnose nf
gnosticisme nm
gnou nm, pl *gnous*
go (tout de) loc adv
goal nm, pl *goals*
goal-average nm, pl *goal-averages*
gobelet nm
gobe-mouches nm inv
gober vt
goberger (se) vpr
godelureau nm, pl *godelureaux*
godailler vi, pp *godaillé* inv
godet nm
godiche adj

godille nf
godillot nm
godiveau nm, pl godiveaux
godron nm
goéland nm, pl goélands
goélette nf
goémon nm
goguenard, e adj
goguette nf
goinfre n (masculin ou féminin)
goitre nm (pas de circonflexe)
golf nm (jeu)
golfe nm (grande baie)
gomme nf
gomme-gutte nf, pl gommes-
guttes
gomme-résine nf, pl gommes-
résines
gond nm (mécanisme) ≠ gong
(tambour)
gondole nf
gondoler vi, vt
gonfalon ou gonfanon nm
gonfler vt, vi
gong nm (tambour) ≠ gond
(mécanisme), pl gongs
goniomètre nm
goret nm
gorfou nm, pl gorfous
gorge nf
gorge-de-pigeon adj inv
gorgonzola nm, pl gorgonzolas
gorille nm
gosier nm
gosse n (masculin ou féminin)
gothique adj; nm (art)
gotique nm (langue)
gouache nf
gouailler vi, pp gouaillé inv
gouape nf
goudron nm; goudronner vt
gouffre nm (deux f)
gouge nf (féminin)
goujat nm
goujon nm
goulag nm, pl goulags
goulée nf
goulet nm
gouleyant, e adj
goulot nm
goulu, e adj (pas de circonflexe); goulûment adv (avec
circonflexe sur û)
goupille nf
goupillon nm
gourante nf
gourbi nm, pl gourbis
gourd, e adj
gourde nf
gourdin nm
gourmand, e adj
gourmander vt
gourme nf
gourmé, e adj
gourmet nm
gourmette nf
gourou nm, pl gourous
gousse nf
gousset nm
goût nm; goûter vt (circonflexe
sur û)
goutte nf (d'eau); goutter vi, pp
goutté inv
goutte nf (maladie)
goutte-à-goutte nm inv
gouttière nf

gouverner vt; gouvernail nm,
pl gouvernails; gouvernement
nm; gouvernemental, e, aux
adj
goyave nf (féminin)
grabat nm
grabuge nm
grâce nf; se faire grâce → p 43;
gracier vt; gracieux, euse adj
(dérivés sans circonflexe)
gracile adj
grade nm
gradient nm
gradin nm
graduer vt
graffiti nm, pl graffiti ou graffitis
grailler vi, pp graillé inv
graillon nm; graillonner vi, pp
graillonné inv
grain nm; graine nf; graineteя-
rie nf (un seul t); grainetier,
ère n
graisse nf
graminée nf
grammaire nf
grammatical, e, aux adj
gramme nm
grand- (composés avec) → p 19
grand, e adj → p 27
grand-angle ou grand-angu-
laire nm, pl grands-angles,
grands-angulaires
grand-chose (pas) pr indéf inv
→ p 28; n (masculin ou
féminin)
grand-croix nf inv (décoration);
nm (personne décorée), pl
grands-croix → p 19
grand-duc nm, pl grands-ducs;
grand-ducal, e, aux adj
grand-duché nm, pl grands-
duchés
grande-duchesse nf, pl
grandes-duchesses
grand-garde nf, pl grand-gardes
grand-guignolesque adj, pl
grand-guignolesques
grandiloquent, e adj; grandilo-
quence nf
grand-maman nf, pl grand(s)-
mamans
grand-mère nf, pl grand(s)-
mères
grand-messe nf, pl grand(s)-
messes
grand-oncle nm, pl grands-
oncles
grand-papa nm, pl grands-
papas
grand-père nm, pl grands-pères
grands-parents nmpl
grand-tante nf, pl grand(s)-
tantes
grange nf
granit ou granite nm (l'orthographe granit est la plus
usuelle)
granule nm (masculin); granulé
nm
grape-fruit nm, pl grape-fruits
graphie nf
grappe nf; grappiller vt
grappin nm
gras, grasse adj; grassouillet,
ette adj
gras-double nm, pl gras-
doubles

grasseyer vi, vt; grasseyement
nm
gratifier vt
gratin nm
gratis adv
gratitude nf
gratte-ciel nm inv
gratte-papier nm inv
gratter vt
gratuit, e adj
grau nm, pl graux
gravats nmpl
grave adj; aggraver vt
graveleux, euse adj
gravelle nf
graver vt
gravier nm
gravir vt
graviter vi, pp gravité inv
grazioso adv
gré nm (volonté) [sing]
grèbe nm (masculin)
grec, grecque adj; gréciser vt
gréco-latin, e adj, pl gréco-
latins, es
gréco-romain, e adj, pl gréco-
romains, es
gredin, e n; gredinerie nf
gréer vt; gréement nm
greffe nm (d'un tribunal)
greffe nf (bourgeois)
grégaire adj
grège adj; nm
grégeois nm, m
grégorien, enne adj
grègues nfpl
grêle adj (circonflexe sur ê)
grêle nf (circonflexe sur ê); grê-
ler vt, pp grêlé inv
grelin nm
grelot nm
grelotter vi, pp grelotté inv
(deux t)
grenache nm
grenade nf
grenadin, e n, adj
grenaille nf
grenat nm; adj inv (couleur)
grené, e adj
grènetis nm inv
grenier nm
grenouille nf
grenouiller vi, pp grenouillé inv
grenu, e adj
grès nm inv (quartz); gréser vt
(attention aux accents)
grésil nm; grésiller vi, pp gré-
sillé inv
gressin nm
grève nf; gréviste n (masculin
ou féminin) [attention aux
accents]
grever vt (sans accent)
gribouille nm
gribouiller vt
grièche adj
grief nm
grièvement adv
griffe nf
griffon nm
griffonner vt
grignoter vt (un seul t)
grigou nm, pl grigous
gri-gri ou grigri nm, pl gris-gris,
grigris
gril nm
grillage nm
grille-pain nm inv

griller vt
grillon nm
grill-room nm, pl grill-rooms
grimace nf
grimaud nm
grime nm
grimoire nm (masculin)
grimper vt, vi
grimpereau nm, pl grimpereaux
grincer vi, pp grincé inv
grincheux, euse adj, n
gringalet nm
griot nm
griotte nf
grippe nf; grippal, e, aux adj
gripper vi
grippe-sou nm, pl grippe-sou(s)
gris, e adj
griser vt
grisette nf
grison, onne adj
grisonner vi, pp grisonné inv
grisou nm, pl grisous; grisou-
teux, euse adj
grive nf
griveler vt; grivèlerie nf (attention à l'accentuation)
grivois, e n
grizzli ou grizzly nm, pl grizzlis,
grizzlys
grœnendael nm, pl grœ-
nendaels
grog nm, pl grogs
grognard nm
grogner vi, vt; grogne nf
grognon, onne adj
groin nm
grole ou grolle nf
grommeler vt; grommellement
nm (avec deux m et attention
aux l)
gronder vt, vi
grondin nm
groom nm, pl grooms
gros, grosse adj; grosseur nf;
grossir vt
groseille nf

gros-porteur nm, pl gros-
porteurs
grosso modo adv
grotesque adj (un seul t)
grotte nf
grouiller vi
groupe nm; grouper vt (un seul
p)
grouse nf
gruau nm, pl gruaux
grue nf
gruger vt
grume nf (féminin)
grumeau nm, pl grumeaux;
grumeleux, euse adj
gruppetto nm, pl gruppetti
gruyère nm
guanaco nm, pl guanacos
guano nm, pl guanos
gué nm
guelte nf
guenille nf
guenon nf
guépard nm
guêpe nf (circonflexe sur ê)
guère adv
guéret nm
guéridon nm
guérilla nf, pl guérillas; guéril-
lero nm, pl guérilleros (un seul
r)
guérir vt, vi
guérite nf
guerre nf; guerroyer vi, pp
guerroyé inv (deux r)
guet nm
guet-apens nm, pl guets-apens
guêtre nf (circonflexe sur ê)
guetter vt
gueule nf
gueule-de-loup nf, pl gueules-
de-loup
gueuleton nm; gueuletonner vi,
pp gueuletonné inv
gueuse nf
gueux, euse n
gui nm (pas de y)
guiche nf

guichet nm; guichetier, ère n
guide n (masculin ou féminin)
[personne]; nm (livre)
guide nf (lanière)
guide-âne nm, pl guide-ânes
guideau nm, pl guideaux
guiderope nm
guidon nm
guigne nf (malchance)
guigne nf (fruit)
guigner vt
guignol nm
guignolet nm
guignon nm
guilledou nm (au sing)
guillemet nm
guillemot nm
guilleret, ette adj
guillocher vt
guillotine nf; guillotiner vt
guimauve nf
guimbarde nf
guimpe nf
guinder vt
guinée nf
guingois (de) loc adv
guinguette nf
guiper vt
guipure nf
guirlande nf
guise nf
guitare nf
gummifère adj
gustation nf
gutta-percha nf, pl guttas-
perchas
guttural, e, aux adj
gymkhana nm, pl gymkhanas (h
après k)
gymnase nm
gymnosperme nf
gymnote nm (masculin)
gynécée nm (masculin)
gynécologie nf
gypaète nm
gypse nm (masculin)
gyroscope nm

h

L'astérisque (*) indique le h aspiré.

h nm inv
*ha ! interj
habile adj ; *habileté* nf
habiliter vt
habiller vt
habit nm
habitacle nm (masculin)
habitat nm
habiter vt, vi
habituer vt
*hâblerie nf ; *hâbleur, euse adj, n (circonflexe sur â)
*hache nf ; *hachereau, nm, pl hachereaux
*hache-légumes nm inv
*hacher vt ; *hachis nm
*hache-viande nm inv
*hachisch ou *haschisch nm, pl hachischs, haschischs
hacienda nf, pl haciendas
hadal, e, aux adj
*haddock nm, pl haddocks
hafnium nm, pl hafniums
*hagard, e adj
hagiographie nf
*haie nf
*haïk nm, pl haïks
*haïkaï ou haïku nm, pl haïkaïs, haïku
*haillon nm ; *haillonneux, euse adj
*hair vt ; *haine nf ; *haïssable adj (attention au tréma sur le ï)
*haire nf
*halbran nm
*hâle nm (circonflexe sur â)
haleine nf
*haler vt (tirer) [pas de circonflexe]
*hâler vt (bronzer) [circonflexe sur â]
*haleter vi, pp haleté inv ; *halètement nm (attention à l'accentuation)
*half-track nm, pl half-tracks
halieutique adj ; nf
*hall nm, pl halls
hallali nm, pl hallalis
*halle nf (marché)
*hallebarde nf
*hallier nm
halluciner vt
*halo nm, pl halos
*halte nf
haltère nm (masculin) ; haltérophile nm (attention aux accents)
*hamac nm
*hamada nf, pl hamadas
hamamélis nm inv
hamburger nm, pl hamburgers
*hameau nm, pl hameaux
hameçon nm
*hammam nm, pl hammāms
*hammerless nm inv
*hampe nf

*hamster nm, pl hamsters
*hanap nm
*hanche nf
*handball nm, pl handballs
*handicap nm ; *handicapé, e n
*hangar nm
*hanneton nm ; *hannetonnage nm
*hanter vt
*happening nm, pl happenings
*happer vt
*happy end nm, pl happy ends
*haquenée nf
*hara-kiri nm, pl hara-kiris
*harangue nf
*haras nm inv (un seul r)
*harasser vt
*harceler vt ; *harcèlement nm (attention aux accents)
*harde nf
*hardi, e adj ; *hardiment adv
*hard-top nm, pl hard-tops
*harem nm, pl harems
*hareng nm
*hargne nf
*haricot nm
*haridelle nf
harmattan nm, pl harmattans
harmonica nm
harmonie nf
harmonium nm, pl harmoniums
*harnais nm inv ; *harnacher vt
*haro nm, pl haros
*harpe nf
*harpie nf
*harpon nm ; *harponner vt
*hart nf, pl harts
haruspice nm (masculin)
*hasard nm
*hasch, *haschisch ou *hachisch nm, pl haschs, haschischs, hachischs
*hase nf (femelle du lièvre)
*hâte nf ; *hâter vt (circonflexe sur â)
*hauban nm
*haubert nm
*hausse nf ; *hausser vt
*hausse-col nm, pl hausse-cols
*haut, e adj ; haut adv → p 27
*hautbois nm ; *hautboiste n (masculin ou féminin) [tréma sur le ï]
*haut-commissaire nm, pl hauts-commissaires
*haut-de-chausses nm, pl hauts-de-chausses
*haut-de-forme nm, pl hauts-de-forme
*haute-contre nf, pl hautes-contre
*haute-fidélité nf, pl hautes-fidélités
*haut-fond nm, pl hauts-fonds
*haut-le-cœur nm inv
*haut-le-corps nm inv

*haut-parleur nm, pl haut-parleurs
*haut-relief nm, pl hauts-reliefs
*hauturier, ère adj
*havage nm
*havane nm ; adj inv (couleur)
*hâve adj (circonflexe sur â)
*haveneau nm, pl haveneaux
*havenet nm
*havre nm (sans circonflexe)
*havresac nm
*hé ! interj
*heaume nm
hebdomadaire adj
hébéphrène n (masculin ou féminin) ; hébéphrénie nf (attention aux accents)
héberger vt
hébéter vt ; hébètement nm ; hébétude nf (attention aux accents)
hébreu adj m ; nm, pl hébreux ; hébraïque adj f
hécatombe nf
hédonisme nm
hégémonie nf
*hein ! interj
hélas ! interj
*héler vt
hélianthe nm (masculin)
hélice nf ; hélicoïdal, e, aux adj (tréma sur le ï)
hélicon nm
hélicoptère nm ; héliport nm
héliogravure nf
héliomarin, e adj
héliothérapie nf
héliotrope nm (masculin)
hélium nm, pl héliums
hélix nm inv
hellébore ou ellébore nm (masculin)
hellène adj ; hellénique adj (attention aux accents)
helminthe nm
*hem ! interj
hématologie nf
hématome nm (masculin)
hématurie nf
hémicycle nm
hémiplégie nf
hémisphère nm (masculin) ; hémisphérique adj (attention aux accents)
hémistiche nm (masculin)
hémoglobine nf
hémolyse nf
hémophilie nf (pas de y)
hémoptysie nf
hémorragie nf
hémorroïde nf (féminin) [tréma sur le ï]
hémostase nf ; hémostatique adj
hendécasyllabe nm (masculin)
*henné nm

*hennin nm

*hennir vi, pp *henni* inv

hépatique adj

hépatite nf

héraldique adj

*héraut nm (d'armes) ≠ *héros* (courageux)

herbe nf

herboriser vi, pp *herborisé* inv

herboriste n (masculin ou féminin)

*hercher ou *herscher vi, pp *herché, herscher* inv

hercule nm; *herculéen, enne* adj

hercynien, enne adj

*herd-book nm, pl *herd-books*

*hère nm (pauvre)

hérédité nf

hérésie nf

*hérisser vt

*hérisson nm

hériter vt, vti

hermaphrodite adj, n (masculin ou féminin)

hermétique adj

hermine nf

*hernie nf

*héron nm; *héronneau* nm, pl *héronneaux*

*héros nm (courageux) ≠ *héraut* (d'armes); *héroï-comique* adj, pl *héroï-comiques*; *héroïne* nf; *héroïsme* nm (tréma sur le *ï* des dérivés et pas de *h* aspiré)

herpès nm inv

*herse nf

*hertzien, enne adj

hésiter vi, pp *hésité* inv

hétaïre nf (tréma sur *ï*)

hétéroclite adj

hétérodoxe adj

hétérogène adj; *hétérogénéité* nf (attention aux accents)

hetman nm, pl *hetmans*

*hêtre nm (circonflexe sur ê)

heur nm (chance)

heure nf (partie du jour)

heureux, euse adj

heuristique ou euristique adj; nf

*heurt nm

hévéa nm, pl *hévéas*

hexaèdre nm

hexagone nm; *hexagonal, e, aux* adj

hexamètre adj; nm

hiatus nm inv

hiberner vi, pp *hiberné* inv; *hibernal, e, aux* adj

*hibou nm, pl *hiboux*

*hic nm inv

*hickory nm, pl *hickorys*

hidalgo nm, pl *hidalgos*

*hideux, euse adj

hièble ou yèble nf (féminin)

hiémal, e, aux adj

hier adv

*hiérarchie nf

hiératique adj

hiéroglyphe nm (masculin)

*highlander nm, pl *highlanders*

hilare adj

*hile nm

hiloire nf

hilote ou ilote nm

hindou, e adj. pl *hindous, oues* → p 10

hinterland nm, pl *hinterlands*

hippique adj

hippocampe nm

hippodrome nm

hippogriffe nm (masculin)

hippologie nf

hippomobile adj

hippophagique adj

hippopotame nm

hircin, e adj

hirondelle nf; *hirondeau* nm, pl *hirondeaux*

hirsute adj

*hisser vt

histoire nf; *historien, enne* n

histologie nf

histrion nm

*hit-parade nm, pl *hit-parades*

hiver nm; *hiverner* vi, pp *hiverné* inv; *hivernal, e, aux* adj

H.L.M. nm ou nf (des deux genres)

*hobby nm, pl *hobbies*

*hobereau nm, pl *hobereaux*

*hocco nm, pl *hoccos*

*hochepot nm

*hochequeue nm

*hocher vt

*hochet nm

*hockey nm, pl *hockeys*

hoir nm

*holà ! interj

*holding nm ou nf, pl *holdings*

*hold-up nm inv

*hollywoodien, enne adj

holmium nm, pl *holmiums*

holocauste nm (masculin)

holothurie nf

*homard nm

*home nm

homélie nf

homéopathe n (masculin ou féminin)

homérique adj

*home-trainer nm, pl *home-trainers*

homicide n (masculin ou féminin) [personne]; nm (acte)

hominien nm

hommage nm

homme nm

homme-grenouille nm, pl *hommes-grenouilles*

homme-orchestre nm, pl *hommes-orchestres*

homme-sandwich nm, pl *hommes-sandwichs*

homogène adj; *homogénéité* nf (attention aux accents)

homologue adj, n (masculin ou féminin)

homonyme adj; nm

homophone adj; nm

homosexuel, elle adj, n

homuncule ou homoncule nm

*hongre nm; adj m

*hongroyer vt

honnête adj (circonflexe sur ê)

honneur nm (deux *n*); *honorable* adj; *honorer* vt; *honoraire* adj; *honorifique* adj (attention dérivés avec un seul *n*)

*honnir vt

*honte nf

hôpital nm, pl *hôpitaux* (circonflexe sur ô); *hospitalier, ère* adj (pas de circonflexe)

hoplite nm

*hoquet nm; *hoqueter vi

horaire adj; nm

*horde nf

*horion nm

horizon nm; *horizontal, e, aux* adj

horloge nf

*hormis prép

hormone nf; *hormonal, e, aux* adj

horodateur nm

horoscope nm

horreur nf; *horrifier* vt

horripiler vt (avec deux *r*)

*hors- (*composés avec*) → p 20

*hors prép

*hors-bord nm inv

*hors-cote nm inv

*hors-d'œuvre nm inv

*horse-guard nm, pl *horse-guards*

*hors-jeu nm inv

*hors-la-loi nm inv

*hors-texte nm inv

hortensia nm (masculin), pl *hortensias*

horticole adj; *horticulture* nf

hortillonnage nm

hosanna nm, pl *hosannas*

hospice nm

hospitalier, ère adj; *hospitaliser* vt

hospodar nm

hostellerie nf (restaurant) ≠ *hôtellerie* (profession hôtelière)

hostie nf

hostile adj

*hot dog nm, pl *hot dogs*

hôte nm (circonflexe sur ô); *hôtesse* nf (circonflexe sur ô); *hospitalité* nf (sans circonflexe)

hôtel nm; *hôtelier, ère* n; *hôtellerie* nf ≠ *hostellerie* (restaurant) [circonflexe sur ô]

hôtel-Dieu nm, pl *hôtels-Dieu*

*hotte nf

*houblon nm; *houblonner vt

*houe nf

*houille nf

*houle nf

*houlette nf

*houppe nf

*houppelande nf

*hourdis nm inv

*houri nf, pl *houris* (pas de *e*)

*hourra ! ou *hurrah ! interj; *hourra ou *hurrah nm, pl *hourras, hurrahs*

*hourvari nm, pl *hourvaris*

*houseaux nmpl

*houspiller vt

*housse nf

*houx nm inv; *houssaie nf

hovercraft nm, pl *hovercrafts*

*hoyau nm, pl *hoyaux*

*hublot nm

*huche nf

*hucher vt

*huer vt

*huguenot, e adj

huile nf

*huis nm inv

huisserie nf

huissier nm

*huit adj num inv; *huitième* adj ord; *huitaine* nf

huître nf (circonflexe sur î)

huit-reflets nm inv

*hulotte nf
*hululer ou ululer vi, pp *hululé, ululé* inv
*humage nm
humain, e adj
humble adj
humecter vt
*humer vt
humérus nm inv; *huméral, e, aux* adj
humeur nf; *humoral, e, aux* adj
humide adj
humilier vt
humour nm; *humoriste* n (masculin ou féminin)
humus nm inv
*hune nf
*huppe nf
*hure nf
*hurler vt, vi
hurluberlu, e n
*hurrah! ou *hourra! interj; *hurrah* ou *hourra* nm, pl hurrahs, hourras
*hussard nm
*hutte nf
hyacinthe nf
hyalin, e adj

hybride adj; nm
hydrater vt
hydraulique nf; adj (attention au)
hydravion nm
hydre nf (féminin)
hydrique adj
hydrocarbure nm (masculin)
hydrocéphale n (masculin ou féminin)
hydrogène nm
hydroglisseur nm
hydrographe n (masculin ou féminin)
hydrologie nf
hydrolyse nf
hydromel nm
hydropisie nf
hydrothérapie nf
hyène nf
hygiène nf; *hygiénique* adj (attention aux accents)
hymen nm; *hyménée* nm (masculin)
hyménoptère nm
hymne nm (chant national) → p 8
hymne nf (chant religieux) → p 8

hypallage nf (féminin)
hyperbole nf (féminin)
hypercorrect, e adj
hyperémotivité nf
hypermétrope adj, n (masculin ou féminin)
hypernerveux, euse adj
hypersensibilité nf
hypertension nf
hypertrophie nf
hyphe nf (féminin)
hypnose nf; *hypnotique* adj
hypocauste nm (masculin)
hypocrisie nf; *hypocrite* adj, n (masculin ou féminin)
hypogée nm (masculin)
hypoïde adj (tréma sur *i*)
hypophyse nf (féminin)
hypostyle adj
hypotension nf
hypoténuse nf (féminin)
hypothèque nf; *hypothéquer* vt (attention aux accents)
hypothèse nf; *hypothétique* adj (attention aux accents)
hypotrophie nf
hystérie nf

i

i nm inv

ïambe nm (masculin) [tréma sur *i*]

ibidem adv

ibis nm inv

iceberg nm, pl *icebergs*

ice-cream nm, pl *ice-creams*

ichneumon nm

ichtyologie nf

ichtyosaure nm

ici adv; *ici-bas* adv

icône nf (circonflexe sur *ô*); *iconique* adj; *iconoclaste* n (masculin ou féminin) [pas de circonflexe sur les dérivés]

iconographie nf

ictère nm

ictus nm inv

idéal, e, als ou aux adj; *idéal* nm, pl *idéals* ou *idéaux*

idée nf

idem adv

identique adj

idéogramme nm (masculin)

idéologie nf

ides nfpl

idiolecte nm

idiome nm (masculin); *idiomatique* adj (pas de circonflexe)

idiot, e adj, n; *idiotie* nf

idiotisme nm

idoine adj

idolâtre adj, n (masculin ou féminin) [circonflexe sur *â*]

idole nf

idylle nf (féminin)

if nm

igname nf (féminin)

ignare adj, n (masculin ou féminin)

igné, e adj

ignoble adj

ignominie nf

ignorer vt

iguane nm (masculin)

iguanodon nm

il pr pers

ilang-ilang ou ylang-ylang nm, pl *ilangs-ilangs, ylangs-ylangs*

île nf; *ilien, enne* n; *îlot* nm (circonflexe sur *î*)

iliaque adj (un seul *l*)

illégal, e, aux adj; *illégalité* nf

illégitime adj

illettré, e adj, n

illicite adj

illico adv

illimité, e adj (deux *l*, un *m*)

illisible adj

illogique adj

illuminer vt

illusion nf; *illusionner* vt

illusoire adj

illustre adj

illustrer vt

ilote ou hilote nm (pas de circonflexe)

ilotisme nm

il y a loc v → p 26

image nf

imaginer vt

imago nm (insecte), pl *imagos*

imago nf (psychanalyse), pl *imagos*

iman ou imam nm, pl *imans, imâms*

imbattable adj (deux *t*)

imbécile adj, n (masculin ou féminin); *imbécillité* nf (avec deux *l*).

imberbe adj

imbiber vt

imbriquer vt; *imbrication* nf

imbroglio nm, pl *imbroglios*

imbu, e adj

imbuvable adj

imiter vt

immaculé, e adj

immanent, e adj; *immanence* nf

immangeable adj

immanquable adj

immatériel, e adj

immatriculer vt

immédiat, e adj

immémorial, e, aux, adj

immense adj; *immensément* adv (attention à l'accentuation)

immerger vt; *immersion* nf

immérité, e adj

immettable adj

immeuble adj; nm

immigrer vi

imminent, e adj; *imminence* nf

immiscer (s') vpr; *immixtion* nf

immobile adj

immobilier, ère adj

immodéré, e adj; *immodérément* adv

immodeste adj

immoler vt

immonde adj

immondices nfpl

immoral, e, aux adj

immortel, elle adj

immuable adj

immuniser vt

impact nm

impair, e adj; *impair* nm

impalpable adj

impardonnable adj

imparfait, e adj

impartageable adj

impartial, e, aux adj; *impartialité* nf

impartir vt

impasse nf

impassible adj

impatient, e adj; *impatience* nf; *impatiemment* adv

impatroniser (s') vpr

impavide adj

impayable adj

impeccable adj (deux *c*)

impedimenta nmpl

impénétrable adj

impénitent, e adj

impératif, ive adj

impératrice nf (fém de *empereur*)

imperceptible adj

imperdable adj

imperfection nf; *imperfectible* adj

impérial, e, aux adj

impérieux, euse adj

impérissable adj (un seul *r*)

impéritie nf

imperméable adj; nm

impersonnel, elle adj

impertinent, e adj; *impertinence* nf; *impertinemment* adv

imperturbable adj

impétigo nm, pl *impétigos*

impétrant, e n

impétueux, euse adj; *impétuosité* nf

impie adj, n (masculin ou féminin); *impiété* nf

impitoyable adj

implacable adj (attention au *c*)

implant nm

implanter vt

implicite adj

impliquer vt; *implication* nf

implorer vt

imploser vi, pp *implosé* inv

impoli, e adj; *impoliment* adv

impolitique adj

impondérable adj; nm

impopulaire adj

importable adj

important, e adj; *importance* nf

importer vti, pp *importé* inv; *qu'importe, il importe peu* → p 44

importer vt

import-export nm (sing)

importun, e adj; *importunément* adv (attention à l'accentuation)

imposant, e adj

imposer vt

impossible adj

imposte nf (féminin)

imposteur nm

impôt nm (circonflexe sur *ô*)

impotent, e adj; *impotence* nf

impraticable adj (attention au *c*)

imprécation nf

imprécis, e adj

imprégner vt

imprenable adj

imprésario ou impresario nm, pl *imprésarios* ou *impresarii*

imprescriptible adj

impression nf; *impressionner* vt

imprévisible adj; *imprévu, e* adj

imprévoyant, e adj; *imprévoyance* nf

116

imprimer vt ; *imprimatur* nm inv
improbable adj
improbité nf
improductif, ive adj
impromptu, e adj ; *impromptu* adv ; *impromptu* nm, pl *impromptus* (musique)
imprononçable adj
impropre adj
improuvable adj
improviser vt
improviste (à l') loc adv
imprudent, e adj ; *imprudence* nf ; *imprudemment* adv
impubère adj
impudent, e adj ; *impudence* nf ; *impudemment* adv
impudeur nf
impudique adj
impuissant, e adj ; *impuissance* nf
impulser vt
impulsif, ive adj
impuni, e adj ; *impunément* adv
impur, e adj ; *impureté* nf
imputer vt
imputrescible adj (attention *sc*)
inabordable adj
inacceptable adj
inaccessible adj
inaccomplissement nm
inaccoutumé, e adj
inachevé, e adj
inaction nf
inadmissible adj
inadvertance nf
inaliénable adj
inaltérable adj
inamical, e, aux adj
inamovible adj
inanimé, e adj
inanité nf
inanition nf
inapaisable adj
inaperçu, e adj (un seul *p*)
inapparent, e adj
inappétence nf (deux *p*)
inappliqué, e adj ; *inapplicable* adj
inapprécié, e adj
inapprivoisable adj
inapte adj
inarticulé, e adj
inassimilable adj
inassouvi, e adj
inattaquable adj
inattendu, e adj
inattention nf
inaudible adj
inaugurer vt ; *inaugural, e, aux* adj ; *inauguration* nf
inavoué, e adj
inca adj, pl *incas*
incalculable adj
incandescent, e adj ; *incandescence* nf (attention *sc*)
incantation nf
incapable adj
incarcérer vt
incarnat, e adj ; *incarnat* nm, pl *incarnats*
incarner vt
incartade nf
incassable adj
incendie nm
incertain, e adj
incertitude nf

incessant, e adj ; *incessamment* adv
incessible adj
inceste nm
inchoatif, ive adj
incident, e adj ; *incident* nm ; *incidemment* adv ; *incidence* nf
incinérer vt
incise nf
inciser vt
incisif, ive adj
inciter vt
incivil, e adj
inclassable adj
inclément, e adj
incliner vt
inclure vt, pp *inclus, e* ; *inclusion* nf
incoercible adj
incognito adv ; *incognito* nm, pl *incognitos*
incohérent, e adj ; *incohérence* nf
incolore adj
incomber vti, pp *incombé* inv
incombustible adj
income-tax nm inv
incommensurable adj (deux *m*)
incommode adj
incommoder vt
incommunicable adj (attention au *c*)
incomparable adj
incompatible adj
incompétent, e adj ; *incompétence* nf
incomplet, ète adj ; *incomplètement* adv ; *incomplétude* nf (attention à l'accentuation)
incompréhensible adj
incompressible adj
incompris, e adj
inconcevable adj
inconciliable adj
inconditionné, e adj
inconduite nf
inconfort nm
incongru, e adj ; *incongruité* nf ; *incongrûment* adv (circonflexe sur *û*)
inconnu, e adj, n ; *inconnu* nm
inconscient, e adj ; *inconscience* nf ; *inconsciemment* adv
inconséquent, e adj ; *inconséquence* nf ; *inconséquemment* adv
inconsidéré, e adj ; *inconsidérément* adv
inconsistant, e adj ; *inconsistance* nf
inconsolé, e adj
inconstant, e adj ; *inconstance* nf
inconstitutionnel, elle adj
inconstructible adj
incontesté, e adj
incontinent, e adj ; *incontinence* nf
incontinent adv
incontrôlable adj (circonflexe sur *ô*)
inconvenant, e adj
inconvénient nm
inconvertible adj
incoordination nf
incorporel, elle adj
incorporer vt

incorrect, e adj
incorrigible adj
incorruptible adj
incrédule adj
increvable adj
incriminer vt
incrochetable adj
incroyable adj
incroyant, e n
incruster vt
incube nm (masculin)
incuber vt
inculper vt
inculquer vt ; *inculcation* nf
inculte adj
incultivable adj
incunable nm (masculin)
incurable adj
incurie nf
incursion nf
incurver vt
indécent, e adj ; *indécence* nf ; *indécemment* adv
indéchiffrable adj
indéchirable adj
indécidable adj
indécis, e adj
indéclinable adj
indécollable adj
indécomposable adj
indécrottable adj
indéfectible adj
indéfendable adj
indéfini, e adj ; *indéfiniment* adv
indéformable adj
indéfrisable nf (féminin)
indélébile adj
indélicat, e adj
indemne adj (attention *mn*)
indemniser vt (attention *mn*)
indéniable adj
indénombrable adj
indépendant, e adj ; *indépendance* nf ; *indépendamment* adv
indéracinable adj
indescriptible adj
indésirable adj
indestructible adj
indéterminé, e adj
index nm inv
indice nm
indicible adj
indienne nf
indifférent, e adj ; *indifférence* nf ; *indifféremment* adv
indigence nf ; *indigent, e* adj
indigène adj, n (masculin ou féminin)
indigeste adj
indigne adj
indigner vt
indigo nm, pl *indigos* ; adj inv (couleur)
indiquer vt ; *indication* nf
indirect, e adj
indiscernable adj
indiscipline nf
indiscret, ète adj ; *indiscrétion* nf (attention aux accents)
indiscuté, e adj
indispensable adj
indisponible adj
indisposer vt
indissoluble adj
indistinct, e adj
individu nm

individuel, elle adj ; *individuali-*
ser vt
indivis, e adj
indivisible adj
indocile adj
indolent, e adj ; *indolence* nf ;
indolemment adv
indolore adj
indompté, e adj
in-douze nm inv
indu, e adj (pas de circonflexe) ;
indûment adv (circonflexe sur
û)
indubitable adj
induire vt, pp *induit, e* ; *induc-*
tion nf
indulgent, e adj ; *indulgence* nf
induré, e adj
industrie nf
inébranlable adj
inédit, e adj
ineffable adj
ineffaçable adj
inefficace adj
inégal, e, aux adj
inélégant, e adj ; *inélégance* nf ;
inélégamment adv
inéligible adj
inéluctable adj
inemployé, e adj
inénarrable adj (un *n* et deux *r*)
inepte adj ; *ineptie* nf (avec un *t*)
inépuisé, e adj
inéquitable adj
inerte adj ; *inertie* nf (avec un *t*)
inespéré, e adj
inestimable adj
inévitable adj
inexact, e adj
inexcusable adj
inexécution nf
inexercé, e adj
inexigible adj
inexistant, e adj ; *inexistence* nf
inexorable adj
inexpérience nf
inexpérimenté, e adj
inexpié, e adj
inexpliqué, e adj ; *inexplicable*
adj (attention au *c*)
inexploité, e adj
inexploré, e adj
inexpressif, ive adj
inexprimé, e adj
inexpugnable adj
inextensible adj
in extenso loc adv
inextinguible adj
in extremis loc adv
inextricable adj
infaillible adj
infaisable adj
infâme adj (circonflexe sur *â*) ;
infamant, e adj ; *infamie* nf
(sanc circonflexe sur les dérivés)
infant, e n
infanticide nm (meurtre) ;
n (personne) [masculin ou
féminin]
infantile adj
infarctus nm inv
infatigable adj (pas de *u* après
g)
infatuation nf
infécond, e adj
infect, e adj

infection nf ; *infectieux, euse*
adj
inféoder vt
inférer vt
inférieur, e adj ; *infériorité* nf
infernal, e, aux adj
infertile adj
infester vt
infidèle adj ; *infidélité* nf (attention aux accents)
infiltrer (s') vpr
infime adj
infini, e adj ; *infiniment* adv ;
infinitésimal, e, aux adj
infinitif nm
infirme adj, n (masculin ou
féminin)
infirmer vt
infirmier, ère n
inflammable adj
inflation nf ; *inflationniste* adj
infléchir vt ; *inflexion* nf
inflexible adj
infliger vt
inflorescence nf
influer vti, pp *influé* inv ;
influent, e adj ≠ *influant* pprés
du v ; *influence* nf ; *influencer*
vt
influenza nf (féminin), pl
influenzas
influx nm inv
in-folio nm inv
informatique nf
informe adj
informer vt
infortune nf
infraction nf
infrarouge nm ; adj
infrason nm
infrastructure nf
infréquentable adj
infroissable adj
infructueux, euse adj
infumable adj
infus, e adj
infuser vt, vi
infusible adj
infusoire nm
ingagnable adj
ingambe adj (avec un *g*)
ingénier (s') vpr
ingénieur nm ; *ingénierie* nf
ingénu, e adj ; *ingénuité* nf ;
ingénument adv (pas de circonflexe)
ingérer vt ; *ingestion* nf
ingérer (s') vpr ; *ingérence* nf
ingouvernable adj
ingrat, e adj ; *ingratitude* nf
ingrédient nm
inguérissable adj
inguinal, e, aux, adj
ingurgiter vt
inhabile adj
inhabité, e adj
inhaler vt
inharmonieux, euse adj
inhérent, e adj
inhiber vt
inhumain, e adj
inhumer vt
inimaginable adj
inimité, e adj
inimitié nf
ininflammable adj

inintelligent, e adj ; *inintelli-*
gence nf ; *inintelligemment*
adv
inintelligible adj
inintéressant, e adj
ininterrompu, e adj
inique adj
initial, e, aux adj ; *initiale* nf
initiative nf
initier vt
injecter vt
injonction nf
injouable adj
injure nf
injuste adj
inlandsis nm inv
inlassable adj
inlay nm, pl *inlays*
inné, e adj
innerver vt
innocent, e adj ; *innocence* nf ;
innocemment adv
innocuité nf (avec deux *n*)
innombrable adj
innomé, e ou **innommé, e** adj ;
innommable adj (avec deux *n*
et deux *m*)
innover vt (deux *n*)
inobservance nf
inobservé, e adj
inoccupé, e adj (deux *c* et un *p*)
in-octavo nm inv
inoculer vt
inodore adj
inoffensif, ive adj
inonder vt (un seul *n*)
inopérable adj
inopérant, e adj
inopiné, e adj ; *inopinément* adv
inopportun, e adj ; *inopportu-*
nément adv ; *inopportunité* nf
inorganisé, e adj
inoubliable adj
inouï, e adj (tréma sur *ï*)
inoxydable adj
in partibus loc adj
in petto loc adv
inqualifiable adj
in-quarto nm inv
inquiet, ète adj ; *inquiéter* vt
(attention aux accents)
inquisition nf ; *inquisiteur, trice*
adj, n ; *inquisitorial, e, aux* adj
insaisissable adj
insalissable adj
insalubre adj
insane adj
insatiable adj
insatisfait, e adj
inscrire vt, pp *inscrit, e*
insecte nm ; *insectarium* nm, pl
insectariums
insécurité nf
in-seize nm inv
inséminer vt
insensible adj
inséparable adj
insérer vt ; *insertion* nf
insidieux, euse adj
insight nm, pl *insights*
insigne adj ; nm
insignifiant, e adj
insinuer vt
insipide adj
insister vi, pp *insisté* inv ; *insis-*
tance nf
insolation nf

insolent, e adj, n; *insolence* nf;
insolemment adv
insolite adj
insoluble adj
insolvable adj
insomnie nf; *insomniaque* adj
(attention *mn*)
insondable adj
insonore adj; *insonoriser* vt (un
seul *n* après *o*)
insouciant, e adj; *insouciance*
nf
insoumis, e adj; *insoumission*
nf
insoupçonné, e adj
insoutenable adj
inspecter vt
inspirer vt
instable adj
installer vt
instamment adv
instance nf
instant, e adj
instant nm; *instantané, e* adj;
instantanément adv
instar (à l') loc prép
instaurer vt
instigation nf
instiller vt
instinct nm (*ct* à la finale); *ins-
tinctif, ive* adj
instituer vt; *institution* nf; *insti-
tutionnaliser* vt
instruire vt, pp *instruit, e*; *instruction* nf; *instructif, ive* adj
instrument nm; *instrumental, e,
aux* adj
insu de (à l') loc prép
insubmersible adj
insubordonné, e adj
insuccès nm inv
insuffisant, e adj; *insuffisance*
nf; *insuffisamment* adv
insuffler vt (deux *f*)
insulaire adj, n (masculin ou
féminin); *insularité* nf
insuline nf
insulte nf
insupportable adj
insurger (s') vpr; *insurrection*
nf; *insurrectionnel, elle* adj
insurmontable adj
intact, e adj
intangible adj
intarissable adj (un seul *r*)
intégral, e, aux adj
intègre adj; *intégrité* nf (attention aux accents)
intégrer vt
intellect nm
intellectuel, elle adj, n
intelligent, e adj; *intelligence*
nf; *intelligemment* adv
intelligentsia nf, pl *intelligent-
sias* (attention *ts*)
intelligible adj
intempérant, e adj
intempérie nf
intempestif, ive adj
intenable adj
intendant, e n
intense adj; *intensément* adv;
intensifier vt
intenter vt
intention nf; *intentionnel, elle*
adj
interaction nf
interallié, e adj

interarmes adj inv (avec un *s*)
intercaler vt
intercéder vi, pp *intercédé* inv;
intercession nf
interchangeable adj
interclasse nm (masculin)
interclubs adj inv (avec un *s*)
interconnecter vt; *intercon-
nexion* nf
intercontinental, e, aux adj
intercostal, e, aux adj
interdépendant, e adj
interdire vt, pp *interdit, e*; *inter-
diction* nf; *interdit* nm
intéresser vt; *intérêt* nm (circonflexe sur le dernier *ê*)
interférence nf
intérieur, e adj; *intériorité* nf
intérim nm inv
interjection nf
interjeter vt
interligne nm
interlocuteur, trice n
interlope adj
interloquer vt
intermède nm
intermédiaire adj, n (masculin
ou féminin)
intermezzo nm, pl *intermezzos*
interminable adj
intermittent, e adj
international, e, aux adj; *inter-
nationalisme* nm
interne adj, n (masculin ou
féminin)
interpeller vt; *interpellation* nf
(avec deux *l*)
interpénétrer (s') vpr
interpoler vt; *interpolation* nf
(avec un seul *l*)
interposer vt
interprète n (masculin ou féminin); *interpréter* vt (attention
aux accents)
interrègne nm (avec deux *r*)
interroger vt
interrompre vt, pp *interrompu,
e*; *interruption* nf
intersection nf
intersession nf
intersidéral, e, aux adj
interstellaire adj
interstice nm (masculin); *inter-
stitiel, elle* adj (attention *tiel*)
interurbain, e adj
intervalle nm (masculin)
intervenir vi, pp *intervenu, e*;
intervention nf; *intervention-
nisme* nm
intervertir vt
interview nf ou nm (des deux
genres) pl *interviews*; *intervie-
wer* nm, pl *interviewers*; *inter-
viewer* vt
intestat adj inv en genre
intestin nm; *intestinal, e, aux*
adj
intestin, e adj
intime adj
intimer vt
intimider vt
intituler vt
intolérable adj
intolérant, e adj; *intolérance* nf
intonation nf (un seul *n*)
intoxiquer vt; *intoxication* nf;
intoxicant, e adj ≠ *intoxiquant*
pprés du v

intraduisible adj
intraitable adj
intra-muros loc adv
intramusculaire adj
intransigeant, e adj; *intransi-
geance* nf (attention *ea*)
intransitif, ive adj
intransportable adj
intrépide adj
intrigue nf; *intriguer* vi, vt; *intri-
gant, e* adj ≠ *intriguant* pprés
du v
intrinsèque adj
introduire vt, pp *introduit, e*
introït nm inv (tréma sur *ï*)
intromission nf
introniser vt
introspection nf
introuvable adj
introverti, e adj, n; *introversion*
nf
intrus, e adj; *intrusion* nf
intuition nf; *intuitionnisme* nm;
intuitif, ive adj
inusable adj
inusité, e adj
inutile adj
invalide adj, n (masculin ou
féminin)
invalider vt
invariable adj
invasion nf
invective nf; *invectiver* vt
invendu, e adj
inventaire nm
inventer vt
inventorier vt
inverse adj; nm
invertébré nm
invertir vt; *inversion* nf
investigation nf
investir vt; *investiture* nf
invétéré, e adj
invincible adj
inviolable adj
invisible adj
inviter vt
in vitro loc adv
invivable adj
in vivo loc adv
involontaire adj
involucre nm (masculin)
involution nf
invoquer vt; *invocation* nf
invraisemblable adj (un seul *s*)
invulnérable adj
iode nm (masculin)
ion nm; *ioniser* vt
iota nm, pl *iotas*
ipéca nm, pl *ipécas*
ipso facto loc adv
irascible adj (un seul *r*)
ire nf
iridium nm, pl *iridiums*
iris nm inv
ironie nf
irradier vt
irraisonné, e adj
irrationnel, elle adj; *irrationa-
lisme* nm
irréalisable adj
irrecevable adj
irréconciliable adj
irrécusable adj
irréductible adj
irréel, elle adj; *irréalité* nf
irréfléchi, e adj; *irréflexion* nf
irréfuté, e adj

irrégulier, ère adj
irréligion nf (accent sur é)
irrémédiable adj
irrémissible adj
irremplaçable adj
irréparable adj
irrépréhensible adj
irréprochable adj
irrésistible adj
irrésolu, e adj
irrespect nm
irrespirable adj
irresponsable adj
irrétrécissable adj
irrévérence nf

irréversible adj
irrévocable adj
irriguer vt; *irrigable* adj; *irrigation* nf (avec deux *r*)
irriter vt; *irritable* adj
irruption nf (avec deux *r*)
isabelle adj inv
isard nm
isba nf, pl *isbas*
ischémie nf
islam nm (sing)
isobare adj
isocèle adj
isoclinal, e, aux adj
isoglosse adj; nf

isoler vt; *isolement* nm; *isolément* adv; *isolation* nf
isomère adj
isomorphe adj
isotope adj
issu, e adj; *issue* nf
isthme nm (masculin)
item adv (de même)
item nm (élément), pl *items*
itération nf
itinéraire nm
ivoire nm (masculin)
ivraie nf
ivre adj → p 27
ivrogne n (masculin ou féminin)

j

j nm inv
jabot nm
jacasser vi, pp *jacassé* inv
jachère nf
jacinthe nf (*h* après *t*)
jack nm, pl *jacks*
jacobin, e n
jacquard nm
jacquerie nf
jactance nf
jade nm (masculin)
jadis adv
jaguar nm
jaillir vi
jais nm inv
jalon nm ; *jalonner* vt
jaloux, ouse adj, n
jamais adv
jambe nf
jambon nm ; *jambonneau* nm, pl *jambonneaux*
jamboree nm, pl *jamborees*
jam-session nf, pl *jam-sessions*
janissaire nm
jante nf
janvier nm, pl *janviers*
japper vi, pp *jappé* inv
jaque nm (masculin)
jaquette nf
jardin nm ; *jardiner* vt
jarre nf
jarret nm
jarretelle nf (avec deux *r* et deux *l*)
jars nm inv (mâle de l'oie)
jas nm inv
jaser vi, pp *jasé* inv
jasmin nm
jaspe nm (masculin)
jatte nf
jauge nf ; *jauger* vt ; *jaugeage* nm
jaune adj ; nm
jaunisse nf
java nf
Javel (eau de) nf ; *javelliser* vt (deux *l*)
javelle nf
javelot nm
jazz nm inv ; *jazz-band* nm, pl *jazz-bands* ; *jazzman* nm, pl *jazzmen*
je pron pers
jean ou jeans nm, pl *jeans*
jean-foutre nm inv
jeannette nf
jeep nf, pl *jeeps*
jéjunum nm, pl *jéjunums*
je-m'en-fichisme ou je-m'en-foutisme nm (au sing)

je-ne-sais-quoi nm inv
jérémiade nf
jerrican ou jerricane nm, pl *jerricans, jerricanes*
jersey nm, pl *jerseys*
jésuite nm
jésus nm inv
jet nm, pl *jets*
jetée nf
jeter vt ; *jeteur, euse* n
jeton nm
jet-stream nm, pl *jet-streams*
jeu nm, pl *jeux*
jeudi nm, pl *jeudis* → p 14
jeun (à) loc adv
jeune adj ; *jeunesse* nf ; *jeunot, otte* adj, n ; *jeunet, ette* adj, n
jeûne nm ; *jeûner* vi, pp *jeûné* inv (circonflexe sur *û*)
jiu-jitsu nm inv
joaillier, ère n ; *joaillerie* nf
job nm, pl *jobs*
jobard, e adj, n
jockey n, pl *jockeys*
jocrisse nm
jodhpurs nmpl
joie nf
joindre vt, pp *joint, e* ; *joint* nm
jointoyer vt ; *jointoiement* nm
joli, e adj ; *joliesse* nf
jonc nm
joncher vt
jongler vi, pp *jonglé* inv
jonque nf
jonquille nf ; adj inv (couleur)
jota nf, pl *jotas* (le *j* se prononce *r*)
joue nf ; *joufflu, e* adj
jouer vt, vi ; *joujou* nm, pl *joujoux*
joug nm
jouir vti, pp *joui* inv
jour nm ; NOMS DE JOUR → p 14 ; *se faire jour* → p 43
journal nm, pl *journaux*
journée nf ; *journellement* adv
joute nf ; *jouter* vi, pp *jouté* inv
jouvence nf
jouvenceau nm, pl *jouvenceaux* ; *jouvencelle* nf
jouxter vt
jovial, e, als ou aux adj
joyau nm, pl *joyaux*
joyeux, euse adj
jubé nm
jubilé nm
jubiler vi, pp *jubilé* inv
jucher vt, vi
judaïque adj ; *judaïser* vt ; *judaïsme* nm (tréma sur *ï*)

judas nm inv
judiciaire adj
judicieux, euse adj
judo nm, pl *judos* ; *judoka* n (masculin ou féminin), pl *judokas*
juge nm
juger vt ; *jugeote* nf (un seul *t*)
jugulaire adj ; nf
juguler vt
juif, ive n
juillet nm, pl *juillets*
juin nm, pl *juins*
jujube nm (masculin)
juke-box nm, pl *juke-boxes* ou *juke-box*
julep nm, pl *juleps*
jumbo-jet nm, pl *jumbo-jets*
jumeau, elle adj, n, pl *jumeaux, jumelles* ; *jumeler* vt
jumelles nfpl → p 14
jument nf
jumping nm, pl *jumpings*
jungle nf
junior adj (inv en genre) ; n (masculin ou féminin), pl *juniors*
junte nf
jupe nf
jupe-culotte nf, pl *jupes-culottes*
jurande nf
jurer vt
juridique adj ; *juridiction* nf
jurisconsulte nm
jurisprudence nf
juron nm
jury nm, pl *jurys*
jus nm inv ; *juter* vi ; *juteux, euse* adj
jusant nm
jusqu'au-boutisme nm, pl *jusqu'au-boutismes* ; *jusqu'au-boutiste* adj, n (masculin ou féminin), pl *jusqu'au-boutistes*
jusque adv → p 59
jusquiame nf
justaucorps nm inv
juste adj
juste-milieu nm, pl *justes-milieux*
justice nf ; *se faire justice* → p 43
justifier vt
jute nm (masculin)
juteux, euse adj
juvénile adj
juxtalinéaire adj
juxtaposer vt

k nm inv
kabbale nf
kakatoès ou **cacatoès** nm inv
kakemono nm, pl *kakemonos*
kaki adj inv; nm, pl *kakis*
kaléidoscope nm
kamikaze nm, pl *kamikazes*
kandjar nm, pl *kandjars*
kangourou nm, pl *kangourous*
kaolin nm
kapok nm, pl *kapoks*
kappa nm, pl *kappas*
karakul ou **caracul** nm, pl *karakuls, caraculs*
karaté nm; **karatéka** n (masculin ou féminin), pl *karatékas*
karstique adj
karting nm, pl *kartings*
kasher, cacher ou **casher** adj inv (pas d'accent)
kayak nm, pl *kayaks*
keepsake nm, pl *keepsakes*
képi nm
kermès nm inv
kermesse nf
kérosène nm
ketch nm, pl *ketchs*
ketchup nm inv (masculin)

khamsin ou **chamsin** nm, pl *khamsins, chamsins*
khân nm, pl *khâns*
khédive nm; *khédival* ou *khédi-vial, e, aux* adj
kibboutz nm, pl *kibboutz* ou *kib-boutzim*
kick nm, pl *kicks*
kid nm, pl *kids*
kidnapper vt; **kidnapping** nm (deux *p*)
kif nm, pl *kifs*
kif-kif adj inv
kilo nm, pl *kilos*
kilogramme nm
kilomètre nm
kilowatt nm, pl *kilowatts*
kilt nm, pl *kilts*
kimono nm, pl *kimonos*
kinésithérapeute n (masculin ou féminin); **kinésithérapie** nf
kinesthésie nm inv
king-charles nm inv
kinkajou nm, pl *kinkajous*
kiosque nm
kirsch nm, pl *kirschs*
kitsch adj inv
kiwi nm, pl *kiwis*

Klaxon nm (nom déposé), pl *Klaxons*; **klaxonner** vt, vi
kleptomane ou **cleptomane** n (masculin ou féminin); **klepto-manie** ou **cleptomanie** nf
knock-down nm inv
knock-out nm inv
knout nm
koala nm, pl *koalas*
kobold nm, pl *kobolds*
kohol ou **khôl** nm, pl *kohols, khôls*
kola ou **cola** nm, pl *kolas, colas*
kolkhoze nm, pl *kolkhozes*
konzern nm, pl *konzerns*
kopeck nm, pl *kopecks*
korrigan, e n
kouglof nm, pl *kouglofs*
kraal nm, pl *kraals*
krach nm, pl *krachs*
kraft nm, pl *krafts*
krypton nm
ksar nm, pl *ksour*
kummel nm, pl *kummels*
kumquat nm, pl *kumquats*
kwas ou **kvas** nm inv
kymrique nm (masculin)
Kyrie ou **Kyrie eleison** nm inv
kyrielle nf
kyste nm

l nm inv

la art ; pr pers f
la nm inv
là adv → p 61
là-bas adv
label nm (marque)
labelle nm (pétale)
labeur nm
labial, e, aux adj
labile adj
laboratoire nm
laborieux, euse adj
labour nm
labrador nm, pl *labradors*
labyrinthe nm (*y* d'abord, *i* ensuite)
lac nm (étendue d'eau) ≠ *lacs* (nœud)
lacer vt
lacérer vt
lacet nm
lâche adj (circonflexe sur *â*)
lâcher vt (circonflexe sur *â*)
lacis nm inv
laconique adj (un seul *n*)
lacrima-christi nm inv
lacrymal, e, aux adj
lacs nm (nœud) ≠ *lac* (étendue d'eau)
lactaire nm (masculin)
lacté, e adj
lacune nf
lacustre adj
lad nm, pl *lads*
ladre adj
lady nf, pl *ladies*
lagon nm
lagune nf
là-haut adv
lai nm (petit poème)
lai adj m (frère lai)
laïc, ïque ou **laïque** adj, n ; **laïcité** nf (tréma sur *i*)
laid, e adj ; **laideron** nm → p 6
laie nf (femelle du sanglier)
laine nf
laïque → laïc
lais nmpl (alluvion)
laisse nf
laissé-pour-compte nm, pl *laissés-pour-compte*
laisser vt ; accord du pp *laissé* → p 41, 43
laisser-aller nm inv
laissez-passer nm inv
lait nm (un seul *t* dans les dérivés : *laitage, laitier, laiterie*)
laiteron nm
laiton nm ; **laitonner** vt
laitue nf
laïus nm inv ; **laïusser** vi, pp *laïussé* inv (tréma sur *i*)
lallation nf
lama nm, pl *lamas* ; **lamaïsme** nm (tréma sur *i*)

lamaneur nm
lamantin nm
lambda nm, pl *lambdas*
lambeau nm, pl *lambeaux*
lambin, e adj, n ; **lambiner** vi, pp *lambiné* inv
lambourde nf
lambrequin nm
lambris nm inv ; **lambrisser** vt
lambruche ou **lambrusque** nf
lame nf ; **lamelle** nf
lamenter (se) vpr
lamento nm, pl *lamentos*
laminaire nf (féminin)
laminer vt
lampadaire nm
lampant, e adj
lamparo nm, pl *lamparos*
lampas nm inv
lampe nf
lampée nf
lampion nm
lamproie nf
lampyre nm (masculin)
lance nf
lance-bombes nm inv
lance-flammes nm inv
lance-fusées nm inv
lance-grenades nm inv
lance-missiles nm inv
lance-pierres nm inv
lancer vt
lance-roquettes nm inv
lance-torpilles nm inv
lanciner vt
landau nm, pl *landaus*
lande nf
landier nm
langage nm
lange nm (masculin)
langouste nf
langue nf
langue-de-bœuf nf, pl *langues-de-bœuf*
langue-de-chat nf, pl *langues-de-chat*
langue-de-serpent nf, pl *langues-de-serpent*
langueur nf
langueyer vt
languir vi ; **languissant, e** adj ; **languissamment** adv
lanière nf
lanifère ou **lanigère** adj
lanoline nf
lansquenet nm
lanterne nf
lanterneau nm, pl *lanterneaux*
lanternier vi
lapalissade nf
laper vt (un seul *p*)
lapidaire nm ; adj
lapider vt
lapin, e n ; **lapereau** nm, pl *lapereaux*
lapis ou **lapis-lazuli** nm inv

lapon, laponne ou **lapone** adj → p 11
laps nm inv
lapsus nm inv
laquais nm inv
laque nf (résine) ; nm (vernis)
larbin nm
larcin nm
lard nm ; **larder** vt
lare nm ; adj
large adj → p 27
larghetto adv ; **larghetto** nm, pl *larghettos*
largo adv ; **largo** nm, pl *largos*
larguer vt
larigot nm
larme nf ; **larmoyer** vi, pp *larmoyé* inv ; **larmoiement** nm
larme-de-Job nf, pl *larmes-de-Job*
larron nm
larve nf
larynx nm inv ; **laryngé, e** adj
las, lasse adj
lasagne ou **lasagnes** nfpl
lascar nm
lascif, ive adj ; **lascivité** nf (attention *sc*)
lasso nm, pl *lassos*
Lastex nm inv (nom déposé)
latanier nm
latent, e adj ; **latence** nf (un seul *t*)
latéral, e, aux adj
latérite nf
latex nm inv
laticlave nm
latifundium nm, pl *latifundia*
latin, e adj ; **latiniser** vt
latitude nf (un seul *t*)
latomies nfpl
latrines nfpl
latte nf
laudanum nm, pl *laudanums*
laudatif, ive adj
lauré, e adj
lauréat, e adj, n
laurier nm
laurier-rose nm, pl *lauriers-roses*
lavallière nf (avec deux *l*)
lavande nf
lavandière nf
lavaret nm
lavatory nm, pl *lavatories*
lave nf
lave-dos nm inv
lave-glace nm, pl *lave-glaces*
lave-linge nm inv
lave-mains nm inv
lave-pont nm, pl *lave-ponts*
laver vt
lave-tête nm inv
lave-vaisselle nm inv
lavette nf
lavis nm inv

lawn-tennis nm inv
laxatif, ive adj
laxité nf
layette nf
layon nm
lazaret nm
lazzarone nm, pl *lazzaroni*
lazzi nm, pl *lazzi* ou *lazzis*
le, la, les art; pr pers
lé nm (largeur)
leader nm, pl *leaders*
leasing nm, pl *leasings*
lèchefrite nf
lécher vt; **lèche** nf (attention aux accents)
lèche-vitrines nm inv
leçon nf
lecteur, trice n
légal, e, aux adj
légat nm
légataire n
légation nf
légende nf
léger, ère adj; **légèreté** nf; **légèrement** adv (attention aux accents)
leggings nfpl
leghorn nf, pl *leghorns*
légiférer vi, pp *légiféré* inv
légion nf; **légionnaire** nm
législation nf
légiste n (masculin ou féminin)
légitime adj
léguer vt; **légataire** n (masculin ou féminin); **legs** nm inv
légume nm (plante) [masculin]
légume nf (personne) [féminin]
leishmania nf, pl *leishmanias*
leitmotiv nm, pl *leitmotive* ou *leitmotivs*
lemme nm
lemming nm, pl *lemmings*
lémures nmpl
lendemain nm, pl *lendemains*
lénifier vt
lent, e adj; **lenteur** nf
lente nf
lentille nf
lentisque nm (masculin)
léonin, e adj
léopard nm
lépidodendron nm
lépiote nf
lèpre nf; **lépreux, euse** n (attention aux accents)
lequel, laquelle, pl *lesquels, lesquelles* pr rel, pr interr
lèse-majesté nf, pl *lèse-majestés*
léser vt
lésine ou **lésinerie** nf
lésiner vti, pp *lésiné* inv
lésion nf; **lésionnel, elle** adj
lessive nf
lest nm
leste adj
létal, e, aux adj
léthargie nf (*h* après *t*)
letton, lettonne ou **lettone** adj, n → p 11
lettre nf; NOMS DE LETTRES → p 15
leu nm (monnaie), pl *lei*
leu nm inv (à la queue leu leu)
leucémie nf
leucocyte nm
leur adj poss; pr pers
leurre nm (masculin); **leurrer** vt

lev nm, pl *leva*
levain nm
levant nm; **levantin, e** adj, n
lever vt
léviger vt
lévitation nf
lévite nm (prêtre)
lévite nf (redingote)
lèvre nf
lévrier nm; **levrette** nf (attention à l'accentuation)
levure nf
lexique nm; **lexical, e, aux** adj
lez ou **lès** prép
lézard nm
lézarde nf
liane nf
liard nm
lias nm inv
liasse nf
libation nf
libelle nm (masculin) [écrit diffamatoire]
libellé nm (avec accent aigu) [rédaction]
libeller vt
libellule nf
liber nm, pl *libers*; **libérien, enne** adj (attention à l'accentuation)
libéral, e, aux adj
libérer vt
liberté nf
libertin, e adj; **libertinage** nm
libidinal, e, aux adj
libidineux, euse adj
libido nf
libraire n (masculin ou féminin)
libration nf
libre adj
libre-échange nm, pl *libre-échanges*; **libre-échangiste** n (masculin ou féminin), pl *libre-échangistes*
libre-service nm, pl *libres-services*
libretto nm, pl *libretti* ou *librettos*; **librettiste** n (masculin ou féminin)
lice nf (chienne)
lice ou **lisse** nf (métier à tisser)
licence nf
licencier vt; **licenciement** nm
licencieux, euse adj
lichen nm, pl *lichens*
licite adj
liciter vt
licorne nf
licou nm, pl *licous*
licteur nm
lie nf
lied nm, pl *lieds* ou *lieder*
lie-de-vin adj inv
liège nm
lien nm
lier vt; **liaison** nf
lierre nm
liesse nf
lieu nm (poisson), pl *lieus*
lieu nm, pl *lieux*; NOMS PROPRES DE LIEUX → p 17, 18
lieu-dit nm, pl *lieux-dits*
lieue nf (mesure)
lieutenant nm
lieutenant-colonel nm, pl *lieutenants-colonels*
lièvre nm; **levraut** nm
lift nm, pl *lifts*; **lifter** vt

liftier nm
lifting nm, pl *liftings*
ligament nm
ligature nf
lige adj
ligne nf
lignée nf
ligneux, euse adj
lignifier (se) vpr
lignite nm (masculin)
ligoter vt (un seul *t*)
ligue nf; **liguer** vt
lilas nm inv; **lilial, e, aux** adj
lilliputien, enne adj
limace nf
limaçon nm
limaille nf
limande nf
limbe nm (masculin)
lime nf
limier nm
liminaire ou **liminal, e, aux** adj
limite nf
limitrophe adj
limoger vt
limon nm
limonade nf
limousine nf
limpide adj
lin nm
linceul nm (avec un *c*)
linéaire adj
linéament nm
linge nm
lingot nm
lingual, e, aux adj
linguiste n (masculin ou féminin)
liniment nm
links nmpl
linoléum nm, pl *linoléums*
linon nm
linotte nf
linteau nm, pl *linteaux*
lion, onne n; **lionceau** nm, pl *lionceaux*
lipome nm (pas de circonflexe)
lippe nf; **lippu, e** adj (avec deux *p*)
liquéfier vt
liquette nf
liqueur nf; **liquoreux, euse** adj
liquide adj; nm; **liquidité** nf
liquider vt
lire nf, pl *lires* (monnaie) ≠ *lyre* (instrument de musique)
lire vt; **lisible** adj
lis ou **lys** nm inv
lisérer ou **liserer** vt
liseron nm
lisière nf
lisse adj
lisse ou **lice** nf
liste nf
listeau nm, pl *listeaux*
lit nm; **literie** nf
litanie nf
lit-cage nm, pl *lits-cages*
litchi ou **lychee** nm, pl *litchis, lychees*
liteau nm, pl *liteaux*
lithium nm, pl *lithiums*
lithographie nf (pas de *y*)
lithosphère nf
litière nf
litige nm (masculin)
litote nf
litre nm

littéral, e, aux adj
littérature nf
littoral, e, aux adj
liturgie nf
livarot nm
livide adj
living-room nm, pl *living-rooms*
livre nm (volume)
livre nf (monnaie ou mesure), pl *livres*
livrée nf
livrer vt
lloyd nm, pl *lloyds*
lob nm, pl *lobs*
lobby nm, pl *lobbies*
lobe nm; *lobule* nm (masculin)
local, e, aux adj; *local* nm, pl *locaux*
localité nf
location nf; *locataire* n
loch nm, pl *lochs*
loche nf
lochies nfpl
lock-out nm inv.; *lock-outer* vt
locomotion nf
locuste nf
locution nf
loden nm, pl *lodens*
lods nmpl
lœss nm inv
lof nm, pl *lofs*
lofing-match nm, pl *lofing-matches*
logarithme nm
loge nf
loger vt
loggia nf, pl *loggias*
logiciel nm
logique adj; *logicien, enne* n
logistique nf
logomachie nf
logopédie nf
logorrhée nf
loi nf
loi-cadre nf, pl *lois-cadres*
loi-programme nf, pl *lois-programmes*
loin adv; *lointain, e* adj
loir nm
loisible adj
loisir nm
lokoum ou loukoum, nm, pl *lokoums, loukoums*
lombago ou lumbago nm, pl *lombagos, lumbagos*
lombes nfpl (féminin)
lombric nm, pl *lombrics*
londrès nm inv
long, longue adj; *longueur* nf
long-courrier nm, pl *long-courriers*
longe nf
longer vt
longeron nm
longévité nf
longiligne adj

longitude nf; *longitudinal, e, aux* adj
long-jointé, e adj, pl *long-jointés, es*
longrine nf
longtemps adv
longue-vue nf, pl *longues-vues*
looping nm, pl *loopings*
lopin nm
loquace adj; *loquacité* nf
loque nf (féminin)
loquet nm; *loqueteau* nm, pl *loqueteaux*
lord nm
lord-maire nm, pl *lords-maires*
lorette nf
lorgner vt
lorgnon nm → p 14
loriot nm
lorry nm, pl *lorries*
lors adv
lorsque conj → p 59
losange nm (masculin)
lot nm
lote ou lotte nf
loterie nf
loti, e adj
lotion nf; *lotionner* vt
lotir vt
loto nm, pl *lotos*
lotte ou lote nf
lotus nm inv
loubard nm
louche nf
louche adj
loucher vi
louer vt; *location* nf
louer vt (féliciter)
loufoque adj
louis nm inv
louise-bonne nf, pl *louises-bonnes*
loukoum ou lokoum nm, pl *loukoums, lokoums*
loulou nm, pl *louloux*
loup nm; *louve* nf; *louveteau* nm, pl *louveteaux; louveter* vi
loup-cervier nm, pl *loups-cerviers*
loupe nf
louper vt
loup-garou nm, pl *loups-garous*
loupiot, e n (gamin)
loupiote nf (petite lampe)
lourd, e adj; *lourdaud, e* adj, n
lourde nf
lourer vt
loustic nm
loutre nf
louvoyer vi, pp *louvoyé* inv; *louvoiement* nm
lover vt
loyal, e, aux adj; *loyauté* nf; *loyaliste* adj, n (masculin ou féminin)

loyer nm
lubie nf
lubrifier vt; *lubrification* nf
lubrique adj
lucane nm (masculin)
lucarne nf
lucide adj
luciole nf
lucratif, ive adj
lucre nm
ludique adj
luette nf
lueur nf
luge nf
lugubre adj
lui pr pers
luire vi, pp *lui* inv
lumbago ou lombago nm, pl *lumbagos, lombagos*
lumen nm
lumière nf
lumignon nm
luminaire nm
lumineux, euse adj
lunch nm, pl *lunchs* ou *lunches*
lundi nm, pl *lundis* → p 14
lune nf
luné, e adj
lunette nf → p 14; *lunetier* nm (avec un *t*); *lunetterie* nf (avec deux *t*)
luni-solaire adj, pl *luni-solaires*
lunule nf
lupanar nm, pl *lupanars*
lupercales nfpl
lupin nm
lupus nm inv
lurette nf
luron, onne n
lustral, e, aux adj
lustre nm
lustrine nf
lut nm (ciment)
luth nm (instrument de musique)
lutin, e adj
lutrin nm
lutte nf; *lutter* vi, pp *lutté* inv (avec deux *t*)
luxe nm; *luxueux, euse* adj
luxure nf
luxuriant, e adj
luzerne nf
lycée nm; *lycéen, enne* n
lychee ou litchi nm, pl *lychees, litchis*
lycopode nm
lymphe nf
lymphocyte nm
lyncher vt
lynx nm inv
lyophiliser vt
lyre nf (instrument de musique) ≠ *lire* (monnaie)
lyrique adj
lys ou lis nm inv

m

m nm inv
ma adj poss
macabre adj
macadam nm, pl *macadams*
macaque nm
macareux nm inv
macaron nm
macaroni nm, pl *macaronis* ou *macaroni*
macédoine nf
macérer vt
machaon nm
mâche nf (circonflexe sur *â*)
mâche-bouchon(s) nm, pl *mâche-bouchons*
mâchefer nm (circonflexe sur *â*)
mâcher vt (circonflexe sur *â*)
machiavélique adj
mâchicoulis nm inv (circonflexe sur *â*)
machinal, e, aux adj
machine nf
machine-outil nf, pl *machines-outils*
machiner vt
macho nm, pl *machos; machisme* nm
mâchoire nf (circonflexe sur *â*)
mâchonner vt (circonflexe sur *â*)
mâchure nf (circonflexe sur *â*)
macle nf (féminin)
maçon nm; *maçonner* vt
maçonnique adj
macreuse nf
macrocosme nm
macropode nm
maculer vt
madame nf, pl *mesdames*
madapolam nm, pl *madapolams*
madeleine nf
mademoiselle nf, pl *mesdemoiselles*
madère nm; *madériser* vt (attention aux accents)
madone nf
madras nm inv
madré, e adj
madrépore nm
madrier nm
madrigal nm, pl *madrigaux*
maelström ou **malstrom** nm, pl *maelströms, malstroms*
maestria nf, pl *maestrias*
maestro nm, pl *maestros*
maffia ou **mafia** nf; pl *maffias, mafias; maffioso* ou **mafioso** nm, pl *maffiosi* ou *mafiosi*
magasin nm; *magasinage* nm (avec un *s*)
magazine nm (avec un *z*)
mage nm
magenta adj inv; nm
maghrébin, e adj
magicien, enne n
magie nf; *magique* adj

magister nm, pl *magisters*
magistère nm
magistral, e, aux adj
magistrat nm
magma nm, pl *magmas; magmatique* adj
magnan nm; *magnanerie* nf
magnanime adj; *magnanimité* nf
magnat nm
magner (se) vpr
magnésium nm, pl *magnésiums*
magnétique adj
magnéto nf, pl *magnétos*
magnétophone nm
magnétoscope nm
magnificat nm inv
magnificence nf
magnifier vt
magnifique adj
magnitude nf
magnolia nm (masculin), pl *magnolias*
magnum nm, pl *magnums*
magot nm
magouille nf
mahârâja ou **mahârâdjah** nm, pl *mahârâjas, mahârâdjahs; maharani* nf, pl *maharanis*
mahatma nm, pl *mahatmas*
mahdi nm, pl *mahdis*
mah-jong nm, pl *mah-jongs*
mahométan, e adj, n
mai nm, pl *mais*
maïeutique nf (tréma sur *ï*)
maigre adj; *maigriot, otte* adj
mail nm, pl *mails*
mail-coach nm, pl *mail-coaches*
maille nf; *mailler* vt
maillechort nm
maillet nm
mailloche nf
maillon nm
maillot nm
main nf
main-d'œuvre nf, pl *mains-d'œuvre*
main-forte nf (au sing)
mainlevée nf
mainmise nf
mainmorte nf
maint, e adj, pl *maints, maintes*
maintenance nf
maintenant adv
maintenir vt, pp *maintenu, e; maintien* nm
maire nm
mais conj
maïs nm inv (tréma sur *ï*)
maison nf; *maisonnée* nf
maistrance nf
maître nm; *se rendre maître* → p 43; *maîtresse* nf (circonflexe sur *î*)
maître-à-danser, pl *maîtres-à-danser*

maître-assistant, e n, pl *maîtres-assistants, es*
maître-autel nm, pl *maîtres-autels*
maîtrise nf; *maîtriser* vt (circonflexe sur *î*)
majesté nf; NOMS DE TITRE → p 26, 34
majeur, e adj
major nm
majorat nm
majordome nm
majorer vt
majorette nf
majorité nf
majuscule nf
mal nm, pl *maux; mal* adv → p 27
malabar adj inv en genre; nm, pl *malabars*
malachite nf (féminin)
malade adj, n (masculin ou féminin)
maladrerie nf
maladroit, e adj, n; *maladresse* nf
malaga nm, pl *malagas*
malaire adj
malaise nm
malaisé, e adj
malandrin nm
malappris, e adj, n
malaria nf, pl *malarias*
malavisé, e adj
malaxer vt
malbâti, e adj (circonflexe sur *â*)
malchance nf
malcommode adj
maldonne nf
mâle adj; nm (circonflexe sur *â*)
malédiction nf
maléfice nm
maléfique adj
malencontreux, euse adj
mal-en-point adj inv
malentendu nm
malfaçon nf
malfaire vi (seulement infinitif); *malfaisant, e* adj
malfaiteur nm
malfamé, e adj
malformation nf
malfrat nm
malgré prép
malhabile adj
malheur nm
malhonnête adj (circonflexe sur *ê*)
malice nf
malin, maligne adj; *malignité* nf (attention *gn*)
malingre adj
malintentionné, e adj
malique adj
malle nf
malléable adj

malléole nf
malle-poste nf, pl *malles-poste*
mallette nf
mal-logé, e n, pl *mal-logés, es*
malmener vt
malotru, e adj
malpropre adj
malsain, e adj
malséant, e adj
malsonnant, e adj (avec deux *n*)
malstrom ou maelström nm, pl *malstroms, maelströms*
malt nm
malthusien, enne adj
maltose nm
maltraiter vt
malvacée nf
malveillant, e adj; *malveillance* nf
malvenu, e adj
malversation nf
malvoisie nf
maman nf
mamelle nf
mamelon nm; *mamelonné, e* adj (un seul *l*)
mamelouk nm, pl *mamelouks*
mammaire adj
mammifère nm (deux *m* et un *f*)
mammouth nm, pl *mammouths* (avec deux *m*)
manager nm, pl *managers*
manant nm
manche nm (d'un outil)
manche nf (d'un vêtement)
manchot, ote adj (un seul *t*)
mandarin nm
mandarine nf
mandat nm
mandat-lettre nm, pl *mandats-lettres*
mander vt
mandibule nf (féminin)
mandoline nf
mandragore nf
mandrill nm, pl *mandrills*
mandrin nm
manducation nf
manécanterie nf
manège nm
mânes nmpl (masculin) [circonflexe sur *â*]
manette nf
manganèse nm
manger vt; *mangeotter* vt (deux *t*); *mangeoire* nf
mange-tout ou mangetout nm inv
mangonneau nm, pl *mangonneaux*
mangouste nf
mangue nf (féminin)
maniable adj
manichéen, enne adj
manicle ou manique nf
manie nf
manier vt; *maniement* nm
manière nf; *maniéré, e* adj (attention aux accents)
manifeste adj; nm
manifester vt
manigance nf
manille nf
manioc nm, pl *maniocs*
manipule nm (masculin)
manipuler vt
manique ou manicle nf
manitou nm, pl *manitous*

manivelle nf
manne nf
mannequin nm
manœuvre nf; *manœuvrer* vt
manœuvre nm (ouvrier)
manoir nm
manquer vt
mansarde nf
manse nm ou nf (des deux genres)
mansuétude nf
mante nf (vêtement)
mante nf (insecte)
manteau nm, pl *manteaux*
manucure n (masculin ou féminin)
manuel, elle adj
manufacture nf
manu militari loc adv
manumission nf
manuscrit, e adj
manutention nf; *manutentionnaire* n
maoïsme nm (tréma sur *i*)
mappemonde nf (féminin)
maquereau nm, pl *maquereaux*
maquette nf
maquignon nm; *maquignonnage* nm
maquiller vt
maquis nm inv
marabout nm
maraîcher, ère n (circonflexe sur *î*)
marais nm inv
marasme nm
marâtre nf (circonflexe sur *â*)
maraud, e n
maraude nf
marauder vi, pp *maraudé* inv
maravédis nm inv
marbre nm
marc nm
marcassin nm
marchand, e n
marche nf; *marcher* vi, pp *marché* inv
marché nm
marchepied nm
marcotte nf
mardi nm, pl *mardis* → p 14
mare nf
marécage nm
maréchal nm, pl *maréchaux*
maréchal-ferrant nm, pl *maréchaux-ferrants*; *maréchalerie* nf
maréchaussée nf
marée nf
marelle nf
marengo adj inv
mareyeur, euse n
marge nf
margelle nf
marginal, e, aux adj, n
margotin nm
margoulin nm
marguerite nf (un seul *r*)
marguillier nm
mari nm
marial, e, als adj
marie-salope nf, pl *maries-salopes*
marigot nm
marin, e adj; *marin* nm; *marine* nf

mariner vt; *marinade* nf
maringouin nm
mariole ou mariolle adj, n (masculin ou féminin)
marionnette nf (un *r* et deux *n*)
marital, e, aux adj
maritime adj
maritorne nf
marivauder vi, pp *marivaudé* inv
marjolaine nf
mark nm, pl *marks*
marketing nm, pl *marketings*
marmaille nf
marmelade nf
marmenteau nm, pl *marmenteaux*
marmite nf
marmiton nm
marmonner vt (avec deux *n*)
marmoréen, enne adj
marmot nm
marmotte nf
marmotter vt
marmouset nm
marne nf
maroilles ou marolles nm inv
maronite adj, n (masculin ou féminin) [avec un *r* et un *n*]
maronner vi (un seul *r* et deux *n*)
maroquin nm; *maroquinier* nm
marotte nf
maroufle nf (féminin)
marque nf; NOMS DE MARQUES → p 17
marqueter vt
marquis nm; *marquise* nf
marraine nf (deux *r* et un *n*)
marrer (se) vpr; *marrant, e* adj (deux *r*)
marri, e adj (deux *r*) [fâché]
marron nm; adj inv (couleur); *marronnier* nm (deux *r*, deux *n*)
marron, onne adj, n (esclave fugitif)
mars nm inv
marsouin nm
marsupial nm, pl *marsupiaux*
marte ou martre nf
marteau nm, pl *marteaux*
marteau-pilon nm, pl *marteaux-pilons*
martel nm
marteler vt; *martelage* nm; *martèlement* nm (attention à l'accentuation)
martial, e, aux adj
martien, enne adj
martin-chasseur nm, pl *martins-chasseurs*
martinet nm
martingale nf
martin-pêcheur nm, pl *martins-pêcheurs*
martre ou marte nf
martyr, e adj, n (personne); *martyre* nm (supplice)
marxisme nm
maryland nm, pl *marylands*
mas nm inv (maison) ≠ *mât* (d'un navire)
mascarade nf
mascaret nm
mascotte nf
masculin, e adj; *masculiniser* vt
masochisme nm
masque nm

massacre nm
masse nf; *une masse de* → p 29
massepain nm
masser vt
masséter nm, pl *masséters*
massicot nm; *massicoter* vt
massier nm
massif, ive adj
massif nm
massue nf
mastaba nm, pl *mastabas*
mastic nm
mastite nf
mastiquer vt; *masticage* nm;
 mastication nf
mastoc adj inv
mastodonte nm (masculin)
mastoïde adj (tréma sur le *ï*)
mastroquet nm
masturber vt
m'as-tu-vu nm inv
masure nf
mat nm (aux échecs), pl *mats*
 (sans circonflexe); adj inv
mat, e adj (terne); *matité* nf
 (sans circonflexe)
mât nm (d'un navire) [circon-
 flexe sur â] ≠ *mas* (maison)
matador nm, pl *matadors*
matamore nf
match nm, pl *matches* ou
 matchs
maté nm
matelas nm inv; *matelasser* vt
matelot nm
matelote nf
mater vt (soumettre)
mâter vt (bateau) [circonflexe
 sur â]
mâtereau nm, pl *mâtereaux*
 (circonflexe sur â)
matériau nm, pl *matériaux*
matériel, elle adj
maternel, elle adj
mathématique adj; nf;
 matheux, euse n
matière nf
matin nm (temps) → p 25; *mati-
nal, e, aux* adj
mâtin nm (chien) [circonflexe
 sur â]
mâtin, e n (circonflexe sur â)
matines nfpl (sans circonflexe)
matir vt (sans circonflexe)
matois, e adj
maton, onne n
matorral nm, pl *matorrals*
matou nm, pl *matous*
matraque nf; *matraquer* vt;
 matraquage nm
matras nm inv
matriarcat nm; *matriarcal, e,
aux* adj
matrice nf
matricule nm (masculin)
matrilocal, e, aux adj
matrimonial, e, aux adj
matrone nf
matronyme nm
maturité nf
maudire vt, pp *maudit, e*
maugréer vt
maure ou *more* adj
mauresque ou *moresque* adj
mausolée nm
maussade adj
mauvais, e adj
mauve nf; adj; nm

mauviette nf
mauvis nm inv
maxillaire nm
maxime nf
maximum nm, pl *maxima* ou
 maximums → p 16; *maximal,
e, aux* adj
maya adj, pl *mayas*
mayonnaise nf
mazagran nm
mazarinade nf
mazette nf
mazout nm
mazurka nf, pl *mazurkas*
me pr pers
mea culpa nm inv
méandre nm
méat nm
mec nm
mécanique adj; nf
mécanographie nf
mécanothérapie nf
mécène nm; *mécénat* nm
 (attention aux accents)
méchant, e adj; *méchamment*
 adv; *méchanceté* nf
mèche nf; *mécher* vt (attention
 aux accents)
mécompte nm
méconnaître vt (circonflexe sur
 î), pp *méconnu, e*; *méconnais-
sance* nf (sans circonflexe)
mécontent, e adj
mécréant nm
médaille nf
médecin nm; *médecine* nf
médecine-ball ou medicine-ball
 nm, pl *médecine-balls, medicine-balls*
medersa nf, pl *medersas*
média ou media nm, pl *médias,
media*
médian, e adj; *médiane* nf
médianoche nm, pl *média-
noches*
médiat, e adj
médiation nf
médical, e, aux adj
médicament nm
médication nf
médicinal, e, aux adj
medicine-ball ou médecine-ball
 nm, pl *medicine-balls, médecine-balls*
médico-légal, e, aux adj
médico-social, e, aux adj
médiéval, e, aux adj
médina nf, pl *médinas*
médiocre adj
médire vti, pp *médit* inv; *médi-
sant, e* adj; *médisance* nf
méditer vt
méditerranéen, enne adj (un *t*,
 deux *r*, un *n* avant é)
médium nm, pl *médiums*
médius nm inv
médoc nm, pl *médocs*
médullaire adj
méduse nf
méduser vt
meeting nm, pl *meetings*
méfait nm
méfier (se) vpr
méforme nf
mégalithe nm (masculin) [atten-
tion *th*]
mégalomane adj, n (masculin
 ou féminin)

mégaphone nm
mégarde (par) loc adv
mégathérium nm, pl
 mégathériums
mégère nf
mégir vt
mégis nm inv
mégisser vt
mégot nm
mégoter vi, pp *mégoté* inv
méhari nm, pl *méharis* ou
 méhara
meilleur, e adj; *des meilleurs*
 → p 26
mélampyre nm (masculin)
mélancolie nf
mélange nm
mélanome nm
mélasse nf
mêlé-cassis ou mêlé-cass nm
 inv
mêler vt; *mêlée* nf (circonflexe
 sur le premier ê)
mélèze nm
méli-mélo nm, pl *mélis-mélos*
mélinite nf
mélioratif, ive adj
mélisse nf
mélodie nf
mélomane n (masculin ou
 féminin)
melon nm; *melonnière* nf
mélopée nf
melting-pot nm, pl *melting-pots*
membrane nf
membre nm
même adj, adv → p 32; *de
même que* → p 45
mémento nm, pl *mémentos*
mémoire nf (faculté mentale)
mémoire nm (écrit)
mémorable adj
mémorandum nm, pl *mémo-
randums*
mémorial nm, pl *mémoriaux*
menace nf
ménage nm; *ménager, ère* adj
ménager vt
ménagerie nf
mendier vt; *mendiant, e* n;
 mendicité nf
mendigot, e n (un seul *t*)
meneau nm, pl *meneaux*
mener vt; *menées* nfpl
ménestrel nm
ménétrier nm
menhir nm, pl *menhirs*
menin nm
méninge nf
ménisque nm; *méniscal, e, aux*
 adj
ménopause nf
menotte nf → p 14
mensonge nm
menstrues nfpl
mensuel, elle adj
mensuration nf
mental, e, aux adj
menthe nf
menthol nm
mention nf; *mentionner* vt
mentir vi, pp *menti* inv
menton nm; *mentonnière* nf
mentor nm, pl *mentors*
menu, e adj; *menu* adv
menu nm
menuet nm
menuiserie nf

menu-vair nm, pl *menus-vairs*
méphistophélique adj
méphitique adj
méplat, e adj ; *méplat* nm
méprendre (se) v pr, pp *mépris, e ; méprise* nf
mépris nm inv
mer nf
mercanti nm, pl *mercantis ; mercantile* adj
mercenaire nm
mercerie nf
merci nm → p 8
mercredi nm, pl *mercredis* → p 14
mercure nm
mercuriale nf
merde nf
mère nf
mère-grand nf, pl *mères-grand(s)*
merguez nf inv
méridien, enne adj
méridional, e, aux adj
meringue nf
mérinos nm inv
merise nf
merisier nm
mérite nm
merlan nm
merle nm
merlin nm
merluche nf ; *merlu* nm
mérou nm, pl *mérous*
merrain nm
mérule nm ou nf (des deux genres)
merveille nf
mes adj poss
mésallier (se) vpr ; *mésalliance* nf (avec deux *l*)
mésange nf
mésaventure nf
mescaline nf
mesdames nfpl
mesdemoiselles nfpl
mésentente nf
mésestimer vt
mésintelligence nf
mesquin, e adj ; *mesquinerie* nf
mess nm inv
message nm
messagerie nf
messe nf
messianique adj
messidor nm, pl *messidors*
messie nm
messieurs nmpl
messire nm
mesure nf ; *mesurer* vt → p 39
métabolique adj
métacarpe nm (masculin)
métairie nf
métal nm, pl *métaux* (les dérivés avec deux *l : métallique* adj, *métalliser* vt, *métallurgie* nf, etc)
métamorphose nf
métaphore nf
métaphysique nf
métapsychique adj
métastase nf
métatarse nm (masculin)
métathèse nf
métayer, ère n
métempsycose nf (pas de *h*)
météo nf, pl *météos*

météore nm (masculin) ; *météorite* nf (féminin)
météorologie nf
métèque nm
méthane nm
méthode nf
méticuleux, euse adj
métier nm
métis, isse adj, n ; *métisser* vt
métonymie nf
mètre nm ; *métrer* vt (attention aux accents)
métro nm, pl *métros*
métronome nm
métropole nf
mets nm inv
mettre vt, pp *mis, e ; se mettre bien, se mettre à dos* → p 43
meuble adj ; nm
meugler vi
meule nf
meunier, ère n
meurette nf
meurtre nm
meurtrir vt
meute nf
mévente nf
mezzanine nf (féminin), pl *mezzanines*
mezza voce adv
mezzo-soprano nm (masculin), pl *mezzo-sopranos*
mi nm inv
miaou nm, pl *miaous*
miasme nm
miauler vi, pp *miaulé* inv
mica nm, pl *micas*
mi-carême nf, pl *mi-carêmes*
micelle nf
miche nf
mi-chemin (à) loc adv
micmac nm, pl *micmacs*
micocoulier nm
mi-corps (à) loc adv
mi-côte (à) loc adv
micro nm, pl *micros*
microbe nm
microclimat nm
microcosme nm
microfilm nm
micron nm
micro-organisme nm, pl *micro-organismes*
microphone nm
microprocessus nm
microscope nm
microsillon nm
miction nf
midi nm (masculin), pl *midis* → p 25 et 28
midinette nf
midship nm, pl *midships*
mie nf
miel nm ; *mielleux, euse* adj
mien, enne adj poss
miette nf
mieux adv ; *le mieux* → p 32 ; *des mieux* → p 26
mieux-être nm inv
mièvre adj ; *mièvrerie* nf
migmatite nf
mignard, e adj
mignon, onne adj, n ; *mignonnette* adj f ; nf
migraine nf
migrant, e n
migrateur, trice adj
mi-jambe (à) loc adv

mijaurée nf (attention *au*)
mijoter vt
mikado nm, pl *mikados*
mil nm
mil adj num inv
milan nm
mildiou nm, pl *mildious*
milice nf ; *milicien, enne* n
milieu nm, pl *milieux*
militaire adj ; nm
militer vi, pp *milité* inv
milk-bar nm, pl *milk-bars*
mille nm → p 31
mille adj num inv → p 31 ; *millième* adj ord ; *millier* nm → p 31
mille-feuille nf (plante) ; nm (gâteau), pl *mille-feuilles*
millénaire nm ; *millénarisme* nm
mille-pattes nm inv
mille-pertuis ou millepertuis nm inv
millésime nm
millet nm
milliard nm → p 31
millier nm → p 31
million nm → p 31 ; *millionième* adj ord (avec un seul *n*) ; *millionnaire* n (masculin ou féminin) [avec deux *n*]
milord nm, pl *milords*
mi-lourd nm ; adj, pl *mi-lourds*
mime nm (masculin)
mimosa nm (masculin), pl *mimosas*
mi-moyen nm ; adj, pl *mi-moyens*
minable adj
minaret nm
minauder vi
mince adj
mine nf
minerai nm
minéral, e, aux adj
minerve nf
minestrone nm, pl *minestrones*
minet, ette n
mineur, e adj, n
miniature nf
minibus nm inv
minima (a) loc adv
minimal, e, aux adj
minime adj
minimum nm, pl *minima* ou *minimums* → p 16
ministère nm ; *ministériel, elle* adj (attention aux accents)
ministre nm
minium nm, pl *miniums*
minnesang nm sing
minois nm inv
minorer vt
minorité nf
minotier nm
minuit nm (masculin), pl *minuits* → p 28
minus nm inv
minuscule adj ; nf
minute nf
minutie nf ; *minutieux, euse* adj
mioche n (masculin ou féminin)
mi-parti, e adj, pl *mi-partis, es*
mirabelle nf
miracle nm ; *miraculeux, euse* adj ; *miraculé, e* n
mirador nm, pl *miradors*
mirage nm
mire nf

mire-œufs nm inv
mirepoix nf
mirer vt
mirettes nfpl
mirifique adj
mirliton nm
mirobolant, e adj
miroir nm ; *miroitier* nm ; *miroiterie* nf
miroiter vi, pp *miroité* inv
miroton ou mironton nm
misaine nf
misanthrope adj, n (masculin ou féminin) [attention *th*]
miscellanées nfpl
miscible adj (attention *sc*)
mise nf
misère nf ; *misérable* adj ; *miséreux, euse* adj, n (attention aux accents)
miséréré nm, pl *misérérés*
miséricorde nf
misogyne adj, n (masculin ou féminin) ; *misogynie* nf (*y* après *g*)
miss nf, pl *miss* ou *misses*
missel nm
missile nm
mission nf ; *missionnaire* n (masculin ou féminin)
missive nf
mistral nm, pl *mistrals*
mitaine nf
mitan nm
mitard nm
mite nf ; *miter (se)* vpr
mi-temps nf inv
miteux, euse adj
mithridatiser vt
mitigé, e adj
mitigeur nm
mitonner vt
mitose nf
mitoyen, enne adj ; *mitoyenneté* nf
mitraille nf
mitrailler vt
mitral, e, aux adj
mitre nf
mitron nm
mi-voix (à) loc adv
mixte adj ; *mixité* nf
mixtion nf
mixture nf
mnémotechnique adj ; nf
mobile adj ; nm
mobilier, ère adj ; *mobilier* nm
mobiliser vt
mocassin nm
moche adj
modal, e, aux adj
modalité nf
mode nf (vogue) ; *modiste* n (masculin ou féminin)
mode nm (manière d'être) ; *modal, e, aux* adj
modèle nm ; *modéliste* n (masculin ou féminin) [attention aux accents]
modeler vt
moderato adv
modérer vt
moderne adj
modern style nm (sing) ; adj inv
modeste adj
modifier vt
modillon nm
modique adj

module nm (masculin)
moduler vt
modus vivendi nm inv
moelle nf
moelleux, euse adj
moellon nm
mœurs nfpl
mofette, mouffette ou moufette nf
mohair nm, pl *mohairs*
moi pr pers ; nm inv
moie ou moye nf
moignon nm
moindre adj
moine nm
moineau nm, pl *moineaux*
moins adv ; *le moins* → p 32, *des moins* → p 26 ; *pas moins de* → p 47
moins-perçu nm, pl *moins-perçus*
moins-value nf, pl *moins-values*
moire nf
mois nm inv
moïse nm, pl *moïses* (tréma sur *i*)
moisir vt, vi
moisson nf ; *moissonner* vt
moissonneuse-batteuse nf, pl *moissonneuses-batteuses*
moite adj
moitié nf → p 29, 37, 46
moka nm, pl *mokas*
molaire nf
môle nm (digue) [masculin] (circonflexe sur ô)
môle nf (poisson) [féminin] (circonflexe sur ô)
molécule nf
moleskine nf
molester vt
molette nf ; *moleter* vt (avec un seul *t*)
molinisme nm
mollah nm, pl *mollahs*
mollet nm (avec deux *l*)
molleton nm ; *molletonner* vt
mollir vi, vt ; *mollesse* nf (avec deux *l*)
mollusque nm
moloch nm, pl *molochs*
molosse nm
molybdène nm
môme n (masculin ou féminin) [circonflexe sur ô]
moment nm ; *momentané, e* adj ; *momentanément* adv
momerie nf (pas de circonflexe)
momie nf
mon adj poss
monacal, e, aux adj ; *monachisme* nm
monade nf
monarchie nf
monastère nm ; *monastique* adj
monaural, e, aux adj
monceau nm, pl *monceaux*
mondain, e adj ; *mondanité* nf
monde nm ; *mondial, e, aux* adj
monder vt
monétaire adj
mongolien, enne n
monisme nm
moniteur, trice n ; *monitorat* nm
monition nf
monitoire nm
monitoring nm

monnaie nf ; *monnayer* vt
monnaie-du-pape nf, pl *monnaies-du-pape*
monobloc adj
monochrome adj
monocle nm
monoclinal, e, aux adj
monocoque adj
monocorde adj
monoculture nf
monogramme nm
monographie nf
monolingue adj
monolithe nm (masculin) [attention *th*]
monologue nm
monomanie nf
monôme nm (circonflexe sur le second ô)
monoplan nm
monopole nm
monorail nm, pl *monorails*
monoski nm, pl *monoskis*
monosyllabe nm (masculin)
monothéisme nm
monotone adj ; *monotonie* nf
monovalent, e adj
monozygote adj
monseigneur nm, pl *messeigneurs, nosseigneurs*
monsieur nm, pl *messieurs*
monstre nm
mont nm
montagne nf
mont-blanc nm, pl *monts-blancs*
mont-de-piété nm, pl *monts-de-piété*
mont-d'or nm, pl *monts-d'or*
monte nf
monte-charge nm inv
monte-en-l'air nm inv
monte-plats nm inv
monter vt
monte-sac(s) nm, pl *monte-sacs*
montgolfière nf
mont-joie nm, pl *monts-joie*
montre nf
montrer vt
monture nf
monument nm ; *monumental, e, aux* adj
moquer (se) vpr
moquette nf ; *moquetter* vt (deux *t*)
moraine nf (un seul *r* et un seul *n*)
moral, e, aux adj ; *moral* nm (au sing) ; *morale* nf
morasse nf
moratoire adj ; nm
morbide adj
morbleu ! interj
morceau nm, pl *morceaux* ; *morceler* vt (avec un seul *l*) ; *morcellement* nm (avec deux *l*)
mordacité nf
mordancer vt ; *mordançage* nm
mordicus adv
mordoré, e adj
mordre vt, pp *mordu, e* ; *mordiller* vt
more ou maure adj
morelle nf
moresque ou mauresque adj
morfil nm
morfondre (se) vpr, pp *morfondu, e*
morganatique adj

morgue nf
moribond, e adj
moricaud, e adj, n
morigéner vt
morille nf
morillon nm
mormon, one n → p 11
morne adj
mornifle nf
morose adj
morphine nf
morphologie nf
mors nm inv
morse nm
mort nf; *mortel, elle* adj, n;
  mortalité nf
mortadelle nf
mortaise nf
mort-aux-rats nf inv
mort-bois nm, pl *morts-bois*
morte-eau nf, pl *mortes-eaux*
morte-saison nf, pl *mortes-saisons*
mortier nm
mortifier vt
mortinatalité nf
mort-né, e adj, n, pl *mort-nés, es*
mortuaire adj
morue nf; *morutier, ère* adj
morula nf, pl *morulas*
morve nf
mosaïque nf (tréma sur le *ï*)
mosquée nf
mot nm
motard nm
motel nm
motet nm
moteur, trice adj; *moteur* nm
motif nm
motion nf
motoculture nf
motocyclette nf
motopompe nf
motricité nf
motte nf
motu proprio loc adv
motus! interj
mou, mol (devant une voyelle ou
  un *h* muet), molle adj, pl *mous, molles*
mou nm (poumon), pl *mous* ≠
  moût (jus de raisin)
moucharabieh nm, pl *moucharabiehs*
mouchard, e n
mouche nf
moucher vt
moucheron nm
moucheter vt
mouchette nf
moudre vt, pp *moulu, e; mouture* nf
moue nf
mouette nf
mouffette, moufette, ou mofette nf
moufle nf (féminin) [un seul *f*]

mouflet, ette n
mouflon nm
moufter vi
mouiller vt
mouise nf
moujik nm, pl *moujiks*
moule nm; *mouler* vt
moule nf (coquillage)
moulin nm
mouliner vt
mourir vi, pp *mort, e* (un seul *r*)
mouron nm
mousmé nf, pl *mousmés*
mousquet nm
mousse nm; *moussaillon* nm
mousse nf (écume)
mousse adj
mousseline nf
mousson nf
moustache nf → p 14
moustique nm; *moustiquaire* nf
  (féminin)
moût nm (circonflexe sur *û*) [jus
  de raisin] ≠ *mou* (poumon)
moutard nm
moutarde nf
moutier nm
mouton nm; *moutonner* vi, pp
  moutonné inv
mouvement nm
mouvoir vt, pp *mû, mue, mus,
  mues* (circonflexe sur *û* au
  masculin sing)
moye ou moie nf
moyen, enne adj; *moyen* nm;
  moyenne nf
moyenâgeux, euse adj
moyen-courrier nm, pl *moyen-courriers*
moyennant prép
moyette nf
moyeu nm, pl *moyeux*
mozarabe adj
mucilage nm (masculin)
mucosité nf; *muqueux, euse*
  adj
mucus nm inv
muer vi; *mue* nf
muet, ette adj; *mutisme* nm;
  mutité nf
muezzin nm, pl *muezzins*
muffin nm, pl *muffins*
mufle nm
muflier nm
mufti ou muphti nm, pl *muftis,
  muphtis*
mugir vi, pp *mugi* inv
muguet nm
muid nm, pl *muids*
mulâtre nm; *mulâtresse* nf (circonflexe sur *â*)
mule nf
mule-jenny nf, pl *mule-jennys*
mulet nm; *muletier, ère* adj, n
muleta nf, pl *muletas*
mulot nm
multicolore adj

multicouche adj
multiforme adj
multipare adj; nf
multiple adj; *multiplier* vt
multirisque adj
multisalles adj
multitude nf
municipal, e, aux adj
municipe nm
munificent, e adj
munir vt
munitions nfpl
muqueuse nf
mur nm; *mural, e, aux* adj
mûr, e adj (circonflexe sur *û*)
muraille nf
mûre nf (circonflexe sur *û*) [fruit]
murène nf
murex nm inv
murmure nm
musaraigne nf
musarder vi, pp *musardé* inv
musc nm; *musqué, e* adj
muscade nf
muscadet nm
muscadin nm
muscat nm
muscle nm
muse nf
museau nm, pl *museaux*
musée nm
museler vt
muser vi, pp *musé* inv
musette nf
muséum nm, pl *muséums*
music-hall nm, pl *music-halls*
musique nf; *musical, e, aux*
  adj; *musicien, enne* adj, n
musulman, e adj
muter vt
mutiler vt
mutin, e adj; *mutiner (se)* vpr
mutualisme nm
mutuel, elle adj
mycélium nm, pl *mycéliums*
mycologie nf
mycose nf
myéline nf
mygale nf
myocarde nm
myope adj, n (masculin ou
  féminin)
myosotis nm inv (masculin)
myriade nf
myrrhe nf (féminin) [*h* après les
  deux *r*]
myrte nm (masculin)
myrtille nf
mystère nm; *mystérieux, euse*
  adj (attention aux accents)
mysticisme nm
mystifier vt
mystique adj
mythe nm
mythologie nf
myxomatose nf

n

n nm inv
nabab nm, pl *nababs*
nabi nm, pl *nabis*
nabot, e n
nacelle nf
nacre nf (féminin)
nadir nm
nævus nm inv
nager vt, vi
naguère adv
naïade nf (tréma sur *i*)
naïf, ïve adj (tréma sur *i*)
nain, naine n ; *nanisme* nm
naissain nm
naître vi (circonflexe sur *i* devant *t*), pp *né, e ; naissance* nf (sans circonflexe)
naja nm, pl *najas*
nanan nm (au sing)
nandou nm, pl *nandous*
nankin nm, pl *nankins*
nantir vt
napalm nm, pl *napalms*
naphtaline nf
naphte nm (masculin)
napoléon nm; *napoléonien, enne* adj (un seul *n* après *o*)
nappe vt
napper vt
narcisse nm (masculin)
narco-analyse nf, pl *narco-analyses*
narcose nf
narguer vt
narguilé ou narghilé nm
narine nf
narquois, e adj
narrer vt; *narrateur, trice* n ; *narration* nf
narthex nm inv
narval nm, pl *narvals*
nasal, e, aux ou als adj
naseau nm, pl *naseaux*
nasiller vi, pp *nasillé* inv
nasse nf
natal, e, als adj
natation nf
natif, ive adj
nation nf; *national, e, aux,* adj; *nationaliser* vt; *nationalisme* nm (avec un seul *n*)
nativité nf
natron ou natrum nm, pl *natrons, natrums*
natte nf
naturaliser vt
nature nf; *naturel, elle* adj
naufrage nm
nauséabond, e adj
nausée nf; *nauséeux, euse* adj
nautique adj
nautonier nm
navaja nm, pl *navajas*
naval, e, als adj
navarin nm
navet nm

navette nf
navicert nm inv
naviguer vi, pp *navigué* inv; *navigable* adj; *navigant, e* n ≠ *naviguant* pprés du v ; *navigation* nf
navire nm ;
navire-citerne nm, pl *navires-citernes*
navire-hôpital nm, pl *navires-hôpitaux*
navrer vt
nazi, e adj, pl *nazis, es*
ne adv
néanmoins conj
néant nm
nébuleuse nf
nébuliser vt
nécessaire adj ; nm
nec plus ultra nm inv
nécrologie nf
nécromancie nf
nécropole nf (féminin)
nécrose nf
nectaire nm (masculin)
nectar nm, pl *nectars*
nectarine nf
nef nf, pl *nefs*
néfaste adj
nèfle nf ; *néflier* nm (attention aux accents)
négation nf ; *négatif, ive* adj
négliger vt; *négligent, e* adj ≠ *négligeant* pprés du v ; *négligence* nf ; *négligemment* adv
négoce nm (masculin)
négocier vt
nègre nm ; *négresse* nf ; *négrier* nm (attention aux accents)
négro-africain, e adj, pl *négro-africains, es*
negro-spiritual nm, pl *negro(-)spirituals*
négus nm inv
neige nf; *neiger* vi, pp *neigé* inv
némathelminthe nm (masculin) [*h* après *t*]
nénuphar nm
néoclassicisme nm
néocolonialisme nm
néoformation nf
néogrec, grecque adj
néo-impressionnisme nm
néolithique adj; nm
néologie nf
néon nm
néonatal, e, als adj
néophyte n (masculin ou féminin)
néoréalisme nm
népenthès nm inv
néphrétique adj; *néphrite* nf
népotisme nm
nerf nm
néritique adj
nerprun nm, pl *nerpruns*

nerveux, euse adj
nervi nm, pl *nervis*
nervure nf
net, nette adj ; *netteté* nf
nettoyer vt; *nettoiement* nm ; *nettoyage* nm
neuf adj num inv ; *neuvaine* nf ; *neuvième* adj ord
neuf, neuve adj
neural, e, aux adj
neurasthénie nf
neurologie nf
neurone nm
n'eût été loc v → p 47
neutre adj, n (masculin ou féminin)
neutron nm
névé nm, pl *névés*
neveu nm ; *nièce* nf
névralgie nf
névrite nf
névropathe adj
névrose nf ; *névrotique* adj
new-look nm inv
nez nm inv
ni conj → p 45
niais, e adj, n
niche nf
nickel nm, pl *nickels*
nicotine nf
nid nm
nid-de-poule nm, pl *nids-de-poule*
nielle nm (incrustation)
nielle nf (plante)
nier vt
nigaud, e n
night-club nm, pl *night-clubs*
nihilisme nm
nimbe nm (masculin)
nimbus nm inv
nippe nf ; *nipper* vt
nippon, nippone ou nipponne adj → p 11
nique nf
nirvâna nm, pl *nirvânas*
nitre nm (masculin)
nival, e, aux adj
niveau nm, pl *niveaux* ; *niveler* vt (un *l*) ; *nivellement* nm (deux *l*)
nivéole nf
nivôse nm, pl *nivôses* (circonflexe sur *ô*)
nô ou no nm, pl *nôs, nos*
noble adj, n (masculin ou féminin)
nobliau nm, pl *nobliaux*
noce nf
nocher nm
nocif, ive adj
noctambule adj, n (masculin ou féminin)
nocturne adj; nm ou nf (ouverture en soirée)
nodal, e, aux adj

nodosité nf
nodule nm (masculin)
nœud nm
noir, e adj, n; *noir* nm; *noirâtre* adj (circonflexe sur *â*); *noircir* vt, vi
noise nf
noisette nf; *noisetier* nm (un seul *t*); *noix* nf inv
noli-me-tangere nm inv
noliser vt
nom nm; NOMS ACCIDENTELS → p 15; NOMS PROPRES → p 17, 25; *nommer* vt (deux *m*); *nomination* nf (un *n*)
nomade adj, n (masculin ou féminin)
no man's land nm, pl no man's lands
nombre nm
nombril nm
nome nm (masculin)
nomenclature nf
nominal, e, aux adj
non adv nég
non- préf (tous les dérivés prennent un trait d'union quand ils sont des noms. Au pluriel, le deuxième terme prend la marque du pluriel)
non-activité nf, pl *non-activités*
non-agression nf, pl *non-agressions*
non-aligné, e n, pl *non-alignés, es*; *non-alignement* nm, pl *non-alignements*
nonante adj num inv
non-assistance nf, pl *non-assistances*
non-belligérant, e n, pl *non-belligérants, es*
nonce nm
nonchalant, e adj; *nonchalamment* adv; *nonchalance* nf
non-combattant, e nm, pl *non-combattants*
non-conformisme nm, pl *non-conformismes*; *non-conformiste* n (masculin ou féminin), pl *non-conformistes*
non-croyant, e n, pl *non-croyants, es*
non-directif, ive adj, pl *non-directifs, ives*
non-engagé, e n, pl *non-engagés, es*
non-ingérence nf, pl *non-ingérences*
non-lieu nm, pl *non-lieux*

nonne nf
nonobstant prép
non-paiement nm, pl *non-paiements*
non-recevoir nm (au sing)
non-retour nm (au sing)
non-réussite nf, pl *non-réussites*
non-sens nm inv
non-spécialiste n (masculin ou féminin), pl *non-spécialistes*
non-stop nf, pl *non-stops*; adj inv
non-valeur nf, pl *non-valeurs*
non-violence nf, pl *non-violences*; *non-violent, e* adj, n, pl *non-violents, es*
nopal nm, pl *nopals*
nord nm inv; *nord-est* nm inv; *nordique* adj; *nord-ouest* nm inv
nord-africain, e n, pl *nord-africains, es*
nord-américain, e n, pl *nord-américains, es*
noria nf, pl *norias*
normal, e, aux adj; *normaliser* vt
norme nf
nos adj poss
nosologie nf
nostalgie nf
nota ou nota bene nm inv
notable adj; nm
notaire nm; *notairesse* nf; *notarial, e, aux* adj
notamment adv
note nf; NOMS DE NOTES → p 15
noter vt
notice nf
notifier vt
notion nf; *notionnel, elle* adj
notoire adj
notre adj poss
nôtre pr poss; *nôtres (les)* nmpl (circonflexe sur *ô*)
notule nf
nouba nf, pl *noubas*
noue nf (terre)
noue nf (charpente)
nouer vt
noueux, euse adj
nougat nm; *nougatine* nf
nouille nf
noumène nm
nounou nf, pl *nounous*
nourrain nm
nourrir vt (tous les dérivés ont deux *r* : *nourriture, nourrice*, etc)

nourrisson nm
nous pr pers → p 28
nouure nf
nouveau, nouvel (devant une voyelle ou un *h* muet), nouvelle adj; *nouveau* nm, *nouvelle* nf, pl *nouveaux, nouvelles* → p 27
nouveau-né, e n, adj, pl *nouveau-nés, es* → p 27
nouveauté nf
nouvelle nf; *nouvelliste* n (masculin ou féminin) [deux *l*]
novation nf
novembre nm, pl *novembres*
novice n (masculin ou féminin)
noyau nm, pl *noyaux*
noyer vt
noyer nm
nu, e adj → p 27; *nu* nm; *nûment* adv (circonflexe sur *û*), *nudité* nf
nuage nm
nuance nf
nubile adj
nucléaire adj; nm
nucléole nm (masculin)
nuée nf
nue-propriété nf, pl *nues-propriétés*; *nu(nue)-propriétaire* n, pl *nus(nues)-propriétaires*
nues nfpl
nuire vti, pp *nui* inv
nuit nf; *nuitamment* adv
nul, nulle adj indéf → p 32; *nullard, e* adj; *nullement* adv
numéraire nm
numéral, e, aux adj
numération nf
numérique adj
numéro nm, pl *numéros*
numismate n (masculin ou féminin)
nunchaku nm, pl *nunchakus*
nu-pieds nm inv
nuptial, e, aux adj
nuque nf; *nucal, e, aux* adj
nurse nf; *nursery* nf, pl *nurseries*; *nursing* nm, pl *nursings*
nutation nf
nutritif, ive adj
nyctalope adj
nycthémère nm (masculin)
Nylon nm (nom déposé)
nymphe nf; *nymphal, e, als* adj
nymphéa nm (masculin), pl *nymphéas*
nymphée nm (masculin)
nymphette nf
nymphomane nf

o

o nm inv
ô interj
oasis nf inv (féminin)
obédience nf
obéir vti
obélisque nm (masculin)
obérer vt
obèse adj ; *obésité* nf (attention aux accents)
obi nf, pl *obis*
objectal, e, aux adj
objecter vt
objectif, ive adj
objet nm
objurgations nfpl
oblat, e n
oblation nf
obliger vt ; *obligeant, e* adj ; *obligeamment* adv ; *obligeance* nf
oblique adj
oblitérer vt
oblong, gue adj
obnubiler vt
obole nf
obscène adj ; *obscénité* nf (attention aux accents)
obscur, e adj ; *obscurément* adv
obscurcir vt
obséder vt ; *obsession* nf ; *obsessionnel, elle* adj (attention à l'accentuation)
obsèques nfpl (féminin)
obséquieux, euse adj
observer vt
obsidienne nf
obsidional, e, aux adj
obsolescent, e adj
obsolète adj
obstacle nm
obstétrique nf ; *obstétrical, e, aux* adj ; *obstétricien, enne* n
obstiner (s') vpr
obstruer vt ; *obstruction* nf ; *obstructionnisme* nm
obtempérer vti, pp *obtempéré* inv
obtenir vt, pp *obtenu, e ; obtention* nf
obturer vt
obtus, e adj
obus nm inv
obvier vti, pp *obvié* inv
ocarina nm (masculin), pl *ocarinas*
occase nf (populaire)
occasion nf ; *occasionnel, elle* adj
occident nm ; *occidental, e, aux* adj
occiput nm ; *occipital, e, aux* adj
occire vt, pp *occis, e*
occitan nm
occlusif, ive adj ; *occlusion* nf
occulte adj
occuper vt

occurrent, e adj ; *occurrence* nf (deux *c*, deux *r*)
océan nm
ocelle nm (masculin)
ocelot nm
ocre nf (argile) ; adj inv ; nm (couleur)
octal, e, aux adj
octane nm (masculin)
octante adj num inv
octave nf (féminin)
octobre nm, pl *octobres*
octogénaire adj, n (masculin ou féminin)
octogonal, e, aux adj ; *octogone* nm
octosyllabe adj ; nm
octroi nm ; *octroyer* vt
oculaire adj ; nm
oculiste n (masculin ou féminin)
odalisque nf
ode nf
odeur nf
odieux, euse adj
odontologie nf
odorant, e adj
odorat nm
odoriférant, e adj
odyssée nf
œcuménique adj
œdème nm (masculin) ; *œdémateux, euse* adj (attention aux accents)
œdipe nm, pl *yeux,* → p 15 ; *œillade* nf
œil-de-bœuf nm, pl *œils-de-bœuf*
œil-de-chat nm, pl *œils-de-chat*
œil-de-perdrix nm, pl *œils-de-perdrix*
œil-de-pie nm, pl *œils-de-pie*
œilleton nm ; *œilletonner* vt
œillette nf
œnologie nf ; *œnologue* n (masculin ou féminin)
œsophage nm
œstral, e, aux adj ; *œstrogène* nm
œuf nm, pl *œufs*
œuvre nf (féminin ; masculin rare dans *le grand œuvre*) → p 8
offense nf
offertoire nm (masculin)
office nm (fonction) ; nf ou nm (des deux genres) [pièce de service]
official nm, pl *officiaux*
officiel, elle adj
officier vi, pp *officié* inv
officier nm
officieux, euse adj
officinal, e, aux adj
officine nf
offre nf ; *offrir* vt, pp *offert, e*

offset nm inv
offshore adj inv ; nm inv
offusquer vt
ogive nf ; *ogival, e, aux* adj
ogre nm ; *ogresse* nf
oh !, ohé ! interj
oie nf
oignon nm ; *oignonade* nf (un seul *n*)
oindre vt, pp *oint, e ; oing* nm
oiseau nm, pl *oiseaux ; oiselet* nm ; *oiseleur* nm ; *oisillon* nm
oiseau-lyre nm, pl *oiseaux-lyres*
oiseau-mouche nm, pl *oiseaux-mouches*
oiseux, euse adj
oisif, ive adj
o. k. ! interj
okapi nm, pl *okapis*
okoumé nm, pl *okoumés*
oléagineux, euse adj
oléiculture nf
oléoduc nm
olfactif, ive adj
olibrius nm inv
olifant nm
oligarchie nf
oligocène adj ; nm
oligoélément nm
oligophrénie nf
olive nf
olographe adj (pas de *h* au début du mot)
ombelle nf
ombellifère nf
ombilic nm ; *ombilical, e, aux* adj
omble nm (masculin)
ombrageux, euse adj
ombre nf (zone sombre)
ombre nm (poisson)
ombrelle nf
oméga nm, pl *omégas*
omelette nf
omettre vt, pp *omis, e ; omission* nf
omnibus nm inv
omnidirectionnel, elle adj
omnipotent, e adj
omniscient, e adj
omnisports adj inv
omnium nm, pl *omniums*
omnivore adj, n (masculin ou féminin)
omoplate nf (féminin)
on pr indéf → p 28
onagre nm (animal)
onagre nf (plante)
once nf
oncial, e, aux adj ; *onciale* nf
oncle nm
onction nf
onctueux, euse adj
onde nf
ondée nf
ondin, e n

on-dit nm inv
ondoyer vt; *ondoiement* nm
onduler vt
one-man-show nm, pl *one-man-shows*
onéreux, euse adj
ongle nm
onguent nm
onirique adj
oniromancie nf
onomastique nf
onomatopée nf
ontogenèse nf
ontologie nf
onusien, enne adj
onychophagie nf
onyx nm inv
onze adj num inv; *onzain* nm; *onzième* adj ord
oolithe ou oolite nf
opacifier vt
opale nf (féminin)
opalin, e adj; *opaline* nf
opaque adj
opéra nm, pl *opéras*
opéra-comique nm, pl *opéras-comiques*
opercule nm (masculin)
opérer vt; *opération* nf; *opérationnel, elle* adj
ophicléide nm (masculin)
ophtalmie nf; *ophtalmologie* nf
opiacé, e adj
opiner vi, pp *opiné* inv
opiniâtre adj (circonflexe sur â)
opinion nf
opium nm, pl *opiums; opiomane* n (masculin ou féminin)
opopanax nm inv
opossum nm, pl *opossums*
oppidum nm, pl *oppida*
opportun, e adj; *opportunément* adv; *opportunité* nf
opposer vt
oppresser vt
opprimer vt
opprobre nm (masculin)
opter vi, pp *opté* inv; *option* nf
opticien, enne n
optimisme nm
optimum nm, pl *optimums* ou *optima* → p 16; *optimal, e, aux* adj
optique nf
opulent, e adj; *opulence* nf
opuntia nm, pl *opuntias*
opus nm inv
opuscule nm (masculin)
or nm
or conj
oracle nm
orage nm
oraison nf
oral, e, aux, adj
orange nf (fruit); adj inv; nm (couleur); *orangeade* nf
orang-outan(g) nm, pl *orangs-outan(g)s*
orant, e n
orateur nm
oratorio nm, pl *oratorios*
orbe nm (masculin)
orbiculaire adj
orbitaire adj
orbite nf (féminin); *orbital, e, aux* adj
orcanette nf

orchestre nm; *orchestral, e, aux* adj
orchidée nf
orchis nm inv
orchite nf
ordalie nf
ordinaire adj; nm
ordinal, e, aux adj
ordinand nm (clerc)
ordinant nm (évêque)
ordinateur nm
ordination nf
ordo nm inv
ordonnance nf (décret, prescription); nm ou nf (des deux genres) [soldat]
ordonnancer vt
ordonner vt; *ordre* nf
ordure nf
orée nf
oreille nf; *oreillons* nmpl
oreille-de-mer nf, pl *oreilles-de-mer*
oreille-de-souris nf, pl *oreilles-de-souris*
orémus nm ou nm inv
orfèvre n (masculin ou féminin)
orfraie nf
organdi nm, pl *organdis*
organe nm
organeau nm, pl *organeaux*
organiser vt
organiste n (masculin ou féminin)
orgasme nm
orge nf (plante); nm (grain)
orgeat nm
orgelet nm
orgie nf
orgue nm → p 8
orgueil nm; *orgueilleux, euse* adj
orient nm; *oriental, e, aux* adj
orienter vt
orifice nm
oriflamme nf (féminin)
origan nm
original, e, aux adj, n
original nm, pl *originaux*
origine nf
oripeau nm, pl *oripeaux*
orme nm (masculin); *ormeau* nm, pl *ormeaux*
orne nm (masculin)
ornement nm; *ornemental, e, aux* adj
orner vt
ornière nf
ornithologue n (masculin ou féminin)
ornithorynque nm (masculin)
orogenèse nf
oronge nf (féminin)
orpailleur nm
orphelin, e n; *orphelinat* nm
orphéon nm
orphie nf
orphique adj
orque nf (féminin)
orthodoxe adj
orthogonal, e, aux adj
orthographe nf
orthopédie nf
orthophonie nf
ortie nf
ortolan nm
orvet nm
orviétan nm

os nm inv; *osselet* nm (avec deux s); *osseux, euse* (avec deux s)
osciller vi, pp *oscillé* inv
oseille nf
oser vt
osier nm
osmose nf
ostéite nf
ostensible adj
ostensoir nm
ostentation nf
ostéomyélite nf
ostracisme nm
ostréiculture nf
otage nm (masculin)
otarie nf
ôter vt (circonflexe sur ô), pp *ôté, e* → p 36, 37
otite nf
oto-rhino-laryngologie nf (sing)
ottoman, e adj
ou conj ≠ *où* adv (de lieu) → p 29, 45
où adv (de lieu) ≠ *ou* (conjonction)
ouailles nfpl
ouais ! interj
ouate nf (féminin)
oubli nm
oued nm, pl *oueds*
ouest nm inv
oui adv; nm inv
ouï-dire nm inv (tréma sur *i*)
ouïe nf
ouïr vt (tréma sur *i*), pp *ouï, e*
ouistiti nm, pl *ouistitis*
oukase ou ukase nm, pl *oukases, ukases*
ouléma ou uléma nm, pl *oulémas, ulémas*
ouragan nm
ourdir vt
ourler vt; *ourlet* nm
ours nm inv; *ourse* nf; *ourson* nm
oursin nm
outarde nf; *outardeau* nm, pl *outardeaux*
outil nm; *outillage* nm (avec deux *l*)
outlaw nm, pl *outlaws*
outrage nm
outrance nf
outre nf
outre prép
outrecuidant, e adj
outremer nm, pl *outremers;* adj inv (couleur)
outre-mer adv
outrepasser vt
outrer vt
outre-Rhin adv
outre-tombe adv
outsider nm, pl *outsiders*
ouverture nf
ouvrage nm (masculin; féminin rare dans *la belle ouvrage*)
ouvre-boîtes nm inv
ouvre-bouteilles nm inv
ouvre-huîtres nm inv
ouvrer vt
ouvrier, ère n; *ouvriérisme* nm (attention aux accents)
ouvrir vt, pp *ouvert, e*
ouvroir nm
ouzo nm, pl *ouzos*
ovaire nm (masculin)

ovale adj ; nm (masculin)
ovation nf ; *ovationner* vt
ove nm (masculin)
overdose nf
ovin, e adj

ovipare adj, n (masculin ou féminin)
ovni nm, pl *ovnis*
ovule nm (masculin)
oxhydrique adj
oxyde nm (masculin)

oxygène nm ; *oxygéner* vt (attention aux accents)
oxyton nm
oxyure nm (masculin)
ozone nm (masculin)

p

p nm inv
pacage nm
pacemaker nm, pl *pacemakers*
pacha nm, pl *pachas*
pachyderme nm (masculin)
pacifier vt
pack nm, pl *packs*
pacotille nf
pacte nm ; *pactiser* vi, pp *pactisé* inv
pactole nm (masculin)
paddock nm, pl *paddocks*
paddy nm, pl *paddys*
paella nf, pl *paellas*
paf adj inv
pagaie nf (rame) ; *pagayer* vi, pp *pagayé* inv
pagaïe ou pagaille nf (désordre)
paganisme nm
page nf (feuille) ; *paginer* vt
page nm (jeune noble)
pagne nm
pagode nf
paien, enne n (tréma sur *ï*)
paillard, e n, adj
paillasse nf
paille nf
paille-en-queue nm, pl *pailles-en-queue*
paillet nm
paillette nf (avec deux *t*) ; *pailleter* vt (avec un *t*)
pain nm ; *paner* vt
pair nm (noble) ; *pairesse* nf ; *pairie* nf
pair, e adj ; *paire* nf (couple)
paisseau nm, pl *paisseaux*
paître vt, vi (circonflexe sur *î* avant le *t*) ; *paissance* nf (sans circonflexe)
paix nf inv ; *paisible* adj
pal nm, pl *pals*
palabre nf ou nm (des deux genres)
palace nm
paladin nm
palais nm inv
palan nm
palanque nf
palanquin nm
palatal, e, aux adj
palatial, e, aux adj
palatin, e adj
pale nf (d'hélice) [sans circonflexe]
pâle adj ; *pâlot, otte* adj (circonflexe sur *â*)
pale-ale nm, pl *pale-ales*
palefrenier nm
palefroi nm
paléographie nf
paléolithique adj
paléontologie nf
paleron nm
palestre nf (féminin)

palet nm
paletot nm
palette nf
palétuvier nm
pâli nm (sing)
palier nm
palimpseste nm (masculin)
palindrome nm (masculin)
palingénésie nf
palinodie nf
palissade nf
palissandre nm (masculin)
palisser vt
palisson nm
palladium nm, pl *palladiums*
palléal, e, aux adj
palliatif nm
pallier vt
pallium nm, pl *palliums*
palmaire adj
palmarès nm inv
palme nf
palmé, e adj
palmer nm, pl *palmers*
palmier nm
palombe nf
palonnier nm
palourde nf
palpe nm (masculin)
palpébral, e, aux adj
palper vt
palpiter vi, pp *palpité* inv
paltoquet nm
paludéen, enne adj ; *paludisme* nm
palustre adj
pâmer (se) vpr ; *pâmoison* nf (circonflexe sur *â*)
pampa nf, pl *pampas*
pamphlet nm
pamplemousse nm ou nf (des deux genres)
pampre nm (masculin)
pan nm
panacée nf
panache nm (masculin)
panacher vt
panade nf
panais nm inv
panama nm, pl *panamas*
panaméricain, e adj
panarabisme nm
panard, e adj
panaris nm inv
panathénées nfpl
pan-bagnat nm, pl *pans-bagnats*
pancarte nf
panchen-lama nm, pl *panchen-lamas*
panchromatique adj
pancrace nm
pancréas nm inv
panda nm, pl *pandas*
pandectes nfpl

pandémonium nm, pl *pandémoniums*
pandore nm
panégyrique nm (*y* après le *g*)
panel nm
paner vt (un seul *n*)
paneton nm (panier) ≠ *panneton* (clef)
pangermanisme nm
pangolin nm
panhellénisme nm
panicaut nm
panier nm
panique nf
panislamique adj
panne nf
panneau nm, pl *panneaux*
panneau-façade nm, pl *panneaux-façades*
panneton nm (clef) ≠ *paneton* (panier)
panonceau nm, pl *panonceaux*
panoplie nf
panorama nm, pl *panoramas*
panse nf
panser vt (soigner) ≠ *penser* (réfléchir)
panslave adj
pantagruélique adj
pantalon nm → p 14
pantalonnade nf
pantelant, e adj
panthéisme nm
panthéon nm
panthère nf
pantière nf
pantin nm
pantois, e adj
pantomime nf (féminin)
pantoufle nf
pantoum nm, pl *pantoums*
paon nm ; *paonne* nf
papa nm, pl *papas*
papal, e, aux adj
papaye nf
pape nm ; *papesse* nf
papelard, e adj
paperasse nf
papier nm ; *papetier, ère* n
papier-calque nm, pl *papiers-calque*
papier-émeri nm, pl *papiers-émeri*
papier-filtre nm, pl *papiers-filtres*
papier-monnaie nm, pl *papiers-monnaies*
papille nf
papillome nm (masculin)
papillon nm
papillote nf
papilloter vi, pp *papilloté* inv
papoter vi, pp *papoté* inv
papou, e adj, pl *papous, oues*
paprika nm, pl *paprikas*

137

papule nf (féminin)
papyrus nm inv
pâque nf (circonflexe sur â);
 Pâques nf ou nm → p 8; *pascal, e, als* ou *aux*
paquebot nm
pâquerette nf (circonflexe sur â)
paquet nm
par prép
para nm, pl *paras*
parabellum nm, pl *parabellums*
parabole nf
parachever vt; *parachèvement*
 nm (attention à l'accentuation)
parachute nm
parade nf
paradigme nm
paradis nm inv
paradisier nm
parados nm inv
paradoxe nm; *paradoxal, e,
 aux* adj
parafe ou paraphe nm (masculin)
parafiscal, e, aux adj
paraffine nf (avec deux *f*)
parages nmpl
paragraphe nm (masculin)
paragrêle nm
paraître vi (circonflexe sur *î*
 devant *t*), pp *paru, e* → p 36;
 parution nf
parallaxe nf (féminin) [avec
 deux *l*]
parallèle adj; nf (ligne);
 nm (comparaison); *parallé-
 lisme* nm (attention aux
 accents) [deux *l* d'abord, un *l*
 ensuite]
parallélépipède nm (deux *l*
 d'abord, un *l* ensuite)
parallélogramme nm (deux *l*
 d'abord, un *l* ensuite)
paralogisme nm
paralysie nf
paramédical, e, aux adj
paramètre nm
paramilitaire adj
parangon nm; *parangonner* vt
paranoïaque adj, n (masculin
 ou féminin) [tréma sur *ï*]
paranormal, e, aux adj
parapet nm
paraphe ou parafe nm (masculin)
paraphernal, e, aux adj
paraphrase nf
paraplégie nf
parapluie nm
parapsychologie nf
parasol nm
parasite nm
parasympathique adj; nm
parathyroïde nf
paratonnerre nm
paratyphoïde nf
paravalanche nm (masculin)
paravent nm
parbleu! interj
parc nm
parcelle nf; *parcellaire* adj
 (avec deux *l*)
parce que loc conj → p 59
parchemin nm
parcimonie nf
par-ci, par-là loc adv
parcourir vt, pp *parcouru, e*;
 parcours nm inv

par-derrière loc adv
par-dessous loc adv
par-dessus loc adv
pardessus nm
par-devant loc adv
pardi! ou pardieu! interj
pardon nm; *pardonner* vt
pare-balles adj inv
pare-brise nm inv
pare-chocs nm inv
parèdre nm
pare-éclats nm inv
pare-étincelles nm inv
pare-feu nm inv
parégorique adj
pareil, elle adj, n → p 26
parélie ou parhélie nm (masculin)
parenchyme nm (masculin)
parent, e n; *parental, e, aux* adj
parentéral, e, aux adj
parenthèse nf
paréo nm, pl *paréos*
parer vt
pare-soleil nm inv
parésie nf
paresse nf
parfaire vt, pp *parfait, e*
parfait, e adj
parfois adv
parfum nm
parhélie ou parélie nm (masculin)
pari nm
paria nm, pl *parias*
pariétal, e, aux adj
parigot, e n (populaire)
parisien, enne adj; *parisia-
 nisme* nm
parisis adj inv
parisyllabique adj; nm
parité nf
parjure nm
parking nm, pl *parkings*
parlement nm
parlementer vi, pp *parlementé*
 inv
parler vt, vti
parmesan nm, pl *parmesans*
parmi prép
parodie nf
parodonte nm; *parodontal, e,
 aux* adj
paroi nf (féminin)
paroisse nf; *paroissial, e, aux*
 adj
parole nf
paroli nm (au sing)
paronomase nf
paronyme nm
parotide nf
parousie nf
paroxysme nm; *paroxysmique,
 paroxystique* ou *paroxysmal,
 e, aux* adj
parpaillot, e n
parpaing nm, pl *parpaings*
parquer vt; *parcage* nm
parquet nm; *parqueter* vt
parrain nm; *parrainer* vt
parricide n (masculin ou féminin) [personne]; nm (acte)
parsemer vt
parsi, e adj, n
part nf
partage nm; *partager* vt
partenaire n (masculin ou
 féminin)

parterre nm ≠ *par terre*
parthénogenèse nf (*h* après *t*)
parti nm; *partial, e, aux* adj
 (avec un *t*)
participe nm; *participial, e, aux*
 adj
participer vti, pp *participé* inv
particule nf
particulier, ère adj
partie nf (portion)
partir vi, pp *parti, e*
partisan, partisane adj, n
partitif, ive adj
partition nf
partout adv
parturiente nf (avec une *e*)
parure nf
parvenir vi, pp *parvenu, e*
parvis nm inv
pas nm inv
pas adv
pascal, e, als ou aux adj
pas-d'âne nm inv
pas-de-porte nm inv
pas-grand-chose n inv (masculin ou féminin)
paso doble nm inv
passacaille nf
passavant nm
passé nm; prép → p 27, 36, 37
passe-bande adj inv
passe-boules nm inv
passe-crassane nf inv
passe-droit nm, pl *passe-droits*
passe-lacet nm, pl *passe-lacets*
passement nm; *passementerie*
 nf
passe-montagne nm, pl *passe-
 montagnes*
passe-partout nm inv
passe-passe nm inv
passe-pied nm, pl *passe-pieds*
passe-plat nm, pl *passe-plats*
passepoil nm
passeport nm
passer vt, vi
passereau nm, pl *passereaux*
passerelle nf
passe-temps nm inv
passe-thé nm inv
passe-tout-grain nm inv
passe-volant nm, pl *passe-
 volants*
passible adj
passif, ive adj; *passif* nm
passim adv
passing-shot nm, pl *passing-
 shots*
passion nf; *passionner* vt; *pas-
 sionnel, elle* adj (les dérivés
 ont deux *n*)
passoire nf
pastel nm; *pastelliste* n (masculin ou féminin) [avec deux *l*]
pastèque nf
pasteur nm
pastiche nm (masculin)
pastille nf
pastis nm inv
pastoral, e, aux adj
pastoureau, elle n, pl *pastou-
 reaux, elles*
pat adj m inv
patache nf
patachon nm
pataquès nm inv
patate nf
patatras! interj

pataud, e adj, n
patauger vi, pp *pataugé* inv
patchouli nm, pl *patchoulis*
patchwork nm, pl *patchworks*
pâte nf (farine) ≠ *patte* (partie du corps); *pâtée* nf; *pâteux, euse* adj (circonflexe sur â)
pâté nm (circonflexe sur â)
patelin, e adj
patelle nf
patène nf
patenôtre nf (féminin) [circonflexe sur ô]
patent, e adj
patente nf
Pater nm inv
patère nf
paternalisme nm
paterne adj
paternel, elle adj
pathétique adj
pathologie nf
pathos nm inv
patibulaire adj
patient, e adj; *patience* nf; *patiemment* adv; *patienter* vi, pp *patienté* inv
patient, e n (client d'un médecin)
patin nm; *patiner* vi, vt
patine nf; *patiner* vt
patio nm, pl *patios*
pâtir vi, pp *pâti* inv (circonflexe sur â)
pâtis nm inv (circonflexe sur â)
pâtissier, ère n; *pâtisserie* nf (circonflexe sur â)
patoche nf
patois nm inv
patouiller vi, pp *patouillé* inv
patraque adj
pâtre nm (circonflexe sur â)
patriarche nm; *patriarcat* nm; *patriarcal, e, aux* adj
patricien, enne n
patrie nf; *patriote* n (masculin ou féminin)
patrilocal, e, aux adj
patrimoine nm; *patrimonial, e, aux* adj
patrologie nf
patron, onne n; *patronal, e, aux* adj (avec un seul n); *patronnesse* adj f (avec deux n)
patronage nm (avec un seul n)
patronner vt (avec deux n)
patronyme nm
patrouille nf
patte nf (partie du corps) ≠ *pâte* (farine)
patte-de-loup nf, pl *pattes-de-loup*
patte-d'oie nf, pl *pattes-d'oie*
pattemouille nf
pâture nf (circonflexe sur â)
paturon nm
paume nf
paumer vt
paupière nf
paupiette nf
pause nf (arrêt) ≠ *pose* (montage)
pause-café nf, pl *pauses-café*
pauvre adj, n (masculin ou féminin); *pauvresse* nf
paupérisme nm
pavane nf
pavaner (se) vpr

pavé nm
paver vt
pavillon nm
pavois nm inv
pavoiser vt
pavot nm
payer vt; *paye* ou *paie* nf; *paiement* ou *payement* nm; *paierie* nf; *payeur, euse* n
pays nm inv
paysage nm
paysan, anne n; *paysannerie* nf; *paysannat* nm
péage nm
péan nm
peau nf, pl *peaux*; *peaucier* nm
peaufiner vt
Peau-Rouge n (masculin ou féminin), pl *Peaux-Rouges*
peausserie nf
pécaïre! interj
pécari nm, pl *pécaris*
peccadille nf (avec deux c)
pechblende nf (féminin)
pêche nf (fruit); *pêcher* nm (circonflexe sur ê)
pécher vi, pp *péché* inv; *péché* nm; *pécheur, eresse* n (accent aigu sur é)
pêcher vt (du poisson); *pêche* nf; *pêcheur, euse* n (circonflexe sur ê)
pécore nf
pectoral, e, aux adj
péculat nm
pécule nm (masculin)
pécuniaire adj
pédagogie nf
pédale nf
pédant, e adj
pédéraste nm
pédestre adj
pédiatre n (masculin ou féminin) [sans circonflexe]
pédicule nm (masculin)
pédicure n (masculin ou féminin)
pedigree nm, pl *pedigrees*
pédologie nf
pédoncule nm (masculin)
peeling nm, pl *peelings*
pegmatite nf
pègre nf
peigne nm
peindre vt, pp *peint, e*; *peinture* nf
peine nf; *peiner* vi, vt; *pénible* adj
péjoratif, ive adj
pékin ou *péquin* nm
pelage nm
pélagique adj (de la mer)
pélasgien, enne ou *pélasgique* adj (des Pélasges)
pêle-mêle adv (circonflexe sur les deux ê)
peler vt; *pelade* nf; *pelure* nf (avec un l)
pèlerin nm; *pèlerinage* nm (attention à l'accent grave)
pèlerine nf (accent grave sur le premier è)
pélican nm
pelisse nf
pellagre nf
pelle nf; *pelletée* nf; *pelleter* vt (avec deux l et un t)
pelle-bêche nf, pl *pelles-bêches*

pelle-pioche nf, pl *pelles-pioches*
pelleterie nf
pellicule nf (deux l et un l)
pelotari nm, pl *pelotaris*
pelote nf
peloter vt
peloton nm; *pelotonner* vt
pelouse nf
peltaste nm
peluche nf
pelvis nm inv
pemmican nm
pénal, e, aux adj
penalty nm, pl *penaltys* ou *penalties*
pénates nmpl (masculin)
penaud, e adj
pencher vt, vi
pendant prép
pendard, e n
pendeloque nf (féminin)
pendentif nm
pendre vt, pp *pendu, e*
pendule nm (poids oscillant)
pendule nf (horloge)
pêne nm (de serrure) [circonflexe sur ê] ≠ *penne* (plume)
pénéplaine nf
pénétrer vt
péniche nf
pénicilline nf
péninsule nf
pénis nm inv
pénitence nf
pénitencier nm (avec un c); *pénitentiaire* adj (avec un t)
pénitent, e n
penne nf (féminin) [plume] ≠ *pêne* (de serrure)
penny nm, pl *pence* ou *pennies*
pénombre nf
pense-bête nm, pl *pense-bêtes*
penser vt (réfléchir) ≠ *panser* (soigner)
pension nf; *pensionnaire* n (masculin ou féminin)
pensum nm, pl *pensums*
pentagone nm
pentathlon nm
pente nf
penture nf
pénultième adj; nf
pénurie nf
pépie nf
pépier vi, pp *pépié* inv; *pépiement* nm
pépin nm
pépinière nf; *pépiniériste* n (masculin ou féminin) [attention aux accents]
pépite nf
péplum nm, pl *péplums*
peppermint nm, pl *peppermints*
pepsine nf
peptone nf (féminin)
péquenot nm
péquin ou *pékin* nm
percale nf
perce-muraille nf, pl *perce-murailles*
perce-neige nf ou nm (des deux genres) inv
perce-oreille nm, pl *perce-oreilles*
perce-pierre nf, pl *perce-pierres*
percepteur nm
percer vt; *perçant, e* adj

percevoir vt, pp *perçu, e ; perception* nf
perche, e adj
perclus, e adj
percolateur nm
percutané, e adj
percuter vt ; *percussion* nf ; *percussionniste* n (masculin ou féminin)
perdre vt, pp *perdu, e*
perdrix nf inv ; *perdreau* nm, pl *perdreaux*
perdurer vi, pp *perduré* inv
père nm
pérégrination nf
péremption nf
péremptoire adj
pérenniser vt (deux *n*)
péréquation nf
perfectible adj
perfection nf ; *perfectionner* vt ; *perfectionnisme* nm
perfide adj
perforer vt
performance nf
perfusion nf
pergola nf, pl *pergolas*
périanthe nm (masculin)
péricarde nm (masculin)
péricarpe nm (masculin)
péricliter vi, pp *périclité* inv
péridural, e, aux adj ; *péridurale* nf
périgée nm (masculin)
périhélie nm (masculin)
péril nm ; *périlleux, euse* adj (avec deux *l*)
périmer (se) vpr
périmètre nm
périnatal, e, aux adj
périnée nm ; *périnéal, e, aux* adj
période nf
périoste nm (masculin)
péripatéticien, enne n
péripétie nf (avec un *t*)
périphérie nf
périphrase nf
périple nm
périr vi
périscope nm
périssoire nf
péristaltique adj
péristyle nm
péritoine nm ; *péritonite* nf
perle nf
perlimpinpin nm
perlot nm
permanent, e adj ; *permanence* nf
permanganate nm
perméable adj
permettre vt, pp *permis, e* → p 41 ; *permission* nf ; *permissionnaire* n (masculin ou féminin)
permuter vt
pernicieux, euse adj
péroné nm
péronnelle nf
pérorer vi, pp *péroré* inv
perpendiculaire adj ; nf
perpétrer vt
perpétuer vt ; *perpette (à)* loc adv (populaire)
perplexe adj
perquisition nf ; *perquisitionner* vt
perron nm

perroquet nm
perruche nf
perruque nf
pers, e adj
persécuter vt ; *persécution* nf
persévérer vi, pp *persévéré* inv ; *persévérance* nf
persicaire nf (féminin)
persienne nf
persifler vt (un seul *f*)
persil nm ; *persillade* nf (deux *l*)
persique adj
persister vi, pp *persisté* inv
persona grata adj inv
personnage nm ; NOMS DE PERSONNAGES → p 17
personne nf (tous les dérivés ont deux *n* : *personnel, personnalité*, etc) ; pr indéf → p 28
perspectif, ive adj ; *perspective* nf
perspicace adj
persuader vt
perte nf
pertinent, e adj ; *pertinemment* adv ; *pertinence* nf
pertuis nm inv
pertuisane nf
perturber vt
pervenche nf
pervers, e adj, n
pervertir vt ; *perversion* nf
pesade nf
peser vt → p 39 ; *pesant, e* adj ; *pesamment* adv
pèse-alcool nm inv
pèse-bébé nm, pl *pèse-bébé(s)*
pèse-lait nm inv
pèse-lettre nm, pl *pèse-lettre(s)*
pèse-liqueur nm, pl *pèse-liqueur(s)*
pèse-personne nm, pl *pèse-personne(s)*
pèse-sirop nm, pl *pèse-sirop(s)*
peseta nf, pl *pesetas*
pessimisme nm
peste nf
pester vi, pp *pesté* inv
pesticide nm
pestilence nf ; *pestilentiel, elle* adj (avec un *t*)
pet nm ; *péter* vt, vi (attention à l'accentuation) ; *pétant, e* adj → p 36
pétale nm (masculin)
pétanque nf
pétard nm
pétaudière nf
pet-de-nonne nm, pl *pets-de-nonne*
pète-sec n (masculin ou féminin) inv
pétiller vi, pp *pétillé* inv
pétiole nm (masculin)
petit, e adj ; *petiot, ote* adj ; *petitesse* nf
petit-beurre nm, pl *petits-beurre*
petit-bourgeois, petite-bourgeoise adj, n, pl *petits-bourgeois, petites-bourgeoises*
petit-fils, petite-fille n, pl *petits-fils, petites-filles*
pétition nf ; *pétitionner* vi
petit-lait nm, pl *petits-laits*
petit-maître, petite-maîtresse n, pl *petits-maîtres, petites-maîtresses*
petit-nègre nm (au sing)

petit-neveu, petite-nièce n, pl *petits-neveux, petites-nièces*
petits-enfants nmpl
petit-suisse nm, pl *petits-suisses*
pétoche nf (populaire)
pétoire nf (féminin)
peton nm
pétoncle nm (masculin)
pétrel nm (masculin)
pétrifier vt
pétrin nm
pétrir vt
pétrochimie nf
pétrographie nf
pétrole nm
pétulant, e adj ; *pétulance* nf
pétun nm, pl *pétuns*
pétunia nm (masculin), pl *pétunias*
peu adv → p 37, 38, 47
peuple nm ; *peuplade* nf
peupler vt
peuplier nm
peur nf
peut-être adv
pfennig nm, pl *pfennigs* ou *pfennige*
phacochère nm (masculin)
phaéton nm
phagocyte nm
phalange nf
phalanstère nm (masculin)
phalène nf (féminin)
phanérogame nf (féminin)
pharamineux, euse ou faramineux, euse adj
pharaon nm
phare nm
pharisien nm
pharmacie nf
pharynx nm inv ; *pharyngien, enne* adj
phase nf
phénix nm inv
phénol nm
phénomène nm ; *phénoménal, e, aux* adj (attention aux accents)
philanthrope n (masculin ou féminin)
philatélie nf
philharmonie nf
philippique nf
philodendron nm
philologie nf
philosophale adj f
philosophe n (masculin ou féminin) ; *philosopher* vi, pp *philosophé* inv
philtre nm (masculin) [d'amour] ≠ *filtre* (appareil)
phlébite nf
phlegmon nm
phlogistique nm (masculin)
phobie nf
phonation nf
phonétique adj ; nf ; *phonème* nm (attention aux accents)
phoniatre n (masculin ou féminin) [sans circonflexe]
phonographe nm
phonothèque nf
phoque nm
phosphate nm
phosphore nm
phosphorescent, e adj
photo nf

photocomposition nf
photocopie nf
photoélectrique adj
photo-finish nf (féminin), pl *photos-finish*
photogénique adj
photographe n (masculin ou féminin)
photon nm
photopile nf
photo-robot nf (féminin), pl *photos-robots*
photo-roman nm (masculin), pl *photos-romans*
photostoppeur, euse n
photothèque nf
phrase nf
phratrie nf (clan) ≠ *fratrie* (ensemble des frères et sœurs)
phréatique adj
phrénologie nf
phrygien, enne adj
phtaléine nf
phtisie nf
phylactère nm (masculin)
phylloxéra ou phylloxera nm, pl *phylloxéras, phylloxeras* (avec deux *l*)
phylogenèse nf
physiocrate n (masculin ou féminin)
physiognomonie nf
physiologie nf
physionomie nf
physique adj; nf; nm
phytopathologie nf
pi nm, pl *pis*
piaffer vi, pp *piaffé* inv
piailler vi, pp *piaillé* inv
pianissimo adv
pianiste n (masculin ou féminin)
piano nm; *pianoter* vi, vt
piastre nf (féminin)
piaule nf
piauler vi, pp *piaulé* inv
piazza nf (avec deux *z*)
pic nm
picador nm, pl *picadors*
picaillons nmpl
picaresque adj
piccolo nm, pl *piccolos*
pichenette nf
pichet nm
pickles nmpl
pickpocket nm, pl *pickpockets*
pick-up nm inv
picorer vt
picot nm
picoter vt
picotin nm
picpoul nm, pl *picpouls*
picrique adj m
pictogramme nm
pictural, e, aux adj
picvert ou pivert nm
pie nf (oiseau)
pie adj (couleur) → p 30
pièce nf; *piécette* nf (attention aux accents)
pied nm
pied-à-terre nm inv
pied-bot nm, pl *pieds-bots; pied bot* adj (sans trait d'union), pl *pieds bots*
pied-d'alouette nm, pl *pieds-d'alouette*
pied-de-biche nm, pl *pieds-de-biche*

pied-de-cheval nm, pl *pieds-de-cheval*
pied-de-loup nm, pl *pieds-de-loup*
pied-de-mouton nm, pl *pieds-de-mouton*
pied-de-poule nm, pl *pieds-de-poule;* adj inv
piédestal nm, pl *piédestaux*
pied-droit ou *piédroit* nm, pl *pieds-droits, piédroits*
pied-fort ou *piéfort* nm, pl *pieds-forts, piéforts*
pied-noir nm, pl *pieds-noirs*
piédouche nm (masculin)
pied-plat nm, pl *pieds-plats*
piédroit ou *pied-droit* nm, pl *piédroits, pieds-droits*
piéfort ou *pied-fort* nm, pl *piéforts, pieds-forts*
piège nm; *piéger* vt (attention aux accents)
pie-grièche nf, pl *pies-grièches*
pie-mère nf, pl *pies-mères*
pierre nf; *pierreries* nfpl
pierrot nm
piétaille nf
piété nf
piétement nm
piéter vi, pp *piété* inv
piétin nm
piétiner vt, vi
piéton nm; *piéton, onne* adj; *piétonnier, ère* adj
piètre adj
pieu nm, pl *pieux*
pieuvre nf
pieux, euse adj
pif nm, pl *pifs; pifomètre* nm
pige nf
pigeon nm; *pigeonne* nf; *pigeonneau* nm, pl *pigeonneaux*
piger vt
pigment nm
pignocher vi, pp *pignoché* inv
pignon nm
pilaf nm, pl *pilafs*
pilastre nm
pile nf; adv
piler vt
pileux, euse adj
pilier nm
piller vt
pillow-lava nf, pl *pillow-lavas*
pilon nm; *pilonner* vt
pilori nm, pl *piloris*
piloselle nf
pilote nm; *piloter* vt
pilotis nm inv
pilou nm, pl *pilous*
pilule nf
pimbêche nf (circonflexe sur ê)
piment nm
pimpant, e adj
pin nm; *pinède* nf
pinacle nm
pinacothèque nf
pinailler vi, pp *pinaillé* inv
pinard nm
pinasse nf
pince nf
pinceau nm, pl *pinceaux*
pince-monseigneur nf, pl *pinces-monseigneur*
pince-nez nm inv
pincer vt; *pinçon* nm

pince-sans-rire n (masculin ou féminin) inv
pinéal, e, aux adj
pineau nm (vin de liqueur charentais), pl *pineaux* ≠ *pinot* (vin de Bourgogne)
pinède nf
pingouin nm
ping-pong nm, pl *ping-pongs*
pingre adj
pinot nm (vin de Bourgogne) ≠ *pineau* (vin de liqueur charentais)
pinson nm
pintade nf; *pintadeau* nm, pl *pintadeaux*
pinte nf
pin-up nf inv
pinyin nm (*i* après *y*) [au sing]
pioche nf
piolet nm
pion nm
pion, pionne n
pioncer vi, pp *pioncé* inv
pionnier n
pipe nf
pipeau nm, pl *pipeaux*
pipelet, ette n
pipe-line ou *pipeline* nm, pl *pipe-lines, pipelines*
piper vt
piper-cub nm, pl *piper-cubs*
pipette nf
pipi nm, pl *pipis*
pipistrelle nf
pique nf (arme)
pique nm (carte)
pique-assiette n (masculin ou féminin), pl *pique-assiette(s)*
pique-bœuf nm, pl *pique-bœufs*
pique-feu nm inv
pique-nique nm, pl *pique-niques; pique-niquer* vi, pp *pique-niqué* inv
pique-notes nm inv
piquer vt; *piqûre* nf (circonflexe sur *û*)
piquet nm
piqueter vt
piquette nf
piranha ou *piraya* nm, pl *piranhas, pirayas*
pirate nm
pire adj
piriforme adj
pirogue nf
pirojki nmpl
pirouette nf; *pirouetter* vi, pp *pirouetté* inv
pis nm inv
pis adv
pis-aller nm inv
pisciculture nf (attention *sc*)
piscine nf (attention *sc*)
pisé nm
pisse-froid nm inv
pissenlit nm
pisser vt, vi
pistache nf
piste nf
pistil nm
pistole nf
pistolet nm
pistolet-mitrailleur nm, pl *pistolets-mitrailleurs*
piston nm; *pistonner* vt
pistou nm, pl *pistous*
pitance nf

pitchpin nm
pithécanthrope nm (*h* après chaque *t*)
pitié nf ; *pitoyable* adj ; *piteux, euse* adj
piton nm ; *pitonner* vt
pitre nm
pittoresque adj (avec deux *t*)
pivert ou picvert nm
pivoine nf
pivot nm ; *pivoter* vi, pp *pivoté* inv
pizza nf, pl *pizzas* ; *pizzeria* nf, pl *pizzerias*
pizzicato nm, pl *pizzicati*
placard nm ; *placarder* vt
place nf
placebo nm, pl *placebos* (sans accent)
placenta nm, pl *placentas*
placer vt
placer nm, pl *placers*
placet nm
placide adj
plafond nm ; *plafonner* vt, vi
plage nf
plagier vt
plaid nm, pl *plaids*
plaider vt ; *plaidoirie* nf ; *plaidoyer* nm
plaie nf
plain, e adj (héraldique) ≠ *plein* (entier)
plain-chant nm, pl *plains-chants*
plaindre vt, pp *plaint, e* ; *plainte* nf
plaine nf
plain-pied (de) loc adv
plaire vi, pp *plu* inv ; *plaisant, e* adj ; *plaisance* nf ; *plaisamment* adv ; *plaisancier, ère* n
plaisir nm
plan, e adj
plan nm
planche nf ; *planchéier* vt (attention à l'accentuation) ; *plancher* nm
plancton nm
plane nf
planer vi
planétarium nm, pl *planétariums*
planète nf ; *planétaire* adj (attention aux accents)
planèze nf (féminin)
planifier vt
planisphère nm (masculin)
plan-masse nm, pl *plans-masses*
planning nm, pl *plannings*
planquer vt
plant nm (jeune tige)
plantain nm
plante nf
planter vt
plantigrade nm
planton nm
plantureux, euse adj
plaque nf
plaquer vt ; *placage* ou *plaquage* nm
plasma nm
plastic nm (explosif)
plastique adj ; nm (matière)
plastron nm
plastronner vi, pp *plastronné* inv
plat, e adj ; *platitude* nf

plat nm ; *platée* nf
platane nm
plat-bord nm, pl *plats-bords*
plate nf
plateau nm, pl *plateaux*
plateau-repas nm, pl *plateaux-repas*
plate-bande nf, pl *plates-bandes*
plate-forme nf, pl *plates-formes*
platine nf (métal) ; nf (pour électrophone)
plâtre nm (circonflexe sur â et dans les dérivés : *plâtrer, plâtrier*, etc)
plausible adj
play-back nm inv
play-boy nm, pl *play-boys*
plèbe nf ; *plébéien, enne* adj (attention aux accents)
plébiscite nm (attention *sc*)
plectre nm (masculin)
pléiade nf
plein, e adj (entier) ≠ *plain* (héraldique) → p 27 ; *plénier, ère* adj ; *plénitude* nf (attention à l'accentuation)
plein-emploi nm, pl *pleins-emplois*
plein-temps nm, pl *pleins-temps*
plein-vent nm, pl *pleins-vents*
plénipotentiaire adj ; nm
pléonasme nm
plésiosaure nm
pléthore nf, pl *pléthores* (*h* après *t*)
pleural, e, aux adj
pleurer vt, vi ; *pleur* nm
pleurésie nf
pleurite nf
pleurnicher vi, pp *pleurniché* inv
pleurote nm (masculin)
pleutre nm
pleuvoir vi, pp *plu* inv
plèvre nf
plexus nm inv
pli nm (marque) ; *plier* vt
plie nf (poisson)
plinthe nf
plisser vt
plomb nm ; *plomber* vt
plombières nf inv
plonger vt, vi ; *plongeoir* nm
plot nm
ploutocratie nf
ployer vt, vi
pluie nf ; *pluvial, e, aux* adj ; *pluvieux, euse* adj
plumard nm
plumassier, ère n
plume nf
plumeau nm, pl *plumeaux*
plumet nm
plum-pudding nm, pl *plum-puddings*
plupart (la) nf (au sing) → p 29, 47
plural, e, aux adj
pluricausal, e, als ou aux adj
pluridimensionnel, elle adj
pluriel, elle adj ; *pluriel* nm
plurilatéral, e, aux adj
plus adv, *des plus* → p 26 ; *le plus* → p 32 ; *plus d'un* → p 47
plusieurs adj indéf
plus-que-parfait nm, pl *plus-que-parfaits*
plus-value nf, pl *plus-values*
plutonium nm, pl *plutoniums*

plutôt adv (circonflexe sur ô)
pluvier nm
pluviôse nm, pl *pluviôses* (circonflexe sur ô)
pneu nm, pl *pneus*
pneumatique nm
pneumocoque nm (masculin)
pneumonie nf
pochade nf
pochard, e n
poche nf ; nm (livre)
pocher vt
pochetée nf
pochette nf
pochoir nm
podagre adj
podestat nm
podium nm, pl *podiums*
podomètre nm
podzol nm, pl *podzols*
pœcile nm (masculin)
poêle nm (fourneau ; drap mortuaire) ; nf (ustensile de cuisine) [circonflexe sur ê aussi dans les dérivés : *poêlée, poêler, poêlon*]
poème nm ; *poésie* nf ; *poétique* adj ; *poète* nm ; *poétesse* nf (attention aux accents)
pognon nm
pogrom ou pogrome nm, pl *pogroms, pogromes*
poids nm inv
poignant, e adj
poignard nm
poigne nf
poignée nf
poignet nm
poil nm
poinçon nm ; *poinçonner* vt
poindre vi, pp *point* inv
poing nm
point nm ; POINTS CARDINAUX → p 18, 62
point adv
point de vue nm, pl *points de vue*
pointe nf
pointeau nm, pl *pointeaux*
pointer vt
pointiller vt
pointure nf
poire nf
poireau nm, pl *poireaux*
pois nm inv
poison nm
poissard, e adj
poisse nf
poisser vt ; *poisseux, euse* adj
poisson nm ; *poissonnerie* nf
poisson-chat nm, pl *poissons-chats*
poisson-lune nm, pl *poissons-lunes*
poisson-scie nm, pl *poissons-scies*
poitrail nm, pl *poitrails*
poitrine nf
poivre nm
poix nf inv ; *poisser* vt
poker nm, pl *pokers*
polar nm, pl *polars*
polder nm, pl *polders*
pôle nm (circonflexe sur ô) ; *polaire* adj (pas de circonflexe sur les dérivés)
polémique adj ; nf
polenta nf, pl *polentas*

poli, e adj; *politesse* nf; *poliment* adv

police nf; *policeman* nm, pl *policemen*

polichinelle nm

policlinique nf ≠ *polyclinique*

poliomyélite nf (le *y* après le *m*)

polir vt

polisson, onne n; *polissonnerie* nf

politique adj; nf

poljé nm (masculin), pl *poljés*

polka nf, pl *polkas*

pollen nm, pl *pollens*

polluer vt

polo nm, pl *polos*

polochon nm

poltron, onne adj; *poltronnerie* nf

polychrome adj

polyclinique nf ≠ *policlinique*

polycopie nf

polyèdre nm

polyester nm

polygamie nf

polyglotte adj, n (masculin ou féminin)

polygone nm; *polygonal, e, aux* adj

polygraphe n (masculin ou féminin)

polymorphe adj

polynôme nm, *polynomial, e, aux* adj (attention à l'accentuation)

polype nm

polyphonie nf

polypier nm

polyptyque nm

polysyllabe adj; nm (masculin)

polytechnique adj

polythéisme nm

polyvalence nf; *polyvalent, e* adj

pommade nf

pomme nf

pomme de terre nf, pl *pommes de terre*

pommeau nm, pl *pommeaux*

pommeler (se) vpr

pommelle nf

pommer vi

pommette nf

pompe nf (cérémonie)

pompe nf (appareil)

pompon nm

pomponner vt

ponant nm (au sing)

ponce nf

ponceau nm, pl *ponceaux*

poncho nm, pl *ponchos*

poncif nm, pl *poncifs*

ponction nf; *ponctionner* vt

ponctuel, elle adj; *ponctualité* nf

ponctuer vt

pondéral, e, aux adj

pondérer vt

pondre vt, pp *pondu, e*

poney nm, pl *poneys*

pongiste n (masculin ou féminin)

pont nm

ponte nm (personne importante)

ponte nf (action de pondre)

pontet nm

pontife nm; *pontifical, e, aux* adj

---

pontifier vi, pp *pontifié* inv

pont-l'évêque nm inv

pont-levis nm, pl *ponts-levis*

ponton nm; *pontonnier* nm

ponton-grue nm, pl *pontons-grues*

pont-promenade nm, pl *ponts-promenade*

pont-rail nm, pl *ponts-rail*

pont-route nm, pl *ponts-route*

pool nm, pl *pools*

pop-corn nm inv

pope nm

popeline nf

popote nf

populace nf

populaire adj

population nf

porc nm (animal) ≠ *pore* (orifice) ≠ *port* (abri); *porcelet* nm

porcelaine nf

porc-épic nm, pl *porcs-épics*

pore nm (masculin) [orifice] ≠ *porc* (animal) ≠ *port* (abri)

porion nm

pornographie nf

porphyre nm (masculin)

port nm (abri) ≠ *porc* (animal) ≠ *pore* (orifice)

portail nm, pl *portails*

porte nf

porte-aéronefs nm inv

porte-à-faux nm inv

porte-affiche nm, pl. *porte-affiche(s)*

porte-aiguille nm, pl *porte-aiguille(s)*

porte-à-porte nm inv

porte-avions nm inv

porte-bagages nm inv

porte-bébé nm, pl *porte-bébé(s)*

porte-billet(s) nm, pl *porte-billets*

porte-bonheur nm inv

porte-bouteille(s) nm, pl *porte-bouteilles*

porte-carte(s) nm, pl *porte-cartes*

porte-cigarette(s) nm, pl *porte-cigarettes*

porte-clef(s) ou -clé(s) nm, pl *porte-clés, -clefs*

porte-conteneurs nm inv

porte-couteau nm, pl *porte-couteau(x)*

porte-crayon nm, pl *porte-crayon(s)*

porte-document(s) nm, pl *porte-documents*

porte-drapeau nm, pl *porte-drapeau(x)*

portée nf

portefaix nm inv

porte-fenêtre nf, pl *portes-fenêtres*

portefeuille nm, pl *portefeuilles*

porte-hélicoptères nm inv

porte-malheur nm inv

portemanteau nm, pl *portemanteaux*

portemine nm

porte-monnaie nm inv

porte-outil nm, pl *porte-outil(s)*

porte-parapluie(s) nm, pl *porte-parapluies*

porte-parole nm inv

porte-plume nm, pl *porte-plume(s)*

---

porter vt; *se porter caution, garant* → p 43

porter nm, pl *porters*

porte-savon nm, pl *porte-savon(s)*

porte-serviette nm, pl *porte-serviette(s)*

porte-voix nm inv

portillon nm

portion nf

porto nm, pl *portos*

portrait nm; *portraitiste* n (masculin ou féminin)

portrait-robot nm, pl *portraits-robots*

Port-Salut nm inv (nom déposé)

posé, e adj; *posément* adv

poser vt

positif, ive adj

position nf

posologie nf

posséder vt; *possession* nf

possessif, ive adj, n; *possessif* nm; CHOIX DU POSSESSIF → p 31, 32

possible adj; adv → p 27; nm

postdater vt

poste nf (bureau pour les opérations postales); *postal, e, aux* adj

poste nm (emploi)

postérieur, e adj

posteriori (a) adj inv; adv (sans accent)

postérité nf

postface nf

posthume adj

postiche adj; nm (masculin)

postillon nm; *postillonner* vi, pp *postillonné* inv

postnatal, e, als ou aux adj

postopératoire adj

postposer vt

postprandial, e, aux adj

postscolaire adj

post-scriptum nm inv

postsynchroniser vt

postulat nm

postuler vt

postural, e, aux adj

posture nf

pot nm; *potée* nf

potable adj

potache nm (masculin)

potage nm

potard nm

potasse nf

potasser vt

potassium nm, pl *potassiums*

pot-au-feu nm inv; adj inv

pot-de-vin nm, pl *pots-de-vin*

poteau nm, pl *poteaux*

potelé, e adj

potence nf

potentat nm

potentiel, elle adj

potentiomètre nm

poterne nf

potiche nf

potin nm; *potiner* vi, pp *potiné* inv

potion nf

potiron nm

pot-pourri nm, pl *pots-pourris*

potron-jaquet nm inv

potron-minet nm inv

pou nm, pl *poux*

poubelle nf

143

pouce nm; *poucettes* nfpl

pouce-pied nm, pl *pouces-pieds*

pou-de-soie, pout-de-soie ou poult-de-soie nm, pl *poux-, pouts-, poults-de-soie*

pouding ou pudding nm, pl *poudings, puddings*

poudre nf

poudroyer vi; *poudroiement* nm

pouf nm, pl *poufs*

pouffer vi, pp *pouffé* inv

pouilles nfpl

pouilleux, euse n; *pouillerie* nf

pouilly nm, pl *pouillys*

poulailler nm

poulain nm; *pouliche* nf

poulaine nf

poule nf

poulie nf

pouliner vi, pp *pouliné* inv

poulpe nm (masculin)

pouls nm inv

poumon nm

poupard, e n

poupe nf

poupée nf

poupin, e adj

poupon nm; *pouponner* vt

pour prép

pourboire nm

pourceau nm, pl *pourceaux*

pour-cent nm inv; *pourcentage* nm

pourchasser vt

pourfendre vt, pp *pourfendu, e*

pourlécher (se) vpr

pourparlers nmpl

pourpier nm

pourpoint nm

pourpre nm (masculin) [couleur]; adj (couleur); nf (étoffe), pl *pourpres*

pourquoi adv

pourrir vi, vt, pp *pourri, e*

poursuivre vt, pp *poursuivi, e*

pourtant conj

pourtour nm

pourvoi nm

pourvoir vt, pp *pourvu, e; pourvoyeur, euse* n

pourvu que loc conj

poussah nm, pl *poussahs*

pousse nf

pousse-café nm inv

pousse-pied nm inv

pousse-pousse nm inv

pousser vt

poussette nf

poussier nm

poussière nf; *poussiéreux, euse* adj (attention aux accents)

poussif, ive adj

poussin nm; *poussinière* nf

poutre nf

pouvoir vt, pp *pu* inv → p 40; *pouvoir* nm, pl *pouvoirs*

pouzzolane nf, pl *pouzzolanes*

praesidium nm, pl *praesidiums*

pragmatique adj

praire nf

prairial nm, pl *prairials*

prairie nf

praline nf

prandial, e, aux adj

praticien, enne n

pratique adj; nf

pratiquer vt; *praticable* adj; *pratiquant, e* adj

pré nm

préalable adj; nm

préambule nm (masculin)

préau nm, pl *préaux*

préavis nm inv

prébende nf

précaire adj

précaution nf; *précautionner (se)* vpr

précéder vt; *précédent, e* adj ≠ *précédant* pprés du v; *précédemment* adv

précepte nm

précepteur, trice n

prêche nm (masculin) [circonflexe sur ê]

prêchi-prêcha nm inv (circonflexe sur ê)

précieux, euse adj

précipice nm

précipiter vt; *précipitamment* adv; *précipité* nm

précis, e adj; *précisément* adv

précité, e adj

précoce adj

précompte nm

préconçu, e adj

préconiser vt

précurseur nm

prédécesseur nm

prédestiner vt

prédéterminer vt

prédicat nm

prédicateur, trice n

prédilection nf

prédire vt, pp *prédit, e; prédiction* nf

prédisposer vt

prédominer vi, pp *prédominé* inv; *prédominance* nf

préélectoral, e, aux adj

prééminent, e adj; *prééminence* nf

préemption nf

préencollé, e adj

préétablir vt

préexcellence nf

préexister vi, pp *préexisté* inv; *préexistant, e* adj; *préexistence* nf

préface nf

préférer vt; *préférence* nf; *préférentiel, elle* adj

préfet nm; *préfète* nf; *préfectoral, e, aux* adj

préfixe nm

prégnant, e adj; *prégnance* nf

préhension nf

préhistoire nf

préjudice nm (masculin)

préjuger vt, vti

prélasser (se) vpr

prélat nm

prêle ou prèle nf

prélever vt; *prélèvement* nm (attention à l'accentuation)

préliminaire adj; nm (masculin)

prélude nm (masculin); *préluder* vti, pp *préludé* inv

prématuré, e adj, n

préméditer vt

prémices nfpl (début) [féminin] ≠ *prémisse* nf (première proposition en logique)

premier, ière adj; *premièrement* adv (attention à l'accentuation)

premier-né, première-née adj, n, pl *premiers-nés, premières-nées*

prémisse nf (logique) ≠ *prémices* (début)

prémolaire nf

prémonition nf

prémunir vt

prénatal, e, als ou aux adj

prendre vt, pp *pris, e; le prendre de haut* → p 40; *prenant, e* adj; *preneur, euse* n

prénom nm; *prénommer* vt; *prénommé, e* adj

prénuptial, e, aux adj

préoccuper vt (avec deux c)

préopératoire adj

préparer vt

prépondérant, e adj; *prépondérance* nf

préposer vt

préposition nf

prépuce nm

prérogative nf

près adv

présage nm

pré-salé nm, pl *prés-salés*

presbyte n (masculin ou féminin); *presbytie* nf (avec un t)

presbytère nm; *presbytéral, e, aux* adj (attention aux accents)

prescience nf

préscolaire adj

prescrire vt, pp *prescrit, e; prescription* nf

préséance nf

présent, e adj, n

présenter vt

préserver vt

président, e n; *présidentiel, elle* adj

présider vt

présidial nm, pl *présidiaux*

présomptif, ive adj

présomption nf

présomptueux, euse adj

presque adv → p 59

presqu'île nf, pl *presqu'îles*

presse-citron nm inv

pressentir vt, pp *pressenti, e*

presse-papiers nm inv

presse-purée nm inv

presser vt

presse-viande nm inv

pressing nm, pl *pressings*

pressurer vt

pressuriser vt

prestance nf

prestation nf

preste adj

prestidigitateur, trice n

prestige nm (masculin)

presto adv; *prestissimo* adv

présumer vt

présupposer vt

présure nf

prétantaine ou prétentaine nf

prêt-à-porter nm, pl *prêts-à-porter*

prétendre vt, pp *prétendu, e; prétendument* adv

prête-nom nm, pl *prête-noms*

prétention nf

prêter vt; *prêt* nm; *prêteur, euse* n (circonflexe sur ê)

prétérit nm, pl *prétérits*
prétérition nf
préteur nm (magistrat romain) ≠ *prêteur* (qui prête)
prétexte nm (masculin)
prétoire nm (masculin)
prêtre nm; *prêtresse* nf (circonflexe sur ê)
preuve nf
preux nm inv
prévaloir vi, vpr, pp *prévalu, e*
prévariquer vi, pp *prévariqué* inv; *prévarication* nf
prévenant, e adj; *prévenance* nf
prévenir vt, pp *prévenu, e*
préventorium nm, pl *préventoriums*
prévoir vt, pp *prévu, e*; *prévision* nf; *prévoyant, e* adj
prévôt nm (circonflexe sur ô)
prie-Dieu nm inv
prier vt; *prière* nf (attention à l'accentuation)
prieur, e n; *prieuré* nm
prima donna nf, pl *prime donne*
primaire adj
primat nm
primate nm
primauté nf
prime nf
prime adj
primerose nf
primesautier, ère adj
primeur nf
primevère nf
primipare adj; nf
primitif, ive adj
primo adv
primogéniture nf
primo-infection nf, pl *primo-infections*
primordial, e, aux adj
prince nm; *princesse* nf; *princier, ière* adj
prince-de-Galles nm inv; adj inv
princeps adj inv
principal, e, aux adj
principauté nf
principe nm
printemps nm inv; *printanier, ère* adj
priori (a) adj inv; adv; nm inv (sans accent sur le *a*)
priorité nf
prise nf
priser vt
prisme nm
prison nf; *prisonnier, ère* n
privatdocent ou privatdozent nm, pl *privatdocents, privatdozents*
privautés nfpl
priver vt
privilège nm; *privilégier* vt (attention aux accents)
prix nm inv
probable adj
probant, e adj
probe adj; *probité* nf
problème nm; *problématique* adj (attention aux accents)
proboscidien nm
procéder vti, pp *procédé* inv; *procédé* nm
procédure nf
procès nm inv

procession nf; *processionnaire* adj
processus nm inv
procès-verbal adj, pl *procès-verbaux*
prochain, e adj; *proche* adj
proclamer vt
proconsul nm
procréer vt; *procréation* nf
procurateur nm
procurer vt
procureur nm
prodige nm (masculin)
prodigue adj; *prodigalité* nf
prodiguer vt
pro domo loc adv
prodrome nm
produire vt, pp *produit, e*; *producteur, trice* adj, n; *production* nf
proéminent, e adj
prof n (masculin ou féminin), pl *profs*
profane adj, n (masculin ou féminin)
profaner vt
proférer vt
profès, esse adj, n
professer vt
professeur nm; *professoral, e, aux* adj
profession nf; *professionnel, elle* adj; *professionnalisme* nm
profil nm; *profilé* nm; *profiler* vt
profit nm; *profiter* vti, pp *profité* inv
profond, e adj; *profondément* adv
profusion nf
progéniture nf
prognathe adj, n (masculin ou féminin); *prognathisme* nm (*h* après *t*)
programme nm
progrès nm; *progresser* vi, pp *progressé* inv (attention à l'accentuation)
prohiber vt; *prohibition* nf; *prohibitionnisme* nm
proie nf
projecteur nm
projectile nm
projection nf; *projectionniste* n (masculin ou féminin)
projet nm; *projeter* vt
prolapsus nm inv
prolégomènes nmpl (masculin)
prolepse nf
prolétaire n (masculin ou féminin); *prolétariat* nm
prolifère adj; *proliférer* vi, pp *proliféré* inv (attention aux accents)
prolifique adj
prolixe adj
prologue nm (masculin)
prolonger vt
promener vt
promettre vt, pp *promis, e*; *promesse* nf
promiscuité nf
promontoire nm
promouvoir vt, pp *promu, e*; *promotion* nf; *promotionnel, elle* adj
prompt, e adj; *promptitude* nf
promulguer vt; *promulgation* nf

pronation nf
prône nm (circonflexe sur ô)
pronom nm; *pronominal, e, aux* adj
prononcer vt; *prononciation* nf
pronostic nm; *pronostiquer* vt
pronunciamiento nm, pl *pronunciamientos*
propagande nf
propager vt
propension nf
propergol nm, pl *propergols*
prophète nm; *prophétesse* nf; *prophétie* nf (attention aux accents)
prophylaxie nf
propice adj
propitiation nf
proportion nf; *proportionnel, elle* adj
propos nm inv
proposer vt
propre adj; *propret, ette* adj
propre-à-rien n (masculin ou féminin), pl *propres-à-rien*
propriété nf
propulser vt
propylée nm (masculin)
prorata nm inv
proroger vt
prosaïque adj; *prosaïsme* nm (attention au tréma sur *i*)
proscenium nm, pl *prosceniums*
proscrire vt, pp *proscrit, e*; *proscription* nf
prose nf; *prosateur* nm
prosélyte n (masculin ou féminin); *prosélytisme* nm (attention *ly*)
prosodie nf
prosopopée nf
prospecter vt
prospectus nm inv
prospère adj; *prospérer* vi, pp *prospéré* inv; *prospérité* nf (attention aux accents)
prostate nf
prosterner (se) vpr
prostituer vt
prostré, e adj; *prostration* nf
protagoniste n (masculin ou féminin)
protase nf
prote nm (masculin)
protée nm (masculin)
protège-cahier nm, pl *protège-cahiers*
protéger vt; *protection* nf; *protectionnisme* nm
protège-dents nm inv
protège-tibia nm, pl *protège-tibias*
protestant, e n
protester vt
protêt nm (circonflexe sur ê)
prothèse nf (*h* après *t*); *prothésiste* n; *prothétique* adj (attention aux accents)
protide nm
protocole nm
proton nm
prototype nm
protozoaire nm
protubérant, e adj; *protubérance* nf
prou adv
proue nf
prouesse nf

prouver vt
provende nf
provenir vi, pp *provenu, e*
proverbe nm ; *proverbial, e, aux* adj
providence nf ; *providentiel, elle* adj
province nf ; *provincial, e, aux* adj, n
proviseur nm
provision nf ; *provisionnel, elle* adj
provisoire adj ; nm
provoquer vt ; *provocant, e* adj ≠ *provoquant* pprés du v ; *provocation* nf
proxénète nm ; *proxénétisme* nm (attention aux accents)
proximité nf
prude adj ; nf
prudent, e adj ; *prudemment* adv ; *prudence* nf
prud'homme nm (avec deux *m*) ; *prud'homal, e, aux* adj ; *prud'homie* nf (avec un seul *m*)
prune nf ; *pruneau* nm, pl *pruneaux*
prurit nm ; *prurigineux, euse* adj ; *prurigo* nm
prussique adj m
prytanée nm (masculin)
psalmodie nf
psaume nm (masculin) ; *psautier* nm
pschent nm, pl *pschents*
pseudonyme nm
pseudopode nm
psittacisme nm
psoriasis nm inv
psychanalyse nf
psychasthénie nf
psyché nf (féminin), pl *psychés*
psychédélique adj
psychiatre n (masculin ou féminin) [pas de circonflexe]
psychique adj
psychodrame nm
psychologie nf
psychopathie nf
psychopathologie nf
psychophysiologie nf

psychose nf ; *psychotique* adj, n (masculin ou féminin)
psychosocial, e, aux adj
psychosomatique adj
psychothérapie nf
psyllium nm, pl *psylliums*
ptérodactyle nm
ptôse nf (circonflexe sur ô)
pubère adj ; *puberté* nf
pubescent, e adj
pubis nm inv
public, ique adj ; *public* nm
publicain nm
publiciste n (masculin ou féminin)
publicité nf
public-relations nfpl
publier vt ; *publication* nf
puce nf ; *puceron* nm
puceau nm, pl *puceaux* ; *pucelle* nf ; *pucelage* nm (un seul *l*)
pudding ou pouding nm, pl *puddings, poudings*
puddler vt
pudique adj ; *pudeur* nf
puer vi, pp *pué* inv
puériculture nf
puéril, e adj ; *puérilité* nf
puerpéral, e, aux adj
pugilat nm
pugnace adj
puiné, e adj (circonflexe sur *î*)
puis adv
puiser vt
puisque conj → p 59
puissant, e adj ; *puissamment* adv ; *puissance* nf
puits nm inv (trou) ≠ *puy* (montagne) ; *puisatier* nm
pullman nm, pl *pullmans*
pull-over nm, pl *pull-overs* ; *pull* nm, pl *pulls*
pulluler vi, pp *pullulé* inv ; *pullulement* nm ou *pullulation* nf
pulmonaire adj (poumon)
pulmonaire nf (plante)
pulpe nf (féminin)
pulsar nm, pl *pulsars*
pulsation nf
pulser vt

pulvériser vt
pulvérulent, e adj
puma nm, pl *pumas*
punaise nf
punch nm, pl *punchs*
punching-ball nm, pl *punching-balls*
punir vt
pupazzo nm, pl *pupazzi*
pupille nf (de l'œil)
pupille n (masculin ou féminin) [de la nation]
pupitre nm
pur, e adj ; *pureté* nf
purée nf
purger vt
purifier vt
purin nm
puritain, e adj ; *puritanisme* nm
purotin nm
purpurin, e adj
pur-sang nm inv
purulent, e adj
pus nm inv
push-pull nm inv
pusillanime adj (deux *l* et un *n*)
pustule nf
putain ou pute nf
putatif, ive adj
putois nm inv
putréfier vt
putrescible adj
putride adj
putsch nm, pl *putschs*
putto nm, pl *putti*
puy nm (montagne) ≠ *puits* (trou)
puzzle nm, pl *puzzles*
pygmée n (masculin ou féminin)
pyjama nm
pylône nm (circonflexe sur ô)
pylore nm
pyorrhée nf (deux *r* et *h*)
pyramide nf ; *pyramidal, e, aux* adj
pyrite nf
pyrolyse nf
pyrotechnie nf
pyroxène nm (masculin)
pythie nf
python nm
pythonisse nf

q

q nm inv
quadragénaire n (masculin ou féminin)
quadragésime nf; *quadragésimal, e, aux* adj
quadrangulaire adj
quadrant nm
quadrature nf
quadriennal, e, aux adj
quadrige nm
quadrilatère nm; *quadrilatéral, e, aux* adj (attention aux accents)
quadrille nm (masculin)
quadriller vt
quadrimoteur nm
quadripartite adj
quadriréacteur nm
quadrisyllabe nm (masculin)
quadrupède nm
quadruple adj
quai nm pl *quais*
quaker nm; *quakeresse* nf
qualifier vt; *qualification* nf
qualité nf
quand adv
quant à prép
quant-à-soi nm inv
quantième nm
quantité nf; ADVERBES DE QUANTITÉ → p 29, 34, 37, 47
quantum nm, pl *quanta*
quarante adj num inv; *quarantième* adj ord
quart nm
quartain nm
quart-de-pouce nm, pl *quarts-de-pouce*
quart-de-rond nm, pl *quarts-de-rond*
quarte nf
quarter vt
quarteron, onne n
quartette nm (masculin)
quartier nm
quartier-maître nm, pl *quartiers-maîtres*
quarto adv
quartz nm inv
quasi adv (les noms composés avec *quasi* ont un trait d'union; les adjectifs composés n'ont pas de trait d'union)
quasi-contrat nm, pl *quasi-contrats*

quasi-délit nm, pl *quasi-délits*
quasiment adv
quater adv
quaternaire nm
quatorze adj num inv; *quatorzième* adj ord
quatre adj num inv; *quatrième* adj ord
quatre-de-chiffre nm inv
quatre-épices nm inv
quatre-feuilles nm inv
quatre-mâts nm inv
quatre-quarts nm inv
quatre-saisons nf inv
quatre-temps nmpl
quatre-vingt(s) adj num → p 31
quatrillion nm
quattrocento nm (au sing)
quatuor nm, pl *quatuors*
que pron rel; accord du participe avec *croire, penser, estimer* → p 41
que conj; adv
quel, quelle adj interr; *quel que* → p 33
quelconque adj indéf
quelque adj indéf; adv → p 32, 59
quelque chose pr indéf (masculin) → p 28
quelquefois adv
quelqu'un, e pr indéf, pl *quelques-uns, -unes*
quémander vt
qu'en-dira-t-on nm inv
quenelle nf
quenotte nf
quenouille nf
querelle nf; *quereller* vt
quérir vt
questeur nm
question nf; *questionner* vt
quête nf (circonflexe sur ê)
quetsche nf (s avant c)
quetzal nm, pl *quetzals*
queue nf; *queuter* vi, pp *queuté* inv
queue-d'aronde nf, pl *queues-d'aronde*
queue-de-cheval nf, pl *queues-de-cheval*
queue-de-morue nf, pl *queues-de-morue*
queue-de-pie nf, pl *queues-de-pie*

queue-de-rat nf, pl *queues-de-rat*
queue-de-renard nf, pl *queues-de-renard*
queux nm inv (maître queux)
qui pr rel; accord du verbe avec *qui* → p 46
quia (à) loc adv
quiche nf
quiconque pr indéf
quidam nm, pl *quidams*
quiet, ète adj; *quiétude* nf (attention aux accents)
quiétisme nm
quignon nm
quille nf
quinaud, e adj
quincaillier, ère n; *quincaillerie* nf
quinconce nm (masculin)
quine nm (masculin)
quinine nf
quinquagénaire n (masculin ou féminin)
quinquennal, e, aux adj
quinquet nm
quinquina nm, pl *quinquinas*
quintal nm, pl *quintaux*
quinte nf
quintessence nf (avec deux s)
quintette nm (masculin)
quinteux, euse adj
quintuple adj
quinze adj num inv; *quinzième* adj ord; *quinzaine* nf
quiproquo nm, pl *quiproquos*
quittance nf
quitte adj, pl *quittes*
quitter vt
quitus nm inv (avec un seul t)
qui-vive nm inv
quoi pr rel interr; *quoi que* → p 33
quoique conj → p 33, 59
quolibet nm
quorum nm, pl *quorums*
quota nm, pl *quotas*
quote-part nf, pl *quotes-parts*
quotidien, enne adj; *quotidien* nm
quotient nm
quotité nf

r

r nm inv

rabâcher vt (circonflexe sur le second *â*)

rabaisser vt ; *rabais* nm

rabat nm

rabat-joie nm inv

rabattre vt, pp *rabattu, e* (tous les dérivés avec deux *t* : *rabattage, rabatteur,* etc.)

rabbin nm ; *rabbinique* adj

rabelaisien, enne adj

rabibocher vt

rabiot nm

rabique adj

râble nm (circonflexe sur *â*)

rabot nm

raboteux, euse adj

rabougrir vt

rabouilleur, euse n

rabouter vt

rabrouer vt

racaille nf

raccommoder vt (avec deux *c* et deux *m*)

raccord nm

raccourcir vt

raccrocher vt ; *raccroc* nm

race nf ; *racial, e, aux* adj

racémique adj

racer nm, pl *racers*

racheter vt ; *rachat* nm

rachis nm inv ; *rachidien, enne* adj

rachitique adj, n

racinal nm, pl *racinaux*

racine nf

racket nm, pl *rackets* ; *racketteur, euse* n

racler vt

racoler vt ; *racolage* nm

raconter vt ; *racontar* nm

racornir vt

radar nm, pl *radars*

rade nf

radeau nm, pl *radeaux*

rader vt

radial, e, aux adj

radian nm (unité de mesure) ≠ *radiant*

radiant, e adj

radiant nm (astronomie) ≠ *radian*

radiateur nm

radiation nf (rayon)

radical, e, aux adj

radical-socialiste nm, pl *radicaux-socialistes*

radicant, e adj

radicelle nf

radier vt ; *radiation* nf

radiesthésie nf

radieux, euse adj

radin, e adj

radio nf, pl *radios*

radioactif, ive adj

radiodiffusion nf

radiographie nf

radiologie nf

radiophonie nf

radioscopie nf

radio-taxi nm, pl *radio-taxis*

radiothérapie nf

radis nm inv

radium nm, pl *radiums*

radius nm inv

radoter vi, pp *radoté* inv

radoub nm, pl *radoubs*

radoucir vt

rafale nf (un seul *f*)

raffermir vt

raffiner vt (tous les dérivés avec deux *f* et un *n* : *raffinage, raffinement,* etc.)

raffoler vti, pp *raffolé* inv (avec deux *f* et un *l*)

raffut nm (sans circonflexe)

raffûter vt (circonflexe sur *û*)

rafiot nm (un seul *f*)

rafistoler vt

rafle nf

rafraîchir vt (circonflexe sur *î*)

ragaillardir vt

rage nf

raglan nm

ragondin nm

ragot, e adj

ragoût nm (circonflexe sur *û*)

ragoûtant, e adj (circonflexe sur *û*)

ragréer vt

ragtime nm, pl *ragtimes*

rahat-loukoum ou rahat-lokoum nm, pl *rahat-loukoums, rahat-lokoums*

rai nm (rayon), pl *rais* ≠ *raie* (ligne ; poisson)

raid nm, pl *raids*

raide adj → p 27

rai-de-cœur nm, pl *rais-de-cœurs*

raie nf (ligne) ≠ *rai* (rayon)

raie nf (poisson) ≠ *rai* (rayon)

raifort nm

rail nm, pl *rails*

railler vt ; *raillerie* nf

rainer vt

rainette nf (grenouille) ≠ *reinette* (pomme) ≠ *rénette* (outil)

rainure nf

raiponce nf (féminin)

raisin nm

raison nf ; *se donner raison* → p 43 ; *raisonner* vt

rajah nm, pl *rajahs*

rajeunir vt, vi

rajouter vt ; *rajout* nm

rajuster vt

raki nm, pl *rakis*

râle nm (bruit de la gorge) ; *râler* vi, pp *râlé* inv (circonflexe sur *â*)

râle nm (oiseau) [circonflexe sur *â*]

ralentir vt, vi

ralingue nf (féminin)

rallier vt ; *ralliement* nm

rallonger vt

rallumer vt

rallye nm, pl *rallyes*

ramadan nm, pl *ramadans*

ramage nm

ramasse-miettes nm inv

ramasser vt

rambarde nf

ramdam nm, pl *ramdams*

rame nf (de papier)

rame nf (aviron) ; *ramer* vi, pp *ramé* inv

rameau nm, pl *rameaux*

ramée nf

ramener vt

ramequin nm

rameux, euse adj

rami nm, pl *ramis*

ramier nm

ramifier vt

ramilles nfpl

ramollir vt

ramoner vt (un seul *n*)

rampe nf

ramper vi, pp *rampé* inv

ramponneau nm, pl *ramponneaux*

ramure nf

rancard nm (rendez-vous)

rancart nm (débarras)

rance adj

ranch nm, pl *ranches* ou *ranchs*

rancœur nf

rançon nf ; *rançonner* vt

rancune nf ; *rancunier, ère* adj

randonnée nf

rang nm ; *ranger* vt

ranger nm, pl *rangers*

ranimer vt

ranz nm inv

raout nm, pl *raouts*

rapace adj

rapatrier vt ; *rapatriement* nm

râpe nf (circonflexe sur *â*)

rapetasser vt

rapetisser vt, vi

raphia nm, pl *raphias*

rapide adj ; nm

rapiécer vt ; *rapiéçage* nm ; *rapiècement* nm (attention aux accents)

rapière nf

rapin nm

rapine nf

rappareiller vt

rapparier vt

rappeler vt ; *rappel* nm (avec deux *p*)

rappliquer vi, pp *rappliqué* inv

rapporter vt ; *rapport* nm (avec deux *p*)

rapprendre vt, pp *rappris, e*
rapprocher vt
rapprovisionner vt
rapt nm, pl *rapts*
raquette nf
rare adj
ras, e adj
rasade nf
rascasse nf
rase-mottes nm inv
raser vt
rasibus adv
ras-le-bol nm inv
rassasier vt; *rassasiement* nm
rassembler vt
rasseoir vt, pp *rassis, e*
rasséréner vt
rassis, e adj; *rassir* vi, vt, pp *rassi, e*
rassortir vt; *rassortiment* nm
rassurer vt
rastaquouère nm, pl *rasta-quouères*
rat nm
rata nm, pl *ratas*
ratafia nm (masculin) pl *ratafias*
ratatiner vt
ratatouille nf
rat-de-cave nm, pl *rats-de-cave*
rate nf
râteau nm, pl *râteaux*; *râteler* vt (circonflexe sur *â*)
rater vt
ratiboiser vt
ratifier vt
ratine nf
ratio nm, pl *ratios*
ratiociner vi, pp *ratiociné* inv
ration nf
rationnel, elle adj (avec deux *n*); *rationaliser* vt; *rationalité* nf; *rationalisme* nm (avec un seul *n*)
rationner vt
ratisser vt (pas de circonflexe)
ratite nm (masculin)
rattacher vt
rattraper vt (avec deux *t*, un *p*)
rature nf
rauque adj; *raucité* nf
ravage nm
raval nm, pl *ravals*
ravaler vt; *ravalement* nm
ravauder vt
rave nf
ravier nm
ravigote nf
ravigoter vt
ravin nm; *ravine* nf; *raviner* vt
ravioli nm, pl *ravioli* ou *raviolis*
ravir vt
raviser (se) vpr
ravitailler vt
raviver vt
ravoir vt (seulement infinitif)
rayer vt
ray-grass nm inv
rayon nm; *rayonner* vi, pp *rayonné* inv; *rayonné, e* adj
rayonne nf
raz nm inv
razzia nf, pl *razzias*; *razzier* vt
ré nm inv
réabonner vt
réabsorber vt
réacteur nm
réactif, ive adj

réaction nf; *réactionnaire* adj, n (masculin ou féminin)
réadmettre vt, pp *réadmis, e*
réaffirmer vt
réagir vi, pp *réagi* inv
réal nm, pl *réaux*
réaléser vt
réaliser vt
réalisme nm
réalité nf
réapparaître vi, pp *réapparu, e; réapparition* nf
réapprendre vt, pp *réappris, e*
réapprovisionner vt
réarmer vt
réassigner vt
réassortir vt
réassurer vt
rébarbatif, ive adj
rebâtir vt (circonflexe sur *â*)
rebattu, e adj
rebec nm, pl *rebecs*
rebelle n (masculin ou féminin); *rebeller (se)* v pr; *rébellion* nf (attention à l'accentuation)
rebiffer (se) vpr
reblochon nm
reboiser vt
rebondir vi, pp *rebondi* inv; *rebondi, e* adj; *rebond* nm
rebord nm
reboucher vt
rebours (à) loc adv
rebouteux, euse n
reboutonner vt
rebrousse-poil (à) loc adv
rebrousser vt
rebuffade nf
rébus nm inv
rebut nm
rebuter vt
recacheter vt
récalcitrant, e adj
récapituler vt
recarreler vt (avec deux *r*, un *l*)
recaser vt
recauser vi, pp *recausé* inv
recéder vt
receler vt; *recel* nm
recenser vt; *recension* nf; *recensement* nm
récent, e adj; *récemment* adv
receper ou recéper vt
récépissé nm
réception nf; *réceptionner* vt
recercler vt
récessif, ive adj; *récession* nf
recette nf
recevoir vt, pp *reçu, e*
rechange nm
rechaper vt (pneu)
réchapper vti (échapper), pp *réchappé* inv
recharger vt; *recharge* nf
réchaud nm
réchauffer vt
rechausser vt
rêche adj (circonflexe sur *ê*)
recherche nf; *rechercher* vt
rechigner vi, pp *rechigné* inv
rechute nf
récidive nf
récif nm
récipiendaire n (masculin ou féminin)
récipient nm
réciproque adj inf; *réciprocité* nf

récit nm; *réciter* vt
récital nm, pl *récitals*
réclame nf
réclamer vt
reclasser vt
reclouer vt
reclus, e adj
réclusion nf (accent aigu sur *é*)
recoiffer vt
recoin nm
recoller vt
récolte nf
recommander vt
recommencer vt
récompense nf
recomposer vt
recompter vt
réconcilier vt
reconduire vt, pp *reconduit, e; reconduction* nf
réconfort nm
reconnaître vt (circonflexe sur *î* devant *t*), pp *reconnu, e; reconnaissance* nf; *reconnaissant, e* adj (sans circonflexe)
reconquérir vt, pp *reconquis, e; reconquête* nf (attention aux accents)
reconstituer vt
reconstruire vt, pp *reconstruit, e; reconstruction* nf
reconvention nf; *reconventionnel, elle* adj
reconvertir vt; *reconversion* nf
recopier vt
record nm; *recordman* nm, pl *recordmen* ou *recordmans*
recorder vt
recorriger vt
recors nm inv
recoucher vt
recouper vt
recourber vt
recourir vi, vti, vt, pp *recouru, e; recours* nm
recouvrer vt
recouvrir vt, pp *recouvert, e*
recracher vt
recréer vt (créer une nouvelle fois)
récréer vt (amuser); *récréation* nf
recrépir vt
recreuser vt
récrier (se) vpr
récriminer vi, pp *récriminé* inv
récrire ou réécrire vt, pp *récrit, e, réécrit, e*
recroqueviller (se) vpr
recru, e adj
recrudescent, e adj; *recrudescence* nf (attention *sc*)
recrue nf (féminin)
recruter vt
recta adv
rectangle nm
recteur nm; *rectoral, e, aux* adj
recteur, trice adj
rectifier vt
rectiligne adj
rection nf
rectitude nf
recto nm, pl *rectos*
rectum nm, pl *rectums*; *rectal, e, aux* adj
recueil nm; *recueillir* vt, pp *recueilli, e*

recuire vt, vi, pp recuit, e ; recuit nm

recul nm ; reculer vt ; reculons (à) loc adv

récupérer vt

récurer vt

récurrent, e adj ; récurrence nf (avec deux r)

récuser vt

recycler vt

redan ou redent nm

reddition nf (avec deux d)

redemander vt

redémarrer vi, vt

rédempteur, trice adj

redent ou redan nm

redescendre vt, vi, pp redescendu, e

redevable adj

redevance nf

redevenir vi, pp redevenu, e

rédhibition nf (h après d)

rédhibitoire adj (h après d)

rediffuser vt

rédiger vt ; rédaction nf

redingote nf

redire vt, pp redit, e ; redite nf

redondant, e adj ; redondance nf

redonner vt

redorer vt

redoubler vt

redoute nf

redouter vt

redoux nm inv

redresser vt

réductionnisme nm

réduire vt, pp réduit, e ; réduction nf

réduit nm

réduplication nf (attention à l'accent)

réécouter vt

réédifier vt

rééditer vt

rééduquer vt ; rééducation nf

réel, elle adj ; réalité nf

réélire vt, pp réélu, e ; réélection nf

réemployer ou remployer vt ; réemploi ou remploi nm

réengager ou rengager vt

rééquilibrer vt

réescompte nm

réessayer ou ressayer vt

réexpédier vt

réexporter vt

réfaction nf

refaire vt, pp refait, e ; réfection nf (avec accent aigu sur ré)

réfectoire nm

refend nm, pl refends (pas d'accent)

refendre vt, pp refendu, e

référence nf ; référentiel, elle adj ; référent nm

référendum nm, pl référendums ; référendaire adj

référer vti

refermer vt

réfléchir vt, vti, pp réfléchi, e ; réflexion nf

réflecteur nm

reflet nm ; refléter vt (attention à l'accentuation)

refleurir vi, vt

reflex adj inv (photo) [pas d'accent]

réflexe nm (avec accent aigu)

refluer vi, pp reflué inv ; reflux nm inv

refondre vt, pp refondu, e

réforme nf

reformer vt (refaire) ≠ réformer (corriger)

réformer vt (corriger) ≠ reformer (refaire)

refouiller vt

refouler vt

réfractaire nm

réfracter vt

refrain nm

réfrangible adj

refréner ou réfréner vt ; refrènement ou réfrènement nm (attention à l'accentuation)

réfrigérer vt

réfringent, e adj

refroidir vt, vi

refuge nm

réfugier (se) vpr

refus nm inv ; refuser vt

réfuter vt

regagner vt

regain nm

régal nm, pl régals (délice)

régale nf (droit)

régale adj f (eau)

régaler vt (niveler ou donner du plaisir)

regard nm

regarnir vt

régate nf

regel nm ; regeler vt

régénérer vt

régent, e n ; régence nf

régenter vt

régicide nm (acte) ; adj, n (masculin ou féminin) [personne]

régie nf

regimber vi, pp regimbé inv

régime nm

régiment nm

région nm ; régional, e, aux adj ; régionalisme nm (un seul n)

régir vt

régisseur nm

registre nm

règle nf ; réglette nf (attention aux accents)

règlement nm ; réglementaire adj ; réglementer vt (attention aux accents)

régler vt

réglisse nf (féminin)

règne nm ; régner vi, pp régné inv (attention aux accents)

regonfler vt

regorger vti, pp regorgé inv

regratter vt

régressif, ive adj

regret nm ; regretter vt ; regrettable adj

régulier, ère adj ; régulariser vt

régurgiter vt

réhabiliter vt

réhabituer vt

rehausser vt

réifier vt

réimporter vt

réimposer vt

réimprimer vt

rein nm

réincarcérer vt

réincarner (se) vpr

réincorporer vt

reine nf (de roi) ≠ rêne (guide) ≠ renne (animal)

reine-claude nf, pl reines-claudes

reine-des prés nf, pl reines-des-prés

reine-marguerite nf, pl reines-marguerites

reinette nf (pomme) ≠ rénette (outil) ≠ rainette (grenouille)

réinscrire vt, pp réinscrit, e

réinstaller vt

réintégrer vt

réintroduire vt, pp réintroduit, e

réinventer vt

réitérer vt

reitre nm (circonflexe sur î)

rejaillir vi

rejet nm ; rejeter vt

rejeton nm

rejoindre vt, pp rejoint, e

rejouer vt

réjouir vt

relâche nf (circonflexe sur â)

relâcher vt (circonflexe sur â)

relais nm inv

relancer vt

relaps, e adj

relater vt

relatif, ive adj ; relation nf ; relationnel, elle adj

relaxer vt ; relax ou relaxe adj ; relaxation nf

relayer vt

reléguer vt ; relégation nf

relent nm

relever vt ; relève nf ; relèvement (attention à l'accentuation)

relief nm

relier vt

religion nf

reliquat nm

relique nf

relire vt, pp relu, e ; relecture nf

relouer vt

reluire vi, pp relui inv

reluquer vt

remâcher vt (circonflexe sur â)

remailler ou remmailler vt ; remaillage ou remmaillage nm

remake nm

rémanent, e adj

remanier vt ; remaniement nf

remarier (se) vpr

remarque nf

remballer vt

rembarquer vt

rembarrer vt

remblayer vt ; remblai nm

remboîter vt (circonflexe sur î)

rembourrer vt

rembourser vt

rembrunir (se) vpr

rembucher vt

remède nm ; remédier vti, pp remédié inv ; remédiable adj (attention aux accents)

remembrer vt

remémorer vt

remercier vt ; remerciement nm

remettre vt, pp remis, e

remeubler vt

remilitariser vt

réminiscence nf (attention sc)

remise nf

remiser vt

rémission nf

rémittent, e adj
remmailler ou remailler vt;
   remmaillage ou *remaillage* nm
remmener vt
remmoulage ou remoulage nm
remodeler vt
remonte-pente nm, pl *remonte-pentes*
remonter vt
remontrer vt
rémora nm, pl *rémoras*
remords nm inv
remorque nf
rémoulade nf
remoulage ou remmoulage nm
rémouleur nm
remous nm inv
rempailler vt
rempaqueter vt
rempart nm
rempiler vt
remplacer vt
remplir vt
remployer ou réemployer vt;
   remploi ou *réemploi* nm
remplumer (se) vpr
remporter vt
rempoter vt
remue-ménage nm inv
remuer vt
remugle nm (masculin)
rémunérer vt
renâcler vi, pp renâclé inv (circonflexe sur â)
renaître vi (circonflexe sur î devant *t*); *renaissant, e* adj; *renaissance* nf (sans circonflexe)
rénal, e, aux adj
renard nm; *renarde* nf; *renardeau* nf pl *renardeaux*
renchérir vi, pp renchéri inv
rencogner vt
rencontre nf
rendez-vous nm inv
rendormir vt, pp rendormi, e
rendre vt, pp rendu, e; *se rendre compte, maître* → p 43
rêne nf (guide) ≠ *reine* (de roi) ≠ *renne* (animal)
renégat, e n
renégocier vt
rénette nf (outil) ≠ *rainette* (grenouille) ≠ *reinette* (pomme)
renfermer vt
renfiler vt
renfler vt
renflouer vt; *renflouement* nm
renfoncer vt
renforcer vt
renfort nm
renfrogner (se) vpr
rengager ou réengager vt
rengaine nf
rengainer vt
rengorger (se) vpr
rengréner ou rengrener vt; *rengrènement* nm (attention aux accents)
renier vt
renifler vt
renne nm (animal) ≠ *rêne* (guide) ≠ *reine* (de roi)
renom nm; *renommé, e* adj; *renommée* nf (avec deux *m*)
renommer vt
renoncer vt, vti
renoncule nf

renouer vt
renouveau nm, pl *renouveaux*; *renouveler* vt (avec un seul *l*); *renouvellement* nm (avec deux *l*)
rénover vt
renseigner vt
rente nf
rentoiler vt
rentrayer vt
rentrer vt, vi
renverser vt
renvoyer vt; *renvoi* nm
réoccuper vt (deux *c*, un *p*)
réorganiser vt
réorienter vt
réouverture nf
repaire nm (antre) ≠ *repère* (marque)
repaître vt (circonflexe sur î devant *t*), pp repu, e
répandre vt, pp répandu, e
reparaître vi (circonflexe sur î devant *t*), pp reparu, e
réparer vt
reparler vi, pp reparlé inv
repartie nf (pas d'accent sur e)
repartir vt (répliquer) [pas d'accent sur e]
répartir vt (partager) [accent aigu sur é]
repas nm inv
repasser vt
repaver vt
repayer vt
repêcher vt (circonflexe sur ê)
repeindre vt, pp repeint, e
repenser vt
repentir (se) vpr, pp repenti, e
repentir nm
répercuter vt; *répercussion* nf
reperdre vt, pp reperdu, e
repère nm (marque) ≠ *repaire* (antre); *repérer* vt; *repérage* nm (attention aux accents)
répertoire nm; *répertorier* vt
répéter vt
repeupler vt
repiquer vt
répit nm
replacer vt
replanter vt
replat nm
replâtrer vt (circonflexe sur â)
replet, ète adj
réplétif, ive adj (attention aux accents)
replier vt; *repliement* nm; *repli* nm
réplique nf
replonger vt
reployer vt; *reploiement* nm
repolir vt
répondre vt, pp répondu, e; *répons* nm inv; *réponse* nf
repopulation nf
reporter nm; *report* nm
reporter nm, pl *reporters*
reporter-cameraman nm, pl *reporters-cameramen*
repos nm inv; *reposer* vt → p 39
repose-pied nm inv
repose-tête nm inv
repousser vt
répréhensible adj
reprendre vt, pp repris, e; *reprise* nf
représailles nfpl

représenter vt
réprimande nf
réprimer vt; *répression* nf; *répressif, ive* adj
reprint nm, pl *reprints*
repriser vt
réprobation nf
reproche nm
reproduire vt, pp reproduit, e; *reproduction* nf
reprographie nf
réprouver vt
reps nm inv
reptation nf
reptile nm
repu, e adj
république nf; *républicain, e* adj; *républicanisme* nm
répudier vt
répugner vti, pp répugné inv
répulsion nf
réputé, e adj
requérir vt, pp requis, e; *requête* nf (circonflexe sur le second é); *réquisitoire* nm
requiem nm inv
requin nm
réquisition nf; *réquisitionner* vt
resaler vt (avec un seul *s*)
rescapé, e adj, n
rescinder vt
rescision nf
rescousse nf
rescrit nm
réseau nm, pl *réseaux*
réséda nm (masculin), pl *résédas*
réséquer vt; *résection* nf
réserver vt
résider vi, pp résidé inv; *résidant, e* adj, n (qui réside en un lieu); *résident* nm (qui réside dans un autre endroit que son pays d'origine); *résidence* nf (demeure); *résidentiel, elle* adj
résidu nm; *résiduel, elle* adj
résigner vt
résilier vt
résille nf
résine nf
résipiscence nf
résister vti, pp résisté inv
résolu, e adj; *résolument* adv; *résolution* nf
résonner vi, pp résonné inv; *résonnant, e* adj (avec deux *n*); *résonance* nf (avec un seul *n*); *résonateur* nm (avec un seul *n*)
résorber vt; *résorption* nf
résoudre vt, pp résolu, e
respect nm; *respecter* vt
respectif, ive adj
respirer vt, vi
resplendir vi, pp resplendi inv
responsable adj, n (masculin ou féminin)
resquille nf
ressac nm
ressaisir vt (avec deux *s*)
ressasser vt
ressaut nm
ressayer ou réessayer vt
ressembler vti, pp ressemblé inv; *ressemblance* nf
ressemeler vt
ressemer vt

ressentir vt, pp ressenti, e ; ressentiment nm
resserre nf
resserrer vt
reservir vt, pp resservi, e
ressort nm
ressortir vi (sortir de nouveau), pp ressorti, e
ressortir vti (être du ressort de), pp ressorti inv
ressouder vt
ressource nf
ressouvenir (se) vpr, pp ressouvenu, e
ressuer vi, pp ressué inv
ressusciter vt
restaurer vt
reste nm → p 44
rester vi → p 36
restituer vt
restreindre vt, pp restreint, e ; restriction nf ; restrictif, ive adj
restructurer vt
résulter vi
résumer vt
résurgence nf
resurgir vi (avec un seul s)
résurrection nf (avec deux r)
retable nm
rétablir vt
retailler vt
rétamer vt
retaper vt
retard nm ; retarder vt
retâter vt, vti (circonflexe sur â)
reteindre vt, pp reteint, e
retendre vt, pp retendu, e
retenir vt, pp retenu, e
retentir vi, pp retenti inv
rétiaire nm
réticent, e adj ; réticence nf
réticule nm (masculin)
réticulé, e adj
rétif, ive adj
rétine nf
retirer vt
retomber vi
retordre vt, pp retordu, e
rétorquer vt
retors, e adj
rétorsion nf
retoucher vt
retour nm
retourner vt
retracer vt
rétracter vt
retrait nm
retraite nf
retraiter vt
retrancher vt
retranscrire vt, pp retranscrit, e ; retranscription nf
retransmettre vt, pp retransmis, e ; retransmission nf
retravailler vt, vi
rétrécir vt, vi
retremper vt
rétribuer vt
rétro adj inv
rétroactif, ive adj
rétrocéder vt ; rétrocession nf
rétroflexe adj
rétrofusée nf
rétrograde adj
rétrograder vt
rétroprojecteur nm
rétrospectif, ive adj ; rétrospective nf

retrousser vt
retrouver vt
rétroviseur nm
rets nm inv
réunifier vt
réunir vt
réussir vt, vi ; réussite nf
revacciner vt
revaloir vt
revaloriser vt
revanche nf
rêve nm (les dérivés avec le circonflexe : rêvasser, rêverie, etc)
revêche adj (circonflexe sur le second ê)
réveil nm ; réveiller vt
réveillon nm ; réveillonner vi, pp réveillonné inv
réveil-matin nm inv
révéler vt ; révélation nf
revendiquer vt ; revendication nf
revendre vt, pp revendu, e ; revente nf
revenez-y nm inv
revenir vi, pp revenu, e
revenu nm
réverbère nm
réverbérer vt ; réverbération nf
reverchon nf (féminin)
reverdir vt, vi
révérence nf ; révérenciel, elle adj ; révérencieux, euse adj
révérend, e n, adj
révérer vt
revers nm inv
réversal, e, aux adj
reverser vt
reversi ou reversis nm, pl reversis
réversible adj
réversion nf
revêtir vt (circonflexe sur le second ê), pp revêtu, e
revient nm (au sing)
revigorer vt
revirement nm
réviser vt ; révision nf ; révisionnisme nm
revitaliser vt
revivifier vt
reviviscence nf
revivre vi, vt, pp revécu, e
revoici, revoilà prép
revoir vt, pp revu, e
revoler vi
révolte nf
révolu, e adj
révolution nf ; révolutionner vt
revolver nm (pas d'accent sur e)
révoquer vt ; révocation nf ; révocable adj
revue nf ; revuiste n (masculin ou féminin)
révulsé, e adj ; révulsion nf
rewriter vt ; rewriter nm, pl rewriters ; rewriting nm, pl rewritings
rez-de-chaussée nm inv
rhabiller vt
rhapsode nm (masculin)
rhapsodie nf
rhéostat nm
rhésus nm inv
rhéteur nm ; rhétorique nf
rhingrave nm, pl rhingraves
rhinite nf

rhinocéros nm inv
rhino-pharyngite nf, pl rhino-pharyngites
rhododendron nm
rhombique ou rhomboïdal, e, aux adj
rhubarbe nf
rhum nm, pl rhums
rhumatisme nm ; rhumatismal, e, aux adj
rhumb nm, pl rhumbs
rhume nm
ribambelle nf
ribaud, e adj, n
ribote nf
ribouldingue nf
ricaner vi, pp ricané inv
riche adj
ricin nm
ricocher vi ; ricochet nm
ric-rac adv
rictus nm inv
ride nf
rideau nm, pl rideaux
ridelle nf
ridicule adj
rien pr indéf → p 28
rififi nm, pl rififis
riflard nm
rifle nm (masculin)
rigaudon ou rigodon nm
rigide adj
rigole nf
rigoler vi, pp rigolé inv ; rigolo, ote adj
rigueur nf
rikiki ou riquiqui adj inv
rillettes nfpl
rillons nmpl
rimailler vt, vi
rimaye nf
rime nf
rinceau nm, pl rinceaux
rince-bouche nm inv
rince-bouteilles nm inv
rince-doigts nm inv
rincer vt
rinforzando adv
ring nm, pl rings
ringard nm (outil)
ringard, e adj, n (personne)
ripaille nf
ripe nf
riper vt
riposte nf
ripper nm, pl rippers
riquiqui ou rikiki adj inv
rire vti, pp ri inv ; rire nm ; ris nm inv ; risée nf
ris nm inv (veau) ≠ riz (grain)
risotto nm, pl risottos
risque nm ; risquer vt
risque-tout n (masculin ou féminin) inv
rissole nf
rissoler vt
ristourne nf
rital nm, pl ritals
rite nm ; rituel, elle adj
ritournelle nf
rivage nm
rival, e, aux adj ; rivaliser vti, pp rivalisé inv
rive nf ; riverain, e adj, n
rivelaine nf
river vt ; rivet nm ; riveter vt (avec un t)
rivière nf

rixe nf
riz nm inv (grain) ≠ *ris* (veau);
rizière nf
rob nm (suc), pl *robs*
rob ou robre nm (bridge), pl
robs, robres
robe nf (vêtement)
robin nm
robinet nm; *robinetterie* nf (un
n, deux *t*)
robinier nm
robot nm; *robotique* nf
robre ou rob nm (bridge), pl
robres, robs
robuste adj
roc nm
rocade nf (un seul *c*)
rocaille nf
rocambole nf
rocambolesque adj
roche nf
rocher nm (pierre)
rochet nm (surplis, bobine)
rocheux, euse adj
rocking-chair nm, pl *rocking-
chairs*
rococo adj inv
rocou nm, pl *rocous*
rodéo nm, pl *rodéos*
roder vt (un moteur); *rodage*
nm (sans circonflexe)
rôder vi (errer), pp *rôdé* inv;
rôdeur, euse n (circonflexe sur
ó)
rodomontade nf
rogations nfpl
rogatoire adj
rogaton nm
rogne nf
rogner vt
rognon nm; *roter* vi, pp *roté* inv
(avec deux *n*)
rogomme nm (masculin)
rogue adj (arrogant)
rogue nf (appât pour la pêche)
roi nm; *roitelet* nm
rôle nm (circonflexe sur ó)
rollmops nm inv
rollot nm
romain, e adj; *romaniser* vt
roman, e adj; *romaniste* n
(masculin ou féminin)
roman nm; *romancer* vt
romance nf
romancero nm, pl *romanceros*
romanche nm (langue)
romand, e adj (Suisse)
roman-feuilleton nm, pl
romans-feuilletons
roman-fleuve nm, pl *romans-
fleuves*
romanichel, elle n
roman-photo nm, pl *romans-
photos*
romantique adj, n (masculin ou
féminin)
romarin nm
rompre vt, pp *rompu, e*
romsteck ou rumsteck nm, pl
romstecks, rumstecks
ronce nf
ronchon adj inv en genre; *ron-
chonner* vi, pp *ronchonné* inv
rond, e adj

rondache nf
rond-de-cuir nm, pl *ronds-de-
cuir*
rondeau nm, pl *rondeaux*
ronde-bosse nf, pl *rondes-
bosses*
rondelle nf
rondin nm
rond-point nm, pl *ronds-points*
ronfler vi, pp *ronflé* inv
ronger vt
ronronner vi; *ronronnement*
nm; *ronron* nm
roof ou rouf nm, pl *roofs, roufs*
rookerie ou rookery nf, pl *roo-
keries*
roque nm (masculin)
roquefort nm
roquet nm
roquette nf
rorqual nm, pl *rorquals*
rosace nf
rosacée nf
rosaire nm
rosbif nm, pl *rosbifs*
rose nf (fleur)
rose nm (couleur); adj
roseau nm, pl *roseaux*
rose-croix nm inv
rosée nf
roséole nf
rosette nf
rosière nf
rosse nf
rosser vt
rosserie nf
rossignol nm
rossinante nf
rostre nm
rot nm; *roter* vi, pp *roté* inv
(sans circonflexe)
rôt nm; *rôti* nm; *rôtir* vt (circonflexe sur ó)
rotang nm, pl *rotangs*
rotary nm, pl *rotarys*
rotatif, ive adj
rotin nm
rotonde nf
rotor nm, pl *rotors*
rotule nf
roture nf
rouage nm
roublard, e adj, n
rouble nm (masculin)
roucouler vt
roudoudou nm, pl *roudoudous*
roue nf
roué, e adj
rouelle nf
rouer vt
rouet nm
rouf ou roof nm, pl *roufs, roofs*
rouge adj; nm; *rougeaud, e*
adj; *rougeoyer* vi; *rou-
geoiement* nm
rouge-gorge nm, pl *rouges-
gorges*
rougeole nf
rouge-queue nm, pl *rouges-
queues*
rouget nm
rouille nf
rouir vt
roulade nf

rouleau nm, pl *rouleaux*
roulé-boulé nm, pl *roulés-
boulés*
rouler vt, vi
roulette nf
roulotte nf
roulure nf
roumi nm, pl *roumis*
round nm, pl *rounds*
roupie nf
roupiller vi, pp *roupillé* inv
rouquin, e adj, n
rouspéter vi, pp *rouspété* inv
rousseau nm, pl *rousseaux*
rousserolle nf (deux *s*, un *r*,
deux *l*)
roussette nf
roussin nm
roussir vt, vi; *roussi* nm; *rousseur* nf
route nf
router vt
routine nf
rouverin ou rouverain adj m
rouvieux nm inv
rouvre nm
rouvrir vt, pp *rouvert, e*
roux, rousse adj; *rousseur* nf
rowing nm, pl *rowings*
royal, e, aux adj
royalties nfpl
ru nm (ruisseau), pl *rus*
ruban nm; *rubanerie* nf
rubéole nf
rubicond, e adj
rubis nm inv
rubrique nf (féminin)
ruche nf
rude adj; *rudesse* nf
rudéral, e, aux adj
rudiments nmpl
rudoyer vt; *rudoiement* nm
rue nf; *ruelle* nf
ruer vi
ruffian nm, pl *ruffians*
rugby nm, pl *rugbys*; *rugbyman*
nm, pl *rugbymen*
rugine nf
rugir vi, vt
rugueux, euse adj; *rugosité* nf
ruine nf
ruisseau nm, pl *ruisseaux*
ruisseler vi, pp *ruisselé* inv;
ruissellement nm (avec deux *l*)
rumba nf, pl *rumbas*
rumeur nf
ruminer vt
rumsteck ou romsteck nm, pl
rumstecks, romstecks
runabout nm, pl *runabouts*
rune nf (féminin)
rupestre adj
rupture nf
rural, e, aux adj
ruse nf
rush nm (afflux), pl *rushs*
rushes nmpl (prises de vues)
rustaud, e adj, n
rustique adj
rustre adj, n (masculin ou
féminin)
rutabaga nm, pl *rutabagas*
ruthénium nm, pl *ruthéniums*
rutiler vi, pp *rutilé* inv
rythme nm

s

s nm inv
sa adj poss
sabayon nm
sabbat nm ; **sabbatique** adj
(avec deux *b*)
sabir nm, pl *sabirs*
sable nm ; **sablonneux, euse**
adj
sabord nm
saborder vt
sabot nm ; **sabotier** nm
sabot-de-Vénus nm, pl *sabots-
de-Vénus*
saboter vt
sabre nm
sabre-baïonnette nm, pl *sabres-
baïonnettes*
sabretache nf
sac nm ; **sachet** nm
saccade nf
saccage nm
saccharine nf
saccule nm (masculin)
sacerdoce nm ; **sacerdotal, e,
aux** adj
sachem nm, pl *sachems*
sacoche nf
sacrement nm ; **sacramentel,
elle** adj, **sacramental** nm, pl
sacramentaux
sacré, e adj ; **sacral, e, aux** adj
sacrément adv
sacrifice nm
sacrifier vt
sacrilège nm
sacripant nm
sacristie nf ; **sacristain** nm ;
sacristine nf
sacro-saint, e adj, pl *sacro-
saints, es*
sacrum nm, pl *sacrums*
sadique adj ; **sadisme** nm
sadomasochisme nm
safari nm, pl *safaris*
safari-photo nm, pl *safaris-
photos*
safran nm
saga nf, pl *sagas*
sagace adj
sagaie nf
sage adj
sage-femme nf, pl *sages-
femmes*
sagittaire nm (archer)
sagittaire nf (plante)
sagittal, e, aux adj
sagou nm, pl *sagous*
sagouin nm
saie nf ; **saietter** vt
saïga nm, pl *saïgas* (tréma sur *i*)
saigner vi, vt, vi
saillir vi, vt ; **saillie** nf
sain, e adj (en bonne santé)
≠ *saint, e* (religion)
saindoux nm inv
sainfoin nm

saint, e adj, n (religion) ≠ *sain,
e* (en bonne santé) ; **sain-
tement** adv
saint-bernard nm inv
saint-crépin nm inv
saint-cyrien nm, pl *saint-cyriens*
sainte-barbe nf, pl *saintes-
barbes*
saint-émilion nm inv
saint-florentin nm inv
saint-frusquin nm inv
saint-glinglin (à la) loc adv
saint-honoré nm inv
saint-marcellin nm inv
saint-nectaire nm inv
saint-paulin nm inv
saint-père nm, pl *saints-pères*
saint-pierre nm inv
saint-simonien, enne adj, pl
saint-simoniens, ennes
saisie-arrêt nf, pl *saisies-arrêts*
saisie-exécution nf, pl *saisies-
exécutions*
saisir vt ; **saisie** nf
saison nf ; **saisonnier, ère** adj
sajou nm, pl *sajous*
saké nm, pl *sakés*
salade nf
salaire nm ; **salarial, e, aux adj ;
salarié, e** n
salaison nf
salamalec nm (masculin), pl
salamalecs
salamandre nf
salami nm, pl *salamis*
salaud nm
sale adj
saler vt
salin, e adj ; **salinité** nf
salicylate nm (masculin)
saligaud, e n (féminin rare)
salive nf
salle nf
salmigondis nm inv
salmis nm inv
salmonellose nf
salon nm ; **salonnard, e** n
saloon nm, pl *saloons*
salopard nm ; **salope** nf
salopette nf
salpêtre nm (circonflexe sur *ê*)
salpingite nf
salsepareille nf (féminin)
salsifis nm inv
saltation nf
saltimbanque nm
salubre adj ; **salubrité** nf
saluer vt ; **salut** nm
salutaire adj
salvateur, trice adj
salve nf
samare nf (féminin)
samaritain, e adj, n
samba nf, pl *sambas*
samedi nm, pl *samedis* → p 14
samizdat nm, pl *samizdats*

samouraï nm, pl *samouraïs*
(tréma sur *i*)
samovar nm, pl *samovars*
sampan nm
sanatorium nm, pl *sanatoriums*
san-benito nm, pl *san-benitos*
sanctifier vt
sanction nf ; **sanctionner** vt
sanctuaire nm
sanctus nm inv
sandale nf
sandaraque nf
sanderling nm, pl *sanderlings*
sandwich nm, pl *sandwiches* ou
sandwichs
sang nm ; **sanguin, e** adj ; **san-
guinaire** adj ; **sanguinolent, e**
adj
sang-de-dragon ou sang-
dragon nm inv
sang-froid nm inv
sangle nf
sanglier nm
sanglot nm ; **sangloter** vi (un
seul *t*)
sang-mêlé n (masculin ou féminin) inv
sangria nf, pl *sangrias*
sangsue nf
sanie nf
sanitaire adj
sans prép → p 24
sans-abri n (masculin ou féminin) inv
sans-cœur n (masculin ou féminin) inv
sanscrit, e ou sanskrit, e adj
sans-culotte nm, pl *sans-
culottes*
sans-emploi n (masculin ou
féminin) inv
sans-façon nm inv
sans-gêne nm inv; n (masculin
ou féminin) inv
sans-le-sou n (masculin ou
féminin) inv
sans-logis n (masculin ou féminin) inv
sansonnet nm
sans-parti n (masculin ou féminin) inv
sans-souci n (masculin ou féminin) inv
santal nm, pl *santals*
santé nf
santon nm (personnage) ≠ *centon* (vers ou prose)
saoul, e ou soûl, e adj ; **saouler,**
ou **soûler** vt
sapajou nm, pl *sapajous*
sape nf
sapèque nf (féminin)
sapeur nm
sapeur-pompier nm, pl *sapeurs-
pompiers*

saphique adj ; *saphisme* nm
saphir nm ; adj inv (couleur)
sapide adj
sapience nf
sapientiaux nmpl
sapin nm ; *sapinière* nf
saponaire nf (féminin)
saponifier vt
sapote ou sapotille nf
sapristi ! interj
saprophyte nm (masculin) [attention au *phy*]
saquer vt
sarabande nf
sarbacane nf
sarcasme nm ; *sarcastique* adj
sarcelle nf
sarcler vt
sarcome nm (sans circonflexe)
sarcophage nm
sardine nf
sardoine nf
sardonique adj
sargasse nf
sari nm, pl *saris*
sarigue nf
sarment nm
saros nm inv
saroual nm, pl *sarouals*
sarrasin nm
sarrau nm, pl *sarraus*
sarriette nf (avec deux *r*, deux *t*)
sas nm inv
sasser vt
satané, e adj
satanique adj
satellite nm (masculin)
satiété nf
satin nm (les dérivés avec un *n* : *satiner, satinette*)
satire nf (critique) ≠ *satyre* (génie mythologique)
satisfaire vt, pp *satisfait, e* ; *satisfaction* nf
satisfecit nm inv
satrape nm
saturer vt
saturnales nfpl
satyre nm (génie mythologique) ≠ *satire* (critique)
sauce nf
saucisse nf ; *saucisson* nm
sauf, sauve adj → p 27
sauf-conduit nm, pl *sauf-conduits*
sauge nf
saugrenu, e adj
saule nm ; *saulaie* ou *saussaie* nf
saumâtre adj (circonflexe sur *â*)
saumon nm ; *saumoneau* nm, pl *saumoneaux*
saumure nf
sauna nm, pl *saunas*
sauner vi
saupiquet nm
saupoudrer vt
saur adj m (hareng) ; *saurer* vt
saurien nm
saussaie nf
saut nm ≠ *sceau* (cachet) ≠ *seau* (récipient) ; *sauter* vt, vi ; *sautiller* vi
saut-de-lit nm, pl *sauts-de-lit*
saut-de-loup nm, pl *sauts-de-loup*
saut-de-mouton nm, pl *sauts-de-mouton*

saute-mouton nm inv
sauterelle nf
sauterie nf
saute-ruisseau nm inv
sautoir nm
sauvage adj ; *sauvageon, onne* n ; *sauvagerie* nf
sauvegarde nf
sauve-qui-peut nm inv
sauver vt
sauvette (à la) loc adv
savane nf
savant, e adj, n ; *savamment* adv
savarin nm
savate nf ; *savetier* nm
saveur nf
savoir vt, pp *su, sue*
savoir nm
savoir-faire nm inv
savoir-vivre nm inv
savon nm (les dérivés avec deux *n* : *savonner* vt ; *savonnette* nf, etc)
savourer vt
saxhorn nm, pl *saxhorns*
saxifrage nf (féminin)
saxophone nm (masculin) ; *saxophoniste* n (masculin ou féminin) ; *saxo* nm
saynète nf (attention *ay*)
sayon nm
sbire nm
scabreux, euse adj
scaferlati nm, pl *scaferlatis*
scalaire nm (masculin) [poisson]
scalaire adj (mathématiques)
scalène adj
scalp nm
scalpel nm
scandale nm
scander vt ; *scansion* nf
scanner nm (avec deux *n*) ; *scanographie* nf (un seul *n*)
scaphandre nm
scapulaire adj ; nm (masculin)
scarabée nm
scarifier vt
scarlatine nf
scarole nf
scatologie nf
sceau nm (cachet), pl *sceaux* ≠ *seau* (récipient) ≠ *saut* (de *sauter*) ; *sceller* vt
sceau-de-salomon nm, pl *sceaux-de-salomon*
scélérat, e adj, n
scénario nm, pl *scénarios* ; *scénariste* n (masculin ou féminin)
scène nf (de théâtre) ≠ *cène* (religion) ; *scénique* adj (attention aux accents)
sceptique adj, n (masculin ou féminin) [qui doute] ≠ *septique* (fosse) ; *scepticisme* nm
sceptre nm
schéma nm ; *schématique* adj (attention *sch*)
schème nm (masculin)
scherzo nm, pl *scherzos*
schilling nm, pl *schillings* (monnaie d'Autriche) ≠ *shilling* (monnaie anglaise ou de certains pays d'Afrique)
schisme nm
schiste nm

schizophrène n (masculin ou féminin) ; *schizophrénie* nf (attention aux accents) [pas de *y*]
schlague nf
schlitte nf (féminin)
schooner nm, pl *schooners*
schuss nm inv
sciatique adj ; nf
scie nf ; *scier* vt ; *scierie* nf
sciemment adv
science nf
science-fiction nf, pl *sciences-fictions*
scinder vt ; *scission* nf
scintiller vi, pp *scintillé* inv
scion nm
scission nf ; *scissionniste* n
scissipare adj
scissure nf
scléral, e, aux adj
sclérenchyme nm (masculin)
sclérose nf
scolaire adj
scolastique adj
scolie nf
scoliose nf
scolopendre nf (féminin)
sconse nm (masculin)
scoop nm, pl *scoops*
scooter nm ; *scootériste* n (masculin ou féminin) [attention à l'accentuation]
scorbut nm, pl *scorbuts*
scorie nf
scorpion nm
scorsonère nf (féminin)
scotch nm, pl *scotchs*
scotome nm ; *scotomiser* vt
scottish-terrier nm, pl *scottish-terriers*
scout, e n
scraper nm, pl *scrapers*
scratch adj ; nm, pl *scratches* ; *scratcher* vt
scribe nm
script nm (scénario de film)
scripte n (masculin ou féminin)
scripteur nm
script-girl nf, pl *script-girls*
scrofule nf (féminin)
scrotum nm, pl *scrotums* ; *scrotal, e, aux* adj
scrubber nm, pl *scrubbers*
scrupule nm
scruter vt
scull nm, pl *sculls*
sculpter vt ; *sculpteur* nm ; *sculpture* nf ; *sculptural, e, aux* adj
se pr pers
sea-line nm, pl *sea-lines*
séance nf
séant nm
seau nm, pl *seaux* ≠ *sceau* (cachet) ≠ *saut* (de *sauter*)
sébacé, e adj
sébile nf
sebkha nf, pl *sebkhas*
séborrhée nf
sébum nm, pl *sébums*
sec, sèche adj ; *sécher* vt ; *sèchement* adv ; *sécheresse* nf (attention à l'accentuation)
sécable adj
sécant, e adj ; *sécante* nf
sécateur nm

sécession nf; *sécessionniste* adj, n (masculin ou féminin)
sèche-cheveux nm inv
sèche-linge nm inv
sèche-mains nm inv
second, e adj
seconde nf
secouer vt; *secouement* nm; *secousse* nf
secourir vt, pp *secouru, e*; *secours* nm
secret, ète adj; *secret* nm
secrétaire n (masculin ou féminin); nm (meuble)
sécréter vt
sectaire adj, n (masculin ou féminin)
secte nf
secteur nm; *sectoriel, elle* adj
section nf; *sectionner* vt
séculaire adj
séculier, ère adj
séculier nm (prêtre)
secundo adv
sécurité nf; *sécuriser* vt
sédatif, ive adj; *sédatif* nm
sédentaire adj
sédiment nm
sédition nf; *séditieux, euse* adj
séducteur, trice n
séduire vt, pp *séduit, e*
ségala nm, pl *ségalas*
segment nm; *segmenter* vt
ségrégation nf
séguedille nf (féminin)
seiche nf
séide nm (masculin)
seigle nm
seigneur nm; *seigneurial, e, aux* adj
sein nm (partie du corps) ≠ *seing*
seing nm (signature) ≠ *sein*
séisme nm; *séismal, e, aux* ou *sismal, e, aux* adj; *séismique* ou *sismique* adj
seize adj num inv; *seizième* adj ord
séjour nm; *séjourner* vi, pp *séjourné* inv
sel nm
sélaginelle nf
sélect, e adj
sélection nf; *sélectionner* vt
sélénium nm, pl *séléniums*
self-control nm, pl *self-controls*
self-inductance ou **self** nf, pl *self-inductances, selfs*
self-induction nf, pl *self-inductions*
self-government nm, pl *self-governments*
self-made man nm, pl *self-made men*
self-service ou **self** nm, pl *self-services, selfs*
selle nf
sellette nf
selon prép
semaine nf
sémantique adj; nf
sémaphore nm
semblable adj
sembler vi, pp *semblé* inv → p 36
séméiologie ou **sémiologie** nf
semelle nf
semence nf

semen-contra nm inv
semer vt; *semailles* nfpl
semestre nm
semi- préf (dans les mots composés avec *semi-*, seul le second terme varie : *semi-automatique / semi-automatiques; semi-consonne / semi-consonnes; semi-ouvert / semi-ouverte, semi-ouverts, semi-ouvertes*)
sémillant, e adj
séminaire nm
séminal, e, aux adj
sémiologie ou **séméiologie** nf
sémiotique nf
semis nm inv
semonce nf
semoule nf
sempiternel, elle adj
sénat nm; *sénateur* nm; *sénatorial, e, aux* adj
sénatus-consulte nm, pl *sénatus-consultes*
séné nm, pl *sénés*
sénéchal nm, pl *sénéchaux; sénéchaussée* nf
sénescent, e adj; *sénescence* nf
sénestre ou **senestre** adj
sénevé nm (masculin)
sénile adj
senior adj, n (masculin ou féminin), pl *seniors*
sens nm inv (direction, signification) ≠ *cens* (impôt)
sensation nf; *sensationnel, elle* adj
sensé, e adj (qui a du bon sens) ≠ *censé* (supposé); *sensément* adv
sensible adj
sensitif, ive adj
sensoriel, elle adj
sensuel, elle adj; *sensualité* nf
sente nf
sentence nf; *sentencieux, euse* adj
sentier nm
sentiment nm; *sentimental, e, aux* adj
sentine nf
sentinelle nf → p 6
sentir vt, vi, pp *senti, e*; *senteur* nf
seoir vi (sans pp au sens de *aller bien, convenir*; pprés *seyant*)
sep nm (pièce de charrue), pl *seps* ≠ *cèpe* (champignon) ≠ *cep* (vigne)
sépale nm (masculin)
séparément adv
séparer vt
sépia nf, pl *sépias*
sépiole nf
sept adj num inv; *septante* adj num; *septième* adj ord
septembre nm, pl *septembres*
septennat nm; *septennal, e, aux* adj
septentrion nm
septentrional, e, aux adj
septicémie nf
septique adj (fosse) ≠ *sceptique* (qui doute)
septuagénaire adj, n (masculin ou féminin)
septuagésime nf (féminin)

septuor nm, pl *septuors*
septuple adj; nm
sépulcre nm; *sépulcral, e, aux* adj
sépulture nf
séquelle nf
séquence nf; *séquentiel, elle* adj
séquestre nm (masculin)
séquestrer vt
sequin nm
séquoia nm, pl *séquoias*
sérac nm, pl *séracs*
sérail nm, pl *sérails*
serein, e adj; *sérénité* nf
sérénade nf
séreux, euse adj; *sérosité* nf
serf, serve n; *servage* nm
serfouir vt; *serfouette* nf
serge nf (féminin)
sergent nm
sergent-major nm, pl *sergents-majors*
serial nm, pl *serials*
séricicole adj
sérigraphie nf
série nf
sériel, elle adj
sérieux, euse adj
serin, e n
seriner vt
serinette nf
seringa nm (masculin), pl *seringas*
seringue nf
serment nm
sermon nm; *sermonner* vt
serpe nf
serpent nm; *serpentaire* nm; *serpenteau* nm, pl *serpenteaux*
serpenter vi, pp *serpenté* inv
serpentin nm
serpillière nf
serpolet nm
serratule nf
serre nf
serre-file nm, pl *serre-files*
serre-fil(s) nm, pl *serre-fils*
serre-frein(s) nm, pl *serre-freins*
serre-joint(s) nm, pl *serre-joints*
serre-livres nm inv
serrer vt
serre-tête nm inv
serrure nf
sertir vt
sérum nm, pl *sérums; sérique* adj
serval nm, pl *servals*
serviable adj
service nm
serviette nf
serviette-éponge nf, pl *serviettes-éponges*
servile adj
servir vt, pp *servi, e*
servofrein nm
ses adj poss
sésame nm (masculin)
session nf (période) ≠ *cession* (action de céder)
set nm, pl *sets*
setier nm (pas d'accent)
séton nm
setter nm, pl *setters*
seuil nm
seul, e adj; *seul à seul* → p 27
sève nf

sévère adj; **sévérité** nf (attention aux accents)

sévices nmpl (masculin)

sévir vi, pp sévi inv

sevrer vt

sexagénaire adj, n (masculin ou féminin)

sexagésime nf (féminin)

sex-appeal nm, pl sex-appeals

sexe nm; **sexualité** nf; **sexologie** nf

sex-shop nm, pl sex-shops

sextant nm

sexto adv

sextuor nm, pl sextuors

sextuple adj; nm

sexy adj inv

seyant, e adj

sforzando adv

shâh ou **châh** nm, pl shâhs, châhs

shake-hand nm inv

shaker nm, pl shakers

shakespearien, enne adj

shako nm, pl shakos

shampooing nm; **shampouiner** vt; **shampouineur, euse** n

shantung ou chantoung nm, pl shantungs, chantoungs

shérif nm, pl shérifs

shilling nm, pl shillings (monnaie anglaise ou de certains pays d'Afrique) ≠ schilling (monnaie d'Autriche)

shimmy nm, pl shimmys

shintoisme nm (au sing)

shirting nm, pl shirtings

shogoun ou shogun nm, pl shogouns, shoguns

shoot nm, pl shoots; **shooter** vt, vi

shoping ou shopping nm, pl shop(p)ings

short nm, pl shorts

show nm, pl shows

show-business nm inv

shrapnel(l) nm, pl shrapnel(l)s

shunt nm, pl shunts

si conj; adv; si ce n'est → p 47

si nm inv

sial nm (pas de pl)

sibilant, e adj

sibylle nf (féminin); **sibyllin, e** adj (y après le b)

sicaire nm (masculin)

siccité nf

side-car nm, pl side-cars

sidéral, e, aux adj

sidérer vt

sidérose nf

sidérurgie nf

siècle nm

siège nm

siéger vi, pp siégé inv

sien, sienne adj

sierra nf, pl sierras

sieste nf

sieur nm

siffler vi, vt; **siffloter** vi, vt

sigillographie nf

sigisbée nm (masculin)

sigle nm (masculin); **siglaison** nf

sigma nm, pl sigmas

sigmoïde adj

signal nm, pl signaux; **signalement** nm; **signaliser** vt

signe nm

signer vt

signet nm

signifier vt

sil nm (argile), pl sils

silence nm

silène nm

silex nm inv

silhouette nf

silice nf (féminin)

silicium nm, pl siliciums

sillage nm

sillon nm; **sillonner** vt

silo nm, pl silos; **silotage** nm

simagrées nfpl

simarre nf (féminin)

simbleau nm, pl simbleaux

simiesque adj

similaire adj

simili nm, pl similis

similicuir nm

similitude nf

simonie nf

simoun nm, pl simouns

simple adj

simulacre nm (masculin)

simuler vt

simultané, e adj

sinapisme nm

sincère adj; **sincérité** nf (attention aux accents)

sinécure nf

sine die adv

sine qua non loc adv

singe nm

singer vt

singleton nm, pl singletons

singulier, ère adj

siniser vt

sinistre adj

sinistre nm

sinn-feiner n (masculin ou féminin), pl sinn-feiners

sinologue n (masculin ou féminin)

sinon conj

sinople nm (masculin)

sinueux, euse adj; **sinuosité** nf

sinus nm inv

sinusite nf

sinusoïdal, e, aux adj

sionisme nm

siphon nm; **siphonner** vt

sire nm

sirène nf

sirocco nm, pl siroccos

sirop nm; **sirupeux, euse** adj

siroter vt

sis, e adj

sisal nm, pl sisals

sismal, e, aux ou séismal, e, aux adj

sismique ou séismique adj

sister-ship nm, pl sister-ships

sistre nm (masculin)

site nm

sit-in nm inv

sitôt adv (circonflexe sur ô)

situer vt; **situation** nf

six adj num inv; **sixième** adj ord; **six-quatre-deux (à la)** loc adv; **sizain** ou **sixain** nm

sixte nf

Skaï nm (nom déposé)

skateboard ou skate nm

skating nm, pl skatings

sketch nm, pl sketches ou sketchs

ski nm; **skier** vi

skiff nm, pl skiffs

skip nm, pl skips

skipper nm, pl skippers

skye-terrier nm, pl skye-terriers

slalom nm, pl slaloms

slikke nf (féminin), pl slikkes

slip nm, pl slips

slogan nm

sloop nm, pl sloops

sloughi nm, pl sloughis

slow nm, pl slows

smala(h) nf, pl smala(h)s

smaragdite nf (féminin)

smart adj inv

smash nm, pl smashs ou smashes

smocks nmpl

smog nm, pl smogs

smoking nm, pl smokings

snack-bar ou snack nm, pl snack-bars, snacks

snob n (masculin ou féminin)

snow-boot nm, pl snow-boots

sobre adj; **sobriété** nf

sobriquet nm

soc nm (de charrue) ≠ socque (chaussure)

sociable adj

social, e, aux adj

social-chrétien nm, pl sociaux-chrétiens

social-démocratie nf, pl social-démocraties; **social-démocrate** n, pl sociaux-démocrates

société nf

socio-économique adj, pl socio-économiques

socio-éducatif, ive adj, pl socio-éducatifs, ives

sociolinguistique nf

sociologie nf

socioprofessionnel, elle adj

socle nm (masculin)

socque nm (masculin) [chaussure] ≠ soc (de charrue)

soda nm, pl sodas

sodium nm, pl sodiums

sodomie nf

sœur nf

sofa nm, pl sofas

soi pr pers

soi-disant adj inv → p 35

soie nf; **soierie** nf

soif nf; **soiffard, e** n

soin nm; **soigner** vt

soir nm → p 25

soit conj → p 44

soixante adj num inv; **soixantaine** nf; **soixantième** adj ord

soja ou soya nm, pl sojas, soyas

sol nm (terre)

sol nm inv (note)

solaire adj

solarium nm, pl solariums

soldanelle nf

soldat nm

solde nf (paye)

solde nm (reliquat)

solde nm (masculin) [rabais]

sole nf

solécisme nm

soleil nm

solennel, elle adj; **solenniser** vt; **solennité** nf (avec un l et deux n)

solfatare nf (féminin)

solfège nm

solfier vt

157

solicitor nm, pl *solicitors* (un seul *l*)
solidaire adj ; *solidarité* nf
solide adj ; nm
solifluxion ou solifluction nf
soliloque nm (masculin)
solin nm
solipède adj ; nm
solipsisme nm
soliste n (masculin ou féminin)
solitaire adj, n ; nm
solitude nf
solive nf ; *soliveau* nm, pl *soliveaux*
solliciter vt
sollicitude nf
solo nm, pl *solos* ou *soli*
solstice nm (masculin) ; *solsticial, e aux* adj
soluble adj
solution nf
solvable adj
solvant nm
somatique adj
sombre adj
sombrer vi, pp *sombré* inv
sombrero nm, pl *sombreros*
sommaire adj ; nm
somme nf (total)
somme nm ; *sommeil* nm ; *sommeiller* vi, pp *sommeillé* inv
sommelier nm (un *l*) ; *sommellerie* nf (deux *l*)
sommer vt
sommet nm
sommier nm
sommité nf (féminin) [avec deux *m*]
somnambule adj, n (masculin ou féminin)
somnifère adj ; nm
somnoler vi, pp *somnolé* inv ; *somnolence* nf ; *somnolent, e* adj ≠ *somnolant* pprés du v
somptuaire adj
somptueux, euse adj
son, sa, ses adj poss
son nm ; *sonore* adj
sonar nm, pl *sonars*
sonate nf
sonde nf
songe nm
songe-creux nm inv
sonnaille nf
sonner vt ; *sonnant, e* adj → p 36
sonnet nm
sophisme nm
sophistiquer vt
soporifique adj
soprano nm, pl *soprani* ou *sopranos*
sorbet nm
sorbier nm
sorcier, ère n ; *sorcellerie* nf (avec deux *l*)
sordide adj
sorgho nm, pl *sorghos*
sornette nf
sort nm
sorte nf ; *toute sorte de* → p 24, 47 ; *une sorte de* → p 25
sortie-de-bain nf, pl *sorties-de-bain*
sortie-de-bal nf, pl *sorties-de-bal*
sortilège nm (masculin)
sortir vi, vt, pp *sorti, e*

sosie nm (masculin)
sot, sotte adj ; *sottement* adv ; *sottise* nf (les dérivés avec deux *t*)
sotie ou sottie nf
sou nm, pl *sous*
soubassement nm
soubresaut nm
soubrette nf
souche nf
souci nm ; *soucier* vt
soucoupe nf
soudain, e adj ; *soudain* adv
soudard nm
soude nf
souder vt
soudoyer vt
soue nf
souffle nm (avec deux *f*)
souffler vt (avec deux *f*)
soufflet nm, *souffleter* vt
souffre-douleur nm inv
souffreteux, euse adj (avec deux *f*)
souffrir vt, pp *souffert, e* (avec deux *f*)
soufre nm (avec un seul *f*)
souhait nm ; *souhaiter* vt
souiller vt
souillon n (masculin ou féminin) → p 6
souk nm, pl *souks*
soûl, e ou saoul, e adj ; *soûler* ou *saouler* vt
soulager vt
soulever vt ; *soulèvement* nm (attention à l'accentuation)
souligner vt
soulte nf
soumettre vt, pp *soumis, e* ; *soumission* nf ; *soumissionner* vt
soupape nf
soupçon nm ; *soupçonner* vt
soupe nf
soupente nf
souper nm ; *souper* vi, pp *soupé* inv
soupeser vt
soupir nm
soupirail nm, pl *soupiraux*
souple adj
souquenille nf
souquer vt
sourate ou surate nf
source nf
sourcil nm ; *sourciller* vi, pp *sourcillé* inv
sourd, e adj, n
sourdine nf
sourd-muet, sourde-muette n, pl *sourds-muets, sourdes-muettes*
sourdre vi
sourire vi, pp *souri* inv ; *sourire* nm
souris nf inv ; *souricière* nf ; *souriceau* nm, pl *souriceaux*
sournois, e adj, n
sous prép
sous-alimenter vt ; *sous-alimentation* nf, pl *sous-alimentations*
sous-amendement nm, pl *sous-amendements*
sous-bois nm inv
sous-chef nm, pl *sous-chefs*
sous-classe nf, pl *sous-classes*

sous-commission nf, pl *sous-commissions*
sous-consommation nf, pl *sous-consommations*
souscrire vt, pp *souscrit, e* ; *souscription* nf
sous-cutané, e adj, pl *sous-cutanés, ées*
sous-développé, e adj, pl *sous-développés, ées*
sous-directeur, trice n, pl *sous-directeurs, trices*
sous-employer vt ; *sous-emploi* nm, pl *sous-emplois*
sous-entendre vt, pp *sous-entendu, e* ; *sous-entendu* nm, pl *sous-entendus*
sous-équipé, e adj ; *sous-équipement* nm, pl *sous-équipements*
sous-estimer vt
sous-évaluer vt
sous-exploiter vt
sous-exposer vt
sous-fifre nm, pl *sous-fifres*
sous-homme nm, pl *sous-hommes*
sous-jacent, e adj, pl *sous-jacents, es*
sous-lieutenant nm, pl *sous-lieutenants*
sous-louer vt ; *sous-locataire* n (masculin ou féminin), pl *sous-locataires*
sous-main nm inv
sous-marin, e adj, pl *sous-marins, es*
sous-multiple adj ; nm, pl *sous-multiples*
sous-œuvre nm, pl *sous-œuvres*
sous-officier nm, pl *sous-officiers*
sous-ordre nm, pl *sous-ordres*
sous-payer vt
sous-peuplé, e adj, pl *sous-peuplés, es*
sous-préfet nm, pl *sous-préfets* ; *sous-préfecture* nf, pl *sous-préfectures*
sous-prolétaire n (masculin ou féminin), pl *sous-prolétaires*
sous-secrétariat nm, pl *sous-secrétariats*
soussigné, e adj, pl *soussignés, es*
sous-sol nm, pl *sous-sols*
sous-station nf, pl *sous-stations*
sous-tendre vt, pp *sous-tendu, e*
sous-titre nm, pl *sous-titres* ; *sous-titrer* vt
soustraire vt, pp *soustrait, e* ; *soustraction* nf
sous-traitant, e n, pl *sous-traitants, es*
sous-ventrière nf, pl *sous-ventrières*
sous-verre nm inv
sous-vêtement nm, pl *sous-vêtements*
sous-virer vi, pp *sous-viré* inv
soutache nf
soutane nf
soute nf
soutenir vt, pp *soutenu, e* ; *soutènement* nm ; *soutien* nm
soutien-gorge nm, pl *soutiens-gorge*

soutirer vt
souvenir (se) vpr, pp *souvenu, e*; *souvenir* nm
souvent adv
souverain, e adj
soviet nm; *soviétique* adj, n (masculin ou féminin) [attention à l'accentuation]
sovkhoze nm, pl *sovkhozes*
soya ou soja nm, pl *soyas, sojas*
soyeux, euse adj
spacieux, euse adj (attention au c)
spadassin nm
spaghetti nm, pl *spaghettis* ou *spaghetti*
spahi nm, pl *spahis*
sparadrap nm
sparterie nf
spasme nm; *spasmodique* adj
spath nm, pl *spaths*
spatial, e, aux adj
spatio-temporel, elle adj, pl *spatio-temporels, elles*
spatule nf
speaker nm; *speakerine* nf
spécial, e, aux adj
spécieux, euse adj
spécifier vt
spécifique adj
spécimen nm, pl *spécimens*
spectacle nm; *spectaculaire* adj
spectre nm; *spectral, e, aux* adj
spéculaire adj
spéculer vti, vi, pp *spéculé* inv
spéculum nm, pl *spéculums*
speech nm, pl *speeches* ou *speechs*
spéléologie nf
spermaceti nm, pl *spermacetis*
sperme nm; *spermatozoïde* nm (tréma sur *i*)
sphénoïde adj; nm; *sphénoïdal, e, aux* adj (tréma sur *i*)
sphère nf; *sphérique* adj; *sphéroïdal, e, aux* adj (attention aux accents)
sphex nm inv
sphincter nm, pl *sphincters*
sphinx nm inv (pas de *y*)
sphyrène nf
spic nm
spicilège nm (masculin)
spider nm, pl *spiders*
spina-bifida nm inv; n (masculin ou féminin) inv
spinal, e, aux adj
spinnaker nm, pl *spinnakers*
spiral, e, aux adj; *spirale* nf
spire nf
spirille nm (masculin)
spirite n (masculin ou féminin)
spiritual nm, pl *spirituals*
spirituel, elle adj; *spiritualiser* vt
spiritueux, euse adj
spirochète nm; *spirochétose* nf (attention aux accents)
spleen nm, pl *spleens*
splendide adj; *splendeur* nf
spolier vt
spondée nm (masculin)
spondyle nm (masculin)
spongieux, euse adj
sponsor nm, pl *sponsors*
spontané, e adj; *spontanéité* nf
sporadique adj

sporange nm (masculin)
spore nf (féminin)
sport nm; *sportif, ive* adj, n
sportule nf
spot nm, pl *spots*
sprat nm
spray nm, pl *sprays*
springbok nm, pl *springboks*
sprint nm, pl *sprints*; *sprinter* vi, pp *sprinté* inv; *sprinter* nm
squale nm
squame nf (féminin)
squatter nm, pl *squatters*; *squattériser* vt (attention à l'accentuation)
squaw nf, pl *squaws*
squelette nm
squirre ou squirrhe nm
stable adj; *stabiliser* vt
stabulation nf
staccato adv; nm, pl *staccatos*
stade nm
staff nm, pl *staffs*
stage nm
stagner vi, pp *stagné* inv
stakhanovisme nm (attention au h)
stalactite nf (féminin)
stalagmite nf (féminin)
stalle nf
stance nf
stand nm, pl *stands*
standard nm, pl *standards*; *standardiser* vt
standing nm, pl *standings*
staphylocoque nm; *staphylococcie* nf (attention aux deux c)
star nf, pl *stars*
star-system nm, pl *star-systems*
starter nm, pl *starters*
starting-block nm, pl *starting-blocks*
starting-gate nf, pl *starting-gates*
stase nf
statif, ive adj
station nf; *stationner* vi
station-service nf, pl *stations-service*
statique adj
statistique nf
statue nf
statuer vi, pp *statué* inv
statu quo nm inv
stature nf
staturo-pondéral, e, aux adj
statut nm
stayer nm, pl *stayers*
steak nm, pl *steaks*
stéarate nm (masculin); *stéarine* nf
stéatome nm (masculin)
steeple ou steeple-chase nm, pl *steeples, steeple-chases*
stégosaure nm
stèle nf
stellaire adj
stencil nm
sténo n (masculin ou féminin); *sténographie* nf; *sténodactylo* n (masculin ou féminin)
sténose nf
sténotypie nf
stentor nm
steppe nf
stère nm (masculin)
stéréobate nm (masculin)

stéréophonie nf
stéréotype nm (masculin); *stéréotyper* vt
stérile adj
sterling adj inv
sternum nm, pl *sternums*
stéthoscope nm
steward nm, pl *stewards*
stick nm, pl *sticks*
stigmate nm (masculin); *stigmatiser* vt
stimuler vt
stimulus nm, pl *stimuli* ou *stimulus*
stipe nm (masculin)
stipendier vt
stipuler vt
stochastique adj
stock nm, pl *stocks*
stock-car nm, pl *stock-cars*
stockfisch nm, pl *stockfischs*
stoïque adj; *stoïcisme* nm (tréma sur *i*)
stomacal, e, aux adj; *stomachique* adj
stomate nm (masculin)
stomatologie nf
stop nm, pl *stops*; *stopper* vt, vi
stop-and-go nm inv
store nm
stout nm, pl *stouts*
strabisme nm
stradivarius nm inv
strangulation nf
strapontin nm
stras ou strass nm inv
stratagème nm
strate nf
stratège nm; *stratégie* nf (attention aux accents)
stratigraphie nf
strato-cumulus nm inv
stratosphère nf
stratus nm inv
streptocoque nm
streptomycine nf
stress nm inv
strict, e adj
stricto sensu loc adv
strident, e adj
striduler vi, pp *stridulé* inv
strie nf; *strier* vt
strige nf
strigile nm (masculin)
stripping nm, pl *strippings*
strip-tease nm inv; *strip-teaseuse* nf, pl *strip-teaseuses*
strobile nm (masculin)
strongyle ou strongle nm (masculin)
strontium nm, pl *strontiums*
strophe nf
structure nf; *structural, e, aux* adj; *structuralisme* nm; *structurel, elle* adj
strychnine nf
stuc nm; *stuquer* vt; *stucage* nm
stud-book nm, pl *stud-books*
studieux, euse adj
studio nm, pl *studios*; *studette* nf
stupeur nf; *stupéfier* vt; *stupéfait, e* adj; *stupéfaction* nf
stupide adj
stupre nm (masculin)
style nm
stylet nm

159

stylite nm (masculin)
stylo nm
stylobate nm
styrène nm (masculin)
suaire nm
suave adj
subaigu, subaiguë adj (tréma sur ë)
subalpin, e adj
subalterne adj
subconscient, e adj
subdiviser vt
suber nm; subéreux, euse adj; subérine nf (attention à l'accentuation)
subir vt, pp subi, e
subit, e adj (soudain); subitement adv
subjectif, ive adj; subjectivité nf
subjonctif nm
subjuguer vt
sublime adj
sublingual, e, aux adj
submerger vt; submersion nf
subodorer vt
subordonner vt (avec deux n); subordination nf (avec un n)
suborner vt
subreptice adj
subroger vt
subséquent, e adj; subséquemment adv
subside nm (masculin)
subsidiaire adj
subsister vi, pp subsisté inv; subsistance nf
subsonique adj
substance nf; substantiel, elle adj
substantif nm
substituer vt; substitut nm
substratum nm, pl substratums
subterfuge nm (masculin)
subtil, e adj
subtiliser vt
subtropical, e, aux adj
suburbain, e adj
subvenir vti, pp subvenu inv; subvention nf; subventionner vt
subversif, ive adj
suc nm
succédané nm
succéder vti, pp succédé inv; succession nf; successeur nm; successoral, e, aux adj (attention à l'accentuation)
succès nm inv
succinct, e adj
succion nf
succomber vti, pp succombé inv
succube nm (masculin)
succulent, e adj
succursale nf
sucer vt
sucre nm
sud nm inv; sud-est nm inv; sud-ouest nm inv
suer vi; sueur nf; sudoral, e, aux adj
suffire vti, pp suffi inv; suffisant, e adj; suffisamment adv; suffisance nf
suffixe nm; suffixal, e, aux adj
suffoquer vt, vi; suffocation nf; suffocant, e adj ≠ suffoquant pprés du v
suffrage nm

suggérer vt; suggestion nf; suggestionner vt (attention à l'accentuation)
suicide nm; suicider (se) vpr; suicidaire adj, n (masculin ou féminin)
suie nf
suif nm; suiffeux, euse adj
sui generis loc adj inv
suint nm, pl suints
suinter vi, pp suinté inv
suivre vt, pp suivi, e; suite nf
sujet, ette adj; sujétion nf (attention à l'accentuation)
sulfate nm (masculin)
sulfite nm (masculin)
sulfure nm (masculin)
sulky nm, pl sulkys
sultan nm; sultane nf
sumac nm
summum nm, pl summums
superbe adj; nf
supercarburant nm
supercherie nf
superfétatoire adj
superficie nf; superficiel, elle adj
superfin, e adj
superflu, e adj
supérieur, e adj, n; supériorité nf
superman nm, pl supermen
supernova nf, pl supernovae
superposer vt
superproduction nf
superprofit nm
supersonique adj
superstition nf
superstructure nf
superviser vt
supin nm
supination nf
supplanter vt (avec deux p)
suppléer vt; suppléance nf
supplément nm
supplétif, ive adj
supplice nm
supplier vt; supplication nf
supplique nf
supporter vt; support nm; supporter nm, pl supporters
supposer vt; supposé, e adj → p 36
suppositoire nm (masculin)
suppôt nm (circonflexe sur ô)
supprimer vt; suppression nf
suppurer vi, pp suppuré inv
supputer vt
supranational, e, aux adj
suprématie nf (attention tie)
suprême adj; suprêmement (circonflexe sur ê)
sur prép
sur, e adj (aigre); surir vi (sans circonflexe)
sûr, e adj (assuré); sûrement adv (circonflexe sur û)
surabonder vi, pp surabondé inv
suraigu, suraiguë adj (tréma sur ë)
surajouter vt
sural, e, aux adj
suralimenter vt
suranné, e adj (avec deux n)
surate ou sourate nf
surbaisser vt
surbau nm, pl surbaux

surboum nf, pl surboums
surcharge nf
surchauffe nf
surcontre nm, pl surcontres
surcot nm
surcoupe nf
surcroît nm (circonflexe sur î)
surdéterminer vt
surdi-mutité nf, pl surdi-mutités
surdité nf
surdoué, e adj, n
sureau nm, pl sureaux
surélever vt; surélévation nf (attention aux accents)
sûrement adv (circonflexe sur û)
suréminent, e adj
surenchère nf; surenchérir vi (attention aux accents)
surentrainer vt (circonflexe sur î)
suréquiper vt
surestimer vt
sûreté nf (circonflexe sur û)
surexciter vt
surf nm, pl surfs; surfeur, euse n
surface nf
surfaire vt, pp surfait, e
surfaix nm inv
surfil nm; surfiler vt
surfin, e adj
surgeler vt; surgélation nf (attention à l'accentuation)
surgénérateur nm
surgeon nm
surgir vi
surhausser vt
surhomme nm; surhumain, e adj
surimposer vt
surintendant nm
surjet nm; surjeter vt
sur-le-champ loc adv
surlendemain nm, pl surlendemains
surmener vt
surmoi nm inv
surmonter vt
surmultiplié, e adj
surnager vi, pp surnagé inv
surnaturel, elle adj
surnom nm; surnommer vt (avec deux m)
surnombre nm
surnuméraire adj, n (masculin ou féminin)
suroît nm (circonflexe sur î)
surpasser vt
surpayer vt; surpaye nf
surpeuplé, e adj
surplace nm
surplis nm inv
surplomb nm
surplus nm inv
surprendre vt, pp surpris, e; surprise nf
surprise-partie nf, pl surprises-parties
surproduction nf
surréalisme nm
surrénale adj f (avec deux r)
sursaturer vt
sursaut nm
surseoir vt, vti, pp sursis, e; sursis nm; sursitaire nm
surtaxe nf
surtension nf

surtout nm, pl *surtouts*
surtout adv
surveillant, e n
surveiller vt
survenir vi, pp *survenu, e*
survêtement nm (circonflexe sur *ê*)
survie nf
survirer vi, pp *surviré* inv
survivre vti, pp *survécu* inv
survoler vt ; *survol* nm
survolter vt
sus prép
susceptible adj
susciter vt
suscription nf
susdit, e adj
susmentionné, e adj
susnommé, e adj (avec deux *m*)
suspect, e adj, n
suspendre vt, pp *suspendu, e* ; *suspension* nf
suspens adj m ; *suspense* nf (religion)
suspense nm (attente)
suspicion nf
sustentation nf
sustenter vt
susurrer vt
susvisé, e adj
suture nf ; *sutural, e, aux* adj ; *suturer* vt
suzerain, e n

svastika nm (masculin), pl *svastikas*
svelte adj
sweater nm, pl *sweaters*
sweating-system nm, pl *sweating-systems*
sweat-shirt nm, pl *sweat-shirts*
sweepstake nm, pl *sweepstakes*
swing nm, pl *swings* ; *swinguer* vi, vt
sybarite adj, n (masculin ou féminin)
sycomore nm
sycophante nm
sycosis nm inv
syllabe nf
syllabus nm inv
syllepse nf (féminin)
syllogisme nm
sylphe nm (masculin)
sylphide nf
sylvain nm
sylvestre adj
sylviculture nf
symbiose nf
symbole nm
symétrie nf
sympathie nf ; *sympa* adj inv ; *sympathiser* vti, pp *sympathisé* inv
symphonie nf
symphyse nf
symposium nm, pl *symposiums*

symptôme nm ; *symptomatique* adj (attention à l'accentuation)
synagogue nf
synalèphe nf
synapse nf
synarchie nf
synchrone adj ; *synchroniser* vt
synchrotron nm
syncinésie nf
synclinal nm, pl *synclinaux*
syncope nf
syncrétisme nm
syndic nm
syndicat nm ; *syndical, e, aux* adj ; *syndiquer* vt
syndrome nm (masculin) [pas de circonflexe]
synecdoque nf
synérèse nf
synergie nf
synode nm ; *synodal, e, aux* adj
synonyme adj ; nm
synopsis nm inv (masculin)
synovie nf ; *synovial, e, aux* adj
syntagme nm (masculin)
syntaxe nf ; *syntacticien, enne* n
synthèse nf ; *synthétique* adj (attention à l'accentuation)
syphilis nf inv
syrinx nf inv
système nm ; *systématique* adj (attention aux accents)
systole nf

161

t nm inv
ta adj poss
tabac nm ; *tabagie* nf ; *tabatière* nf
tabellion nm
tabernacle nm
tabès nm inv ; *tabétique* adj, n (masculin ou féminin) [attention aux accents]
tablature nf
table nf ; *tablée* nf ; *tablette* nf ; *tabletterie* nf
tableau nm, pl *tableaux*
tabler vti, pp *tablé* inv
tablier nm
tabloïd adj m ; nm (tréma sur *i*)
tabou nm, pl *tabous* ; adj inv en genre
tabouret nm
tabulateur nm
tac nm (au sing)
tache nf (souillure) ; *tacher* vt ; *tacheter* vt (sans circonflexe)
tâche nf (ouvrage) ; *tâcher* vt, pp *tâché* inv → p 40 ; *tâcheron* nm (circonflexe sur *â*)
tachycardie nf
tacite adj
taciturne adj
tact nm ; *tactile* adj
tactique nf ; *tacticien, enne* n
tael nm, pl *taels*
tænia ou ténia nm, pl *tænias, ténias*
taffetas nm inv
tafia nm, pl *tafias*
tagliatelle ou tagliatelles nfpl
taïaut ou tayaut ! interj
taie nf
taïga nf (tréma sur *i*)
taillant nm
taille nf ; *tailler* vt
taille-crayon nm, pl *taille-crayon(s)*
taille-douce nf, pl *tailles-douces*
tailleur nm
taillis nm inv
tain nm (glace) ≠ *teint* (coloris)
taire vt, pp *tu, e*
take-off nm inv
talc nm ; *talquer* vt
talé, e adj
talent nm ; *talentueux, euse* adj
talion nm
talisman nm
talkie-walkie nm, pl *talkie(s)-walkies*
talle nf
taller vi
talmudique adj
taloche nf
talon nm ; *talonner* vt
talus nm inv
talweg ou thalweg nm, pl *t(h)alwegs*
tamanoir nm

tamarin nm
tamarinier nm
tamaris nm inv
tambouille nf
tambour nm ; *tambourin* nm ; tambouriner vi, vt
tambour-major nm, pl *tambours-majors*
tamier nm
tamis nm inv ; *tamiser* vt
tampico nm, pl *tampicos*
tampon nm
tamponner vt
tam-tam nm, pl *tam-tams*
tan nm ; *tanner* vt
tancer vt
tanche nf
tandem nm
tandis que loc conj
tangent, e adj ; *tangentiel, elle* adj
tangible adj
tango nm, pl *tangos* (danse)
tango adj inv (couleur)
tanguer vi, pp *tangué* inv ; *tangage* nm
tanière nf
tanin ou tannin nm
tank nm
tanker nm
tanner vt
tannin ou tanin nm
tan-sad nm, pl *tan-sads*
tant adv ; *tantinet* nm (au sing)
tante nf (parenté) ≠ *tente* (abri)
tantième nm
tantôt adv (circonflexe sur *ô*)
taoïsme nm (tréma sur *i*)
taon nm
tapage nm
tape nf
tape-à-l'œil nm inv ; adj inv
tapecul nm
tapée nf
taper vt ; *tapant, e* adj → p 36
tapette nf
tapin nm
tapinois (en) loc adv
tapioca nm, pl *tapiocas*
tapir nm, pl *tapirs*
tapir (se) vpr
tapis nm inv
tapis-brosse nm, pl *tapis-brosses*
tapisser vt
tapon nm
tapoter vt (un seul *t*)
taquer vt
taquet nm
taquin, e adj ; *taquiner* vt
tarabiscoté, e adj
tarabuster vt
tarasque nf
taraud nm (outil) ≠ *tarot* (jeu) ; *tarauder* vt

tarbouch ou tarbouche nm (masculin)
tard adv ; *tarder* vti, pp *tardé* inv ; *tardif, ive* adj
tare nf
tarentelle nf
tarentule nf
targe nf
targette nf
targuer (se) vpr
tarière nf
tarif nm ; *tarifer* vt ; *tarification* nf (avec un seul *f*)
tarin nm
tarir vt, pp *tari, e* (avec un seul *r*)
tarlatane nf
taro nm (plante)
tarot nm ou *tarots* nmpl (jeu) ≠ *taro* (plante) ≠ *taraud* (outil)
tarse nm
tartan nm
tartane nf
tarte nf
tartre nm (masculin)
tartufe (un seul *f* ; plus rarement *tartuffe*)
tas nm inv
tasse nf
tasseau nm, pl *tasseaux*
tasser vt
tassette nf
tâter vt (circonflexe sur *â*)
tâte-vin ou taste-vin nm inv
tatillon, onne adj (pas de circonflexe)
tâtonner vi, pp *tâtonné* inv ; *tâtons (à)* adv (circonflexe sur *â*)
tatou nm, pl *tatous*
tatouer vt
taudis nm inv
taule nf ou tôle (prison, chambre) ≠ *tôle* (feuille de métal) ; *taulier, ère* ou *tôlier, ère* n
taupe nf
taupe-grillon nm, pl *taupes-grillons*
taupin nm
taureau nm, pl *taureaux*
tauromachie nf
tautologie nf
taux nm inv
taveler vt
taverne nf
taxe nf
taxi nm
taxiarque nm
taximètre nm
taxinomie nf
Taxiphone nm (nom déposé)
tayaut ou taïaut ! interj
tchador nm, pl *tchadors*
tchernoziom nm, pl *tchernoziums*
te pr pers

té nm

technique adj ; nf ; **technicien, enne** n ; **technico-commercial, e, aux** adj

technocratie nf

technologie nf

teck ou **tek** nm, pl tecks, teks

teckel nm

tectonique adj

Te Deum nm inv

teen-ager n (masculin ou féminin), pl teen-agers

tee-shirt nm, pl tee-shirts

tégument nm

teigne nf

teille ou **tille** nf

teindre vt, pp teint, e ; teint nm (coloris) ≠ tain (glace) ; **teinte** nf ; **teinter** vt ≠ tinter (résonner)

tek ou teck nm, pl teks, tecks

tel, telle adj → p 33 ; **tellement** adv

télé nf, pl télés

télécabine nf

télécinéma nm

télécommande nf

télécommunication nf

télédiffuser vt

télé-enseignement nm, pl télé-enseignements

téléfilm nm

télégramme nm

télégraphie nf

téléguider vt

télémètre nm

téléobjectif nm

télépathie nf

téléphérique nm

téléphone nm

télescope nm (masculin)

télescoper (se) vpr

téléscripteur nm

télésiège nm

téléski nm

téléspectateur, trice n

télévision nf

télex nm inv

tellurique ou tellurien, enne adj

téméraire adj ; **témérité** nf

témoin nm → p 25 ; **témoigner** vt

tempe nf ; **temporal, e, aux** adj

tempérament nm

tempérant, e adj ; **tempérance** nf

température nf

tempérer vt

tempête nf ; **tempêter** vi, pp tempêté inv (circonflexe sur ê)

temple nm

templier nm

tempo nm, pl tempos

temporaire adj

temporiser vi, pp temporisé inv

temps nm inv

tenace adj ; **ténacité** nf (attention à l'accentuation)

tenaille nf (même sens au sing et au pl)

tenancier, ère n

tendance nf

tendon nm ; **tendinite** nf

tendre adj ; **tendresse** nf

tendre vt, pp tendu, e

tendron nm

ténèbres nfpl ; **ténébreux, euse** adj (attention aux accents)

ténia ou **tænia** nm, pl ténias, tænias

tenir vt, pp tenu, e ; se tenir coi → p 43

tennis nm inv

tennis-elbow nm, pl tennis-elbows

tennisman nm, pl tennismen

ténor nm, pl ténors ; **ténorino** nm, pl ténorinos

tension nf

tentacule nm (masculin)

tente nf (abri) ≠ tante (parenté)

tente-abri nf, pl tentes-abris

tenter vt

tenture nf

ténu, e adj

tenue nf

téorbe ou théorbe nm (masculin)

tequila nf, pl tequilas

ter adv

tératologie nf

tercet nm

térébenthine nf

térébrant, e adj

tergiverser vi, pp tergiversé inv

terme nm (mot) ; **terminologie** nf

terme nm (fin) ; **terminer** vt

terminal nm, pl terminaux

terminus nm inv

termite nm (masculin)

ternaire adj

terne nm

terne adj ; **ternir** vt

terrain nm

terrarium nm, pl terrariums

terrasse nf

terrasser vt

terre nf ; **terreau** nm, pl terreaux ; **terrien, enne** n

terre-neuvas nm inv

terre-neuve nm inv

terre-plein nm, pl terre-pleins

terrer vt

terreur nf ; **terrible** adj ; **terrifier** vt ; **terroriser** vt

terrier nm

terril ou **terri** nm, pl terrils, terris

terrine nf

territoire nm ; **territorial, e, aux** adj

terroir nm

tertiaire adj

tertio adv

tertre nm (masculin)

tes adj poss

tessiture nf

tesson nm

test nm (coquille)

test nm (épreuve) ; **tester** vt

testament nm ; **tester** vi, pp testé inv

testicule nm

testimonial, e, aux adj

teston nm

tétanos nm inv ; **tétanique** adj

têtard nm (circonflexe sur ê)

tête nf (circonflexe sur ê)

tête-à-queue nm inv

tête-à-tête nm inv

têteau nm, pl têteaux (circonflexe sur ê)

tête-bêche loc adv

tête-de-clou nm, pl têtes-de-clou

tête-de-loup nf, pl têtes-de-loup

tête-de-Maure nf, pl têtes-de-Maure ; adj inv (couleur)

tête-de-nègre adj inv (couleur)

téter vt ; **tétée** nf ; **tétine** nf (pas de circonflexe)

tétracorde nm (masculin)

tétraèdre nm (masculin) ; **tétraédrique** adj (attention aux accents)

tétralogie nf

tétrarchie nf

tétras nm inv

têtu, e adj (circonflexe sur ê)

texte nm ; **textuel, elle** adj

textile adj ; nm

texture nf

thalamus nm inv

thalassothérapie nf

thaler nm, pl thalers

thalle nm (masculin)

thallium nm, pl thalliums

thallophyte nf (féminin)

thalweg nm, pl thalwegs

thaumaturge n (masculin ou féminin)

thé nm ; **théière** nf

théâtre nm ; **théâtral, e, aux** adj (circonflexe sur â)

thébaïde nf (tréma sur ï)

théisme nm

thème nm ; **thématique** adj (attention aux accents)

thénar nm

théocratie nf

théodicée nf

théodolite nm (masculin)

théogonie nf

théologie nf ; **théologal, e, aux** adj

théorbe ou téorbe nm (masculin)

théorème nm

théorie nf

théosophie nf

thérapeute n (masculin ou féminin) ; **thérapie** ou **thérapeutique** nf

thermal, e, aux adj

thermes nmpl (masculin)

thermidor nm, pl thermidors

thermie nf

thermocautère nm

thermodynamique nf

thermogène adj

thermomètre nm

thermonucléaire adj

thermostat nm

thésauriser vi, vt

thèse nf ; **thésard, e** n (attention aux accents)

thibaude nf

thon nm ; **thonier** nm

thorax nm inv ; **thoracique** adj

thrène nm (masculin)

thriller nm, pl thrillers

thrombine nf

thrombose nf

thuriféraire nm

thuya nm (masculin), pl thuyas

thym nm (plante), pl thyms ≠ tin (pièce de bois) ; **thymol** nm

thymus nm inv ; **thymique** adj

thyroïde adj ; nf (tréma sur ï)

thyrse nm (masculin)

tiare nf

tibia nm, pl tibias ; **tibial, e, aux** adj

tic nm (manie) ≠ tique (animal)

ticket nm, pl *tickets*
tic-tac nm inv
tie-break nm, pl *tie-breaks*
tiède adj ; *tiédir* vt (attention aux accents)
tien, tienne adj poss
tierce nf
tiercé nm
tiercelet nm
tiers, tierce adj ; *tiercer* vt
tiers-point nm, pl *tiers-points*
tif nm (populaire)
tige nf
tignasse nf
tigre nm ; *tigresse* nf
tilbury nm, pl *tilburys*
tilde nm (masculin)
tillac nm
tille ou teille nf
tilleul nm
tilt nm, pl *tilts*
timbale nf
timbre nm
timbre-poste nm, pl *timbres-poste*
timbre-quittance nm, pl *timbres-quittances*
timide adj, n (masculin ou féminin)
timon nm ; *timonerie* nf ; *timonier* nm
timoré, e adj
tin nm (pièce de bois), pl *tins* ≠ *thym* (plante)
tinamou nm, pl *tinamous*
tincal nm, pl *tincals*
tinctorial, e, aux adj
tinette nf
tintamarre nm (masculin)
tinter vt, vi (résonner) ≠ *teinter* (de *teinte*)
tintinnabuler vi, pp *tintinnabulé* inv (avec deux *n*)
tintouin nm
tique nf (animal) ≠ *tic* (manie)
tiquer vi, pp *tiqué* inv
tiqueté, e adj
tir nm ; *tirer* vt
tirade nf
tirailler vt
tirasse nf
tire-au-cul nm inv
tire-au-flanc nm inv
tire-botte nm, pl *tire-bottes*
tire-bouchon nm, pl *tire-bouchons*
tire-clou nm, pl *tire-clous*
tire-d'aile (à) loc adv
tire-fesses nm inv
tire-fond nm inv
tire-laine nm inv
tire-lait nm inv
tire-larigot (à) adv
tire-ligne nm, pl *tire-lignes*
tirelire nf
tiret nm
tiretaine nf
tiroir nm
tiroir-caisse nm, pl *tiroirs-caisses*
tisane nf
tison nm
tisonner vt
tisser vt
tisserand, e n
tissu, e adj
tissu nm

tissu-éponge nm, pl *tissus-éponge*
titan nm ; *titanesque* adj
titane nm (masculin)
titi nm
titiller vt
titre nm ; NOMS DE TITRES → p 26, 34 ; TITRES DE REVUES, DE JOURNAUX, etc → p 17
tituber vi, pp *titubé* inv
titulaire n (masculin ou féminin)
tjäle nm, pl *tjäles* (tréma sur ä)
tmèse nf
toast nm, pl *toasts*
toboggan nm (avec deux *g*)
toc nm
tocante ou toquante nf
tocard, e ou toquard, e adj, n
toccata nf, pl *toccate* ou *toccatas* (avec deux *c*)
tocsin nm
toge nf
tohu-bohu nm inv
toi pr pers
toile nf
toilette nf
toise nf
toiser vt
toison nf
toit nm ; *toiture* nf (pas de circonflexe)
tôle nf (circonflexe sur ô) [feuille de métal] ≠ *tôle* ou *taule* (prison) ; *tôlier, ère* n
tolérer vt ; *tolérance* nf
tolet nm (tourillon) ≠ *tollé* (cri)
tolite nf
tollé nm (cri), pl *tollés* ≠ *tolet* (tourillon)
tolu nm, pl *tolus*
toluène nm ; *toluol* nm
tomahawk nm, pl *tomahawks*
tomate nf
tombe nf ; *tombeau* nm, pl *tombeaux*
tomber vt, vi
tombereau nm, pl *tombereaux*
tombola nf
tome nm (d'un livre) ; *tomaison* nf
tomme ou tome nf (fromage)
tommette ou tomette nf
tommy nm, pl *tommies*
ton adj poss
ton nm ; *tonal, e, als* adj ; *tonalité* nf
tondre vt, pp *tondu, e ; tonte* nf
tonique adj ; nm ; *tonicité* nf
tonitruer vi, pp *tonitrué* inv
tonne nf
tonneau nm, pl *tonneaux* ; *tonnelet* nm ; *tonnelier* (un seul *l*) nm ; *tonnellerie* nf (deux *l*)
tonnelle nf
tonner vi, pp *tonné* inv ; *tonnerre* nm
tonsure nf
tontine nf
tonus nm inv
topaze nf (féminin)
toper vi, pp *topé* inv
topinambour nm
topique adj ; nm
topo nm, pl *topos*
topographie nf
topologie nf
toponymie nf
toquante ou tocante nf

toquard, e ou tocard, e adj, n
toque nf
toquer (se) vpr ; *toquade* nf
torche nf
torcher vt
torchis nm inv
torchon nm ; *torchonner* vt
tord-boyaux nm inv
tordre vt, pp *tordu, e*
tore nm (moulure) ≠ *tors* (tordu) ≠ *tort* (préjudice)
toréador nm, pl *toréadors* ; *toréer* vi ; *torero* nm, pl *toreros* (sans accent)
toril nm
tornade nf
toron nm
torpédo nf, pl *torpédos*
torpeur nf ; *torpide* adj
torpille nf
torréfier vt
torrent nm ; *torrentiel, elle* adj
torride adj
tors, e adj (tordu) ≠ *tort* (préjudice) ≠ *tore* (moulure)
torsade nf
torse nm
torsion nf
tort nm (préjudice) ≠ *tors* (tordu) ≠ *tore* (moulure) ; *se donner tort* → p 43
torticolis nm inv
tortil nm
tortillard nm
tortiller vt
tortionnaire n (masculin ou féminin)
tortue nf
tortueux, euse adj
torture nf
torve adj
tory nm, pl *tories*
tôt adv (circonflexe sur ô)
total, e, aux adj
totalitaire adj
totalité nf
totem nm ; *totémisme* nm (attention à l'accentuation)
toton nm
touareg n (masculin ou féminin), pl *touareg* (le sing étant alors *targui, e*) ou *touaregs*
toubib nm, pl *toubibs*
toucan nm
touche nf
touche-à-tout nm inv
toucher vt ; *toucher* nm
touer vt ; *touée* nf
touffe nf ; *touffu, e* adj
touffeur nf
touiller vt
toujours adv
toundra nf, pl *toundras*
toupet nm
toupie nf
touque nf
tour nf (bâtiment élevé)
tour nm (mouvement circulaire)
touraille nf
tourbe nf
tourbillon nm ; *tourbillonner* vi, pp *tourbillonné* inv
tourdille adj
tourelle nf
touret nm
tourie nf
tourillon nm
tourin nm

tourisme nm; *touriste* n (masculin ou féminin)
tourmaline nf
tourment nm
tourmente nf
tourne-à-gauche nm inv
tournebroche nm
tourne-disque nm, pl *tourne-disques*
tournedos nm inv
tournée nf
tournemain ou **tour de main (en un)** loc adv
tourne-pierre nm, pl *tourne-pierres*
tourner vt
tournesol nm
tourne-vent nm inv
tournevis nm inv
tourniquet nm
tournoi nm
tournois adj inv
tournoyer`vi, pp *tournoyé* inv; *tournoiement* nm
tournure nf
touron nm
tour-opérateur nm, pl *tours-opérateurs*
tourte nf
tourteau nm, pl *tourteaux*
tourtereau nm, pl *tourtereaux*
tout, toute, tous adj → p 33, 34; *tout le monde → p 28*
tout-à-l'égout nm inv
toutefois adv
toute-puissance nf (au sing)
toutou nm, pl *toutous*
tout-petit nm, pl *tout-petits*
tout-puissant, toute-puissance adj, pl *tout-puissants, toutes-puissantes → p 33*
tout-venant nm inv
toux nf inv; *tousser* vi, pp *toussé* inv
toxicologie nf
toxicomanie nf
toxine nf
toxique adj; nm; *toxicité* nf
trac nm, pl *tracs*
tracas nm inv; *tracasser* vt
tracassin nm
trace nf
tracer vt
trachée nf; *trachéal, e, aux* adj
trachée-artère nf, pl *trachées-artères*
trachome nm (masculin) [sans circonflexe]
tract nm
tractations nfpl
tracter vt
trade-union nm (autrefois féminin), pl *trade-unions*
tradition nf; *traditionalisme* nm (un seul *n*); *traditionnel, elle* adj (deux *n*)
traduire vt, pp *traduit, e; traduction* nf
trafic nm; *trafiquer* vt
tragédie nf
tragi-comédie nf, pl *tragi-comédies*
tragi-comique adj, pl *tragi-comiques*
trahir vt; *trahison* nf
train nm
traîne nf (circonflexe sur *i*)

traîneau nm, pl *traîneaux* (circonflexe sur *i*)
traînée nf (circonflexe sur *i*)
traîner vt (circonflexe sur *i*)
traîne-savates nm inv
train-ferry nm, pl *train-ferries*
trainglot ou tringlot nm
training nm
train-train ou traintrain nm inv
traire vt, pp *trait, e*
trait nm
traite nf
traité nm
traiter vt
traître, esse adj, n (circonflexe sur *i*); *traîtreusement* adv; *traîtrise* nf
trajectoire nf
trajet nm
tralala nm, pl *tralalas*
tramail ou trémail nm, pl *tramails, trémails*
trame nf
tramer vt
tramontane nf
trampoline nm (avec un *a*)
tramway ou tram nm, pl *tramways, trams; traminot* nm
tranche nf
tranchée nf
trancher vt
tranquille adj; *tranquillité* nf (avec deux *l*)
transaction nf; *transactionnel, elle* adj
transalpin, e adj
transatlantique adj
transborder vt
transcendant, e adj; *transcendantal, e, aux* adj; *transcendance* nf
transcoder vt
transcrire vt, pp *transcrit, e; transcription* nf
transe nf
transept nm
transférer vt; *transfèrement* nm (attention aux accents)
transfert nm
transfigurer vt
transformer vt; *transformation* nf; *transformationnel, elle* adj
transfuge n (masculin ou féminin)
transfuser vt
transgresser vt
transhumer vi, vt; *transhumance* nf (*h* après *s*)
transiger vi, pp *transigé* inv
transir vt, pp *transi, e*
transistor nm
transit nm
transition nf
translation nf
translucide adj
transmettre vt, pp *transmis, e; transmission* nf
transmigrer vi, pp *transmigré* inv
transmuer vt
transparaître vi (circonflexe sur *i* devant *t*), pp *transparu, e*
transpercer vt
transpirer vi, vt
transplanter vt
transport nm
transposer vt

transsaharien, enne adj (avec deux *s*)
transsonique adj (avec deux *s*)
transsubstantiation nf (avec deux *s*)
transsuder vi (avec deux *s*), pp *transsudé* inv
transvaser vt
transversal, e, aux adj
trapèze nm; *trapézoïdal, e, aux* adj (attention aux accents)
trappe nf
trappeur nm (avec deux *p*)
trapu, e adj (avec un seul *p*)
traquer vt
traquet nm
traumatisme nm; *trauma* nm, pl *traumas; traumatiser* vt
travail nm (activité), pl *travaux; travailler* vt
travail nm (appareil), pl *travails*
travaillisme nm
travée nf
traveller's cheque nm, pl *traveller's cheques*
travelling nm, pl *travellings*
travelo nm, pl *travelos*
travers nm inv
traverse nf
traverser vt
traversin nm
travertin nm
travestir vt
trayon nm
trébucher vi, pp *trébuché* inv
trébuchet nm
tréfiler vt
trèfle nm
tréfonds nm inv
treillage nm
treille nf
treillis nm inv; *treillisser* vt
treize adj num inv; *treizième* adj ord
tréma nm
trémail ou tramail nm, pl *trémails, tramails*
tremate vt
tremble nm (masculin)
trembler vi
trémie nf
trémolo nm, pl *trémolos*
trémousser (se) vpr
trempe nf
tremper vt
tremplin nm
trémulation nf
trench-coat nm, pl *trench-coats*
trente adj num inv; *trentième* adj ord
trente-et-quarante nm inv
trépan nm; *trépaner* vt
trépas nm inv; *trépasser* vi
trépider vi, pp *trépidé* inv
trépied nm
trépigner vi, pp *trépigné* inv
tréponème nm
très adv
trésor nm
tressaillir vi, pp *tressailli* inv
tressauter vi, pp *tressauté* inv
tresse nf
tréteau nm, pl *tréteaux*
treuil nm
trêve nf
tri nm; *trier* vt
triade nf
trial nm, pl *trials*

triangle nm
trias nm inv
tribord nm
tribu nf; *tribal, e, aux* adj
tribulations nfpl
tribun nm
tribunal nm, pl *tribunaux*
tribune nf
tribut nm; *tributaire* adj
tricennal, e, aux adj
tricentenaire nm
triceps nm inv
tricher vti, pp *triché* inv
trichine nf
trichome nm (masculin)
trick nm
triclinium nm, pl *tricliniums*
tricolore adj
tricorne nm
tricot nm
trictrac nm
tricycle nm
trident nm
trièdre adj; nm
triennal, e, aux adj
trier vt
trière ou **trirème** nf
triforium nm, pl *triforiums*
trifouiller vi, pp *trifouillé* inv
trigle nm (masculin)
triglycéride nm
trigone nm (masculin)
trigonométrie nf
trigramme nm (masculin)
trijumeau nm, pl *trijumeaux*
trilatéral, e, aux adj
trilingue adj
trille nm (masculin)
trillion nm
trilogie nf
trimaran nm
trimard nm
trimbaler ou **trimballer** vt (plus fréquent avec un seul *l*)
trimer vi, pp *trimé* inv
trimestre nm; *trimestriel, elle* adj
tringle nf
tringlot ou **trainglot** nm
trinité nf
trinitrine nf
trinitrotoluène nm
trinôme nm (circonflexe sur ô)
trinqueballe ou **triqueballe** nm (masculin)
trinquer vi, pp *trinqué* inv
trinquet nm
trio nm, pl *trios*
triolet nm
triomphe nm; *triompher* vti, pp *triomphé* inv; *triomphal, e, aux* adj
tripaille nf
triparti, e ou **tripartite** adj; *tripartition* nf
tripatouiller vt
tripe nf
triphasé, e adj
triphtongue nf
triple adj; nm
triplet nm
triporteur nm
tripot nm
tripotée nf
tripoter vt
triptyque nm
trique nf

triqueballe ou **trinqueballe** nm (masculin)
trirème ou **trière** nf
trisaïeul, e n, pl *trisaïeuls, es*
trisannuel, elle adj
trismus ou **trisme** nm
trisoc nm
trisser vi, pp *trissé* inv
triste adj
trisyllabe adj
tritium nm, pl *tritiums*
triton nm
triturer vt
triumvir nm, pl *triumvirs; triumviral, e, aux* adj
trivalent, e adj
trivial, e, aux adj
troc nm
trocart nm ou **trois-quarts** nm inv
trochaïque adj (tréma sur *ï*)
trochanter nm, pl *trochanters*
troche ou **troque** nf
trochée nm (métrique)
trochée nf (botanique)
troène nm (accent grave)
troglodyte nm
trogne nf
trognon nm
troïka nf, pl *troïkas* (tréma sur *ï*)
trois adj num inv; *troisième* adj ord
trois-étoiles nm inv
trois-huit nm inv
trois-mâts nm inv
trois-quarts nm inv ou **trocart** nm
trolley nm, pl *trolleys; trolleybus* nm inv
trombe nf
trombidion nm
tromblon nm
trombone nm
trompe nf
trompe-la-mort n (masculin ou féminin) inv
trompe-l'œil nm inv
tromper vt
trompeter vi, vt (un seul *t*)
trompette nf (instrument); nm (musicien); **trompettiste** n (masculin ou féminin)
trompette-de-la-mort ou **trompette-des-morts** nf, pl *trompettes-de-la-mort, trompettes-des-morts*
tronc nm
tronche nf
tronçon nm; *tronçonner* vt
trône nm; *trôner* vti, pp *trôné* inv (circonflexe sur ô)
tronquer vt; *troncation* nf
trop adv; *trop de* → p 29, 47
trope nm (masculin)
trophée nm (masculin)
tropique nm; *tropical, e, aux* adj
tropisme nm
troposphère nf
trop-perçu nm, pl *trop-perçus*
trop-plein nm, pl *trop-pleins*
troque ou **troche** nf
troquer vt
troquet nm
trot nm; *trotter* vi (avec deux *t*)
trotskiste adj, n (masculin ou féminin)
trotte-menu adj inv
trotter vi; *trotte* nf

trottiner vi, pp *trottiné* inv
trottoir nm
trou nm, pl *trous*
troubadour nm
trouble adj; nm
trouble-fête n (masculin ou féminin) inv
trouille nf
troupe nf
troupeau nm, pl *troupeaux*
troupier nm
trousse nf
trousseau nm, pl *trousseaux*
trousse-queue nm inv
troussequin nm (partie d'une selle)
troussequin ou **trusquin** nm (instrument)
trousser vt
trou-trou nm, pl *trou-trous*
trouver vt; *se trouver court* → p 43
trouvère nm
truand, e n (le féminin est rare)
trublion nm
truc nm
truchement nm
trucider vt
truculent, e adj; *truculence* nf
truelle nf
truffe nf
truie nf
truisme nm
truite nf
trumeau nm, pl *trumeaux*
truquer vt; *trucage* ou *truquage* nm; *truqueur, euse* n
trusquin ou **troussequin** nm
trust nm, pl *trusts; truster* vt
trypanosome nm
trypsine nf
tsar ou **tzar** ou **czar** nm, pl *tsars, tzars, czars; tsarévitch* ou **tzarévitch** nm; *tsarine* ou **tzarine** nf
tsé-tsé nf inv
tsigane ou **tzigane** adj
tu, toi, te pr pers
tub nm, pl *tubs*
tuba nm, pl *tubas*
tube nm
tuber vt
tubercule nm (masculin)
tuberculeux, euse adj, n
tubéreux, euse adj
tubérosité nf
tudesque adj
tudieu! interj
tue-mouches adj inv
tuer vt
tue-tête (à) loc adv
tuf nm, pl *tufs*
tuffeau ou **tufeau** nm, pl *tuf(f)eaux*
tuile nf; *tuileau* nm, pl *tuileaux*
tulipe nf
tulle nm
tuméfier vt
tumescent, e adj
tumeur nf; *tumoral, e, aux* adj
tumulaire adj
tumulte nm
tumulus nm inv
tuner nm, pl *tuners*
tungstène nm
tunique nf
tunnel nm
tupi nm (au sing)

turban nm
turbidité nf
turbin nm
turbine nf
turbocompresseur nm
turbomoteur nm
turboréactèur nm
turbot nm
turbulent, e adj; *turbulence* nf
turc, turque adj; *turquerie* nf
turco nm, pl *turcos*
turf nm, pl *turfs*
turgescent, e adj (attention *sc*)
turlupiner vt
turlutte nf

turpitude nf
turquoise nf; adj inv (couleur)
tutelle nf
tuteur, trice n
tutoyer vt; *tutoiement* nm
tutti nm inv
tutti frutti loc adj inv
tutti quanti adv
tutu nm, pl *tutus*
tuyau nm, pl *tuyaux*; *tuyauter* vt
tuyère nf
tweed nm, pl *tweeds*
twin-set nm, pl *twin-sets*
tympan nm
tympanon nm
type nm; *typesse* nf

typhoïde nf (tréma sur *i*)
typhon nm
typhus nm inv
typographie nf
typologie nf
typon nm
typtologie nf
tyran nm; *tyranneau* nm, pl *tyranneaux*; *tyrannie* nf
tyrannosaure nm
tyrosine nf
tzar ou tsar ou czar nm, pl *tzars, tsars, czars*; *tzarévitch* ou *tsarévitch* nm; *tzarine* ou *tsarine* nf
tzigane ou tsigane adj

u

u nm inv
ubac nm, pl *ubacs*
ubiquité nf
ubuesque adj
uhlan nm
ukase ou **oukase** nm, pl *ukases, oukases*
ulcère nm; *ulcérer* vt (attention aux accents)
uléma ou **ouléma** nm, pl *ulémas, oulémas*
ulmaire nf
ultérieur, e adj
ultimatum nm, pl *ultimatums*
ultime adj
ultra nm, pl *ultras*
ultracentrifugeuse nf
ultracourt, e adj
ultramontain, e adj
ultra-petita nm inv
ultraroyaliste n (masculin ou féminin)
ultrason nm
ultraviolet, ette adj
ultravirus nm inv
ululer ou **hululer** vi, pp *ululé, hululé*
un, une art indéf; *un des* → p 38, 46, *l'un et l'autre, l'un ou l'autre, ni l'un ni l'autre* → p 45; *unième* adj ord (après *et* et à la suite des dizaines, des centaines, etc)
unanime adj
unau nm, pl *unaus*
underground nm inv

unguéal, e, aux adj
uni, e adj; *uniment* adv
uniate n (masculin ou féminin)
unicellulaire adj
unicolore adj
unidirectionnel, elle adj
unifier vt
uniforme adj; nm
unijambiste n (masculin ou féminin)
unilatéral, e, aux adj
unilingue adj
uniloculaire adj
uniment adv
union nf; *unionisme* nm
unique adj; *unicité* nf
unir vt
unisexe adj
unisexuel, elle ou **unisexué, e** adj
unisson nm
unité nf
univalve adj
univers nm inv; *universel, elle* adj; *universalité* nf; *universaux* nmpl
université nf
univoque adj; *univocité* nf
untel, unetelle n
upériser vt
uppercut nm, pl *uppercuts* (avec deux *p*)
upsilon nm, pl *upsilons*
uraète nm
uranium nm, pl *uraniums*
urate nm
urbain, e adj; *urbanisme* nm

urée nf; *urémie* nf
uretère nm (masculin); *urétéral, e, aux* adj (attention aux accents)
urètre nm; *urétral, e, aux* adj (attention aux accents)
urgent, e adj; *urger* vi, pp *urgé* inv
uricémie nf
urine nf; *urinal* nm, pl *urinaux*; *urinaire* adj; *urinoir* nm
urique adj
urne nf
urobiline nf
urodèle nm (masculin)
urologie nf
urticaire nf (féminin)
urticant, e adj
us nmpl
usage nm
user vt
usine nf
usité, e adj
ustensile nm (masculin)
usuel, elle adj
usufruit nm
usure nf; *usuraire* adj; *usurier, ère* n
usurper vt
ut nm inv
utérus nm inv; *utérin, e* adj
utile adj; *utilité* nf
utopie nf
uval, e, aux adj
uvule nf
uxorilocal, e, aux adj.

V

v nm inv
va ! interj
vacance nf (vide, manque); *vacances* nfpl (congé); *vacant, e* adj ≠ *vaquant* pprés du v *vaquer*
vacarme nm
vacation nf
vaccin nm; *vacciner* vt
vache nf
vacherin nm
vaciller vi, pp *vacillé* inv
vacuité nf
vade-mecum nm inv
vadrouille nf
va-et-vient nm inv
vagabond, e adj, n
vagin nm; *vaginal, e, aux* adj
vagir vi, pp *vagi* inv
vague adj; *vaguement* adv
vague nf; *vaguelette* nf
vaguemestre nm
vaguer vi, pp *vagué* inv
vahiné nf (pas de e après é)
vaillant, e adj; *vaillamment* adv
vain, e adj; *vanité* nf
vaincre vt, pp *vaincu, e; vainqueur* adj inv en genre; nm
vair nm (fourrure) ≠ *ver* (animal)
vairon nm; adj m
vaisseau nm, pl *vaisseaux*
vaisselle nf (avec deux *l*); *vaisselier* nm (avec un *l*)
val nm, pl *vals* sauf dans *par monts et par vaux*
valence nf
valenciennes nf
valériane nf
valet nm; *valetaille* nf
valétudinaire adj
valeur nf
valgus adj m inv; *valga* adj f
valide adj
vallée nf
vallon nm; *vallonné, e* adj
valoir vt, pp *valu, e* → p 39
valoriser vt
valse nf
valve nf
valvule nf
vamp nf; *vamper* vt
vampire nm
van nm
vanadium nm, pl *vanadiums*
vandale n (masculin ou féminin)
vanesse nf
vanille nf
vanité nf
vanne nf
vanneau nm, pl *vanneaux*
vanner vt
vannier nm; *vannerie* nf
vantail nm, pl *vantaux*
vanter vt
va-nu-pieds n (masculin ou féminin) inv

vapes nfpl
vapeur nf (gaz); *vaporeux, euse* adj
vapeur nm (bateau)
vaquer vi, pp *vaqué* inv; *vacant, e* adj ≠ *vaquant* pprés du v
varan nm
varangue nf
varappe nf (avec deux *p*)
varech nm, pl *varechs*
vareuse nf
varice nf; *variqueux, euse* adj
varicelle nf
varicocèle nf
varié, e adj
varier vt; *variation* nf
variole nf
varlope nf (féminin)
varus adj m inv; *vara* adj f
vasculaire adj
vase nf (boue)
vase nm (récipient)
vaseline nf
vasistas nm inv
vasoconstricteur, trice adj
vasodilatateur, trice adj
vasomoteur, trice adj
vasque nf
vassal, e, aux n
vaste adj
vaticiner vi, pp *vaticiné* inv
va-tout nm inv
vaudeville nm
vaudou adj inv; nm, pl *vaudous*
vau-l'eau (à) loc adv
vaurien, enne adj
Vaurien nm (nom déposé) [bateau]
vautour nm
vautrer (se) vpr
va-vite (à la) loc adv
veau nm, pl *veaux*
vecteur adj m; *vectoriel, elle* adj
vedette nf; *vedettariat* nm
védique adj
végétal, e, aux adj
végétarien, enne n
végéter vi, pp *végété* inv
véhément, e adj; *véhémence* nf
véhicule nm
veille nf; *veillée* nf; *veilleur, euse* n
veine nf (vaisseau sanguin); *veiner* vt
veine nf (chance); *veinard, e* n, adj, n
vélaire adj; nf
vélani nm, pl *vélanis*
vêler vi (circonflexe sur ê)
vélique adj
vélite nm (masculin)
velléité nf
vélo nm, pl *vélos*
véloce adj

vélodrome nm
vélomoteur nm
velours nm inv; *velouter* vt
velu, e adj
vélum nm, pl *vélums*
venaison nf
vénal, e, aux adj
venant (à tout) loc adv
vendange nf
vendémiaire nm, pl *vendémiaires*
vendetta nf, pl *vendettas*
vendre vt, pp *vendu, e*
vendredi nm, pl *vendredis* → p 14
venelle nf
vénéneux, euse adj
vénérer vt
vénérien, enne adj
veneur nm; *vénerie* nf (attention à l'accentuation)
venger vt; *vengeur* nm; *vengeresse* nf
véniel, elle adj
venin nm; *venimeux, euse* adj
venir vi, pp *venu, e; venue* nf
vent nm; *venter* vt; *venteux, euse* adj
ventail nm ou **ventaille** nf, pl *ventaux, ventailles*
vente nf
ventôse nm, pl *ventôses* (circonflexe sur ô)
ventouse nf
ventre nm; *ventral, e, aux* adj
ventre-de-biche adj inv
ventricule nm
ventriloque n (masculin ou féminin)
ventripotent, e adj
vénus nf inv
vêpres nfpl (circonflexe sur ê)
ver nm (animal) ≠ *vair* (fourrure) ≠ *verre* (matière) ≠ *vert* (couleur)
véracité nf
véraison nf
véranda nf, pl *vérandas*
verbe nm; *verbal, e, aux* adj
verbeux, euse adj; *verbosité* nf
verdet nm
verdict nm
verdoyer vi, pp *verdoyé* inv; *verdoiement* nm
verdure nf
véreux, euse adj
verge nf
vergé, e adj
verger nm
vergeté, e adj; *vergetures* nfpl
verglas nm inv; *verglacer* vi (avec un *c*)
vergogne nf
vergue nf
véridique adj
vérifier vt

vérin nm
vérité nf
verjus nm inv ; *verjuté, e* adj
vermeil, eille adj
vermicelle nm (masculin)
vermicide adj
vermiculaire adj
vermifuge adj
vermiller vi
vermillon nm ; adj inv (couleur)
vermillonner vi
vermine nf
vermis nm inv
vermisseau nm, pl *vermisseaux*
vermoulu, e adj
vermouth nm, pl *vermouths*
vernaculaire adj
vernal, e, aux adj
vernir vt ; *vernis* nm inv ; *vernisser* vt
vérole nf
véronique nf
verrat nm
verre nm (matière) ≠ *ver* (animal) ≠ *vert* (couleur), *verrière* nf ; *verroterie* nf
verrou nm, pl *verrous* ; *verrouiller* vt
verrue nf ; *verruqueux, euse* adj
vers nm inv
vers prép
versant nm
versatile adj
verse (à) loc adv
versé, e adj
verseau nm, pl *verseaux*
verser vt
verset nm
versifier vt
version nf
vers-libriste n (masculin ou féminin), pl *vers-libristes*
verso nm, pl *versos*
verste nf
vert, e adj ; *vert* nm ; *verdâtre* adj ; *verdir* vt
vert-de-gris nm inv
vertèbre nf ; *vertébral, e, aux* adj ; *vertébré* nm (attention aux accents)
vertex nm inv
vertical, e, aux adj ; *verticale* nf (ligne) ; *vertical* nm (astronomie)
vertige nm ; *vertigineux, euse* adj
vertigo nm, pl *vertigos*
vertu nf
vertugadin nm
verve nf
verveine nf
vésanie nf
vésical, e, aux adj
vésicant, e adj
vésicule nf (féminin)
vesou nm, pl *vesous*
vespasienne nf
vespéral, e, aux adj
vesse-de-loup nf, pl *vesses-de-loup*
vessie nf
vestale nf
veste nf
vestiaire nm
vestibule nm
vestige nm
veston nm

vêtement nm ; *vestimentaire* adj (attention à l'accentuation)
vétéran nm
vétérinaire n (masculin ou féminin)
vétille nf
vêtir vt (circonflexe sur ê), pp *vêtu, e*
vétiver nm, pl *vétivers*
veto nm inv
vétuste adj
veuf nm ; *veuve* nf
veule adj
vexer vt
vexille nm
via prép
viable adj
viaduc nm
viager, ère adj ; *viager* nm
viande nf
viatique nm (masculin)
vibrer vi, vt
vibrion nm
vicaire nm ; *vicariat* nm
vicariance nf
vice nm (défaut) ≠ *vis* (clou) ; *vicier* vt
vice-amiral nm, pl *vice-amiraux*
vice-consul nm, pl *vice-consuls*
vicennal, e, aux adj
vice-président, e n (masculin ou féminin), pl *vice-présidents, es*
vice-recteur nm, pl *vice-recteurs*
vice-roi nm, pl *vice-rois*
vice-royauté nf, pl *vice-royautés*
vicésimal, e, aux adj
vice versa loc adv
vichy nm, pl *vichys*
vicinal, e, aux adj
vicissitude nf
vicomte nm ; *vicomtesse* nf ; *vicomté* nf (féminin)
victime nf (féminin)
victoire nf ; *victorieux, euse* adj
victoria nm (masculin) [plante], pl *victorias*
victoria nf (féminin) [voiture], pl *victorias*
victuailles nfpl
vidame nm
vidange nf
vide adj ; nm
vide-bouteille nm, pl *vide-bouteilles*
vide-cave nm inv
vidéo nf, pl *vidéos* ; adj inv
vidéocassette nf
vidéodisque nm
vide-ordures nm inv
vide-poches nm inv
vide-pomme nm inv
vider vt
viduité nf
vie nf
vielle nf
vierge nf
vieux, vieil (au sing seulement et devant un voyelle ou un *h* muet), vieille adj ; *vieux* nm ; *vieille* nf ; *vieillard* nm ; *vieillesse* nf ; *vieillir* vt ; *vieillot, otte* adj
vif, vive adj
vif-argent nm, pl *vifs-argents*
vigie nf (féminin) → p 6
vigilant, e adj ; *vigilance* nf
vigile nf (fête) [féminin]

vigile nm (garde) [masculin]
vigne nf ; *vigneron, onne* n ; *vignoble* nm
vigneau ou *vignot* nm, pl *vigneaux, vignots*
vignette nf
vigogne nf
vigueur nf ; *vigoureux, euse* adj
viguier nm
vil, e adj
vilain, e adj
vilebrequin nm
vilipender vt (un seul *l*)
villa nf, pl *villas*
village nm
villanelle nf
ville nf ; NOMS DE VILLES → p 7 et 17, 18
ville-champignon nf, pl *villes-champignons*
ville-dortoir nf, pl *villes-dortoirs*
villégiature nf
villeux, euse adj ; *villosité* nf
vin nm ; *viner* vt
vinaigre nm ; *vinaigrette* nf
vindicatif, ive adj
vindicte nf
vingt adj num inv → p 31 ; *vingtième* adj ord ; *vingtaine* nf
vinyle nm (masculin)
viol nm ; *violer* vt
viole nf (instrument)
violent, e adj ≠ *violant* pprés du v *violer* ; *violemment* adv ; *violence* nf
violet, ette adj
violette nf
violine nf
violon nm ; *violoniste* n (masculin ou féminin) [un seul *n*]
violoncelle nm ; *violoncelliste* n (masculin ou féminin)
viorne nf
vipère nf ; *vipereau* ou *vipéreau* nm, pl *vipereaux, vipéreaux* ; *vipérin, e* adj (attention aux accents)
virage nm
virago nf, pl *viragos*
viral, e, aux adj
virelai nm, pl *virelais*
virer vt
virevolte nf
virginal nm (clavecin), pl *virginals*
virginal, e, aux adj (vierge)
virginie nm
virginité nf
virgule nf
viril, e adj
virilocal, e, aux adj
virole nf
virtuel, elle adj ; *virtualité* nf
virtuose n (masculin ou féminin)
virulent, e adj
virure nf
virus nm inv
vis nf inv (clou) ≠ *vice* (défaut) ; *visser* vt
visa nm, pl *visas*
visage nm
vis-à-vis loc adj ; nm inv
viscache nf
viscère nm (masculin) ; *viscéral, e, aux* adj (attention aux accents)
viscose nf
visée nf

viser vt
visible adj
visière nf
vision nf; *visionnaire* adj
visite nf
vison nm
visqueux, euse adj; *viscosité* nf
visuel, elle adj; *visualiser* vt
vital, e, aux adj
vitamine nf
vite adv
vitellus nm inv; *vitellin, e* adj
(avec deux *l*)
viticole adj
vitrail nm, pl *vitraux*
vitre nf
vitreux, euse adj
vitrifier vt
vitrine nf
vitriol nm
vitupérer vt, vti
vivace adj
vivandier, ère n
vivarium nm, pl *vivariums*
vivat nm, pl *vivats*
vive nf (poisson)
vive ! interj → p 44
vive-eau nf, pl *vives-eaux*
viveur, euse n
vivier nm
vivifier vt
vivipare adj
vivisection nf
vivre vi, pp *vécu, e* → p 39;
vivres nmpl (masculin); *vivo-
ter* vi, pp *vivoté* inv
vizir nm, pl *vizirs*
vlan ! interj
vocable nm
vocal, e, aux adj
vocalise nf (féminin)
vocalisme nm
vocatif nm
vocation nf
voceratrice nf (sans accent)
vocero nm, pl *voceri* (sans
accent)
vociférer vi, vt
vodka nf, pl *vodkas*
vœu nm, pl *vœux*

vogue nf
voguer vi, pp *vogué* inv
voici, voilà prép
voie nf (chemin) ≠ *voix* (son)
voile nm (étoffe)
voile nf (de bateau)
voiler vt
voilette nf
voir vt, pp *vu, e* → p 36; *voyant,
e* adj
voire adv
voirie nf (pas de *e* avant le *r*)
voisin, e adj, n
voiture nf
voiture-restaurant nf, pl *voi-
tures-restaurants*
voix nf (son) ≠ *voie* (chemin)
vol nm (oiseau) *voler* vi; *vole-
ter* vi, pp *voleté* inv
vol nm (délit); *voler* vt
volaille nf
volant nm
volatil, e adj
volatile nm (oiseau) [masculin]
vol-au-vent nm inv
volcan nm
volcanologie ou vulcanologie nf
vole nf (levées aux cartes)
volée nf
volet nm
volière nf
volige nf (féminin)
volitif, ive adj
volley-ball nm, pl *volley-balls*;
volleyeur, euse n
volonté nf
volontiers adv
volt nm, pl *volts* (électricité) ≠
volte (équitation)
voltage nm
volte nf (équitation) ≠ *volt* (électricité)
volte-face nf inv (féminin)
voltige nf
voltiger vi, pp *voltigé* inv
volubile adj
volubilis nm inv
volume nm; *volumineux, euse*
adj
volupté nf; *voluptueux, euse*
adj

volute nf (féminin)
volve nf
volvulus nm inv (masculin)
vomer nm, pl *vomers*
vomique adj
vomir vt
vomitoire nm
vorace adj
vortex nm inv
vos adj poss
vote nm
votif, ive adj
votre adj poss
vôtre pr poss (circonflexe sur ô)
vouer vt
vouloir vt, pp *voulu, e* → p 41
vous pr pers → p 28
voussoir nm
voussure nf
voûte nf (circonflexe sur û; de
même dans les dérivés : *voû-
tain* nm; *voûter* vt)
vouvoyer vt; *vouvoiement* nm
vouvray nm
voyage nm; *voyager* vi, pp
voyagé inv
voyant, e adj, n; *voyeur, euse*
n; *voyeurisme* nm
voyelle nf
voyer adj m
voyou nm, pl *voyous*
vrac nm (au sing)
vrai, e adj; *vraiment* adv
vraisemblable adj; *vraisem-
blance* nf (un seul *s*)
vrille nf
vrombir vi, pp *vrombi* inv
vue nf
vulcain nm
vulcaniser vt
vulcanologie ou volcanologie nf
vulgaire adj
vulgum pecus nm inv
vulnérable adj
vulnéraire adj; nm (médi-
cament)
vulnéraire nf (plante)
vulpin nm
vultueux, euse adj
vulve nf

w x y z

w nm inv
wagon nm ; *wagonnet* nm
wagon-citerne nm, pl *wagons-citernes*
wagon-lit nm, pl *wagons-lits*
wagon-poste nm, pl *wagons-poste*
wagon-restaurant nm, pl *wagons-restaurants*
Walkman nm (nom déposé), pl *Walkmans*
walk-over nm inv
wallaby nm, pl *wallabies*
wallingant, e n
wapiti nm, pl *wapitis*
warrant nm, pl *warrants*
wassingue nf, pl *wassingues*
water-ballast nm, pl *water-ballasts*
water-closet nm ou **waters** nmpl, pl *water-closets*
wateringue nf, pl *wateringues*
water-polo nm, pl *water-polos*
watt nm, pl *watts*
wattman, pl *wattmen*
week-end nm, pl *week-ends*
welter nm, pl *welters*
western nm, pl *westerns*
wharf nm, pl *wharfs*
whig nm, pl *whigs*
whisky nm, pl *whiskies* ou *whiskys*
whist nm, pl *whists*
white-spirit nm, pl *white-spirit(s)*
wigwam nm, pl *wigwams*
wilaya ou **willaya** nf, pl *wilayas, willayas*
wishbone nm, pl *wishbones*
wolfram nm, pl *wolframs*
x nm inv
xanthome nm (masculin)
xanthophylle nf (féminin)
xénophobe adj, n (masculin ou féminin)
xérès nm inv
xérus nm inv
ximenia nm (masculin), pl *ximenias* (sans accent)

xiphoïde adj (tréma sur *i*)
xiphophore nm (masculin)
xylène nm (masculin)
xylophone nm
xyste nm (masculin)
y nm inv
y adv ; pr pers
yacht nm, pl *yachts*
yacht-club nm, pl *yacht-clubs*
yachting nm, pl *yachtings*
yachtman ou **yachtsman** nm, pl *yachtmen, yachtsmen*
yack ou **yak** nm, pl *yacks, yaks*
yankee n (masculin ou féminin), pl *yankees*
yaourt ou **yogourt** nm, pl *yaourts, yogourts*
yard nm, pl *yards*
yatagan nm
yawl nm
yearling nm, pl *yearlings*
yèble ou **hièble** nf (féminin)
yen nm, pl *yens*
yeoman nm, pl *yeomen*
yeuse nf
yeux nmpl
yiddish nm inv
yfang-ylang ou **ilang-ilang** nm, pl *ylangs-ylangs, ilangs-ilangs*
yod nm, pl *yods*
yoga nm, pl *yogas* ; *yogi* nm, pl *yogis*
yogourt ou **yaourt** nm, pl *yogourts, yaourts*
yole nf
yourte nf
youyou nm, pl *youyous*
ypérite nf
ypréau nm, pl *ypréaux*
ysopet nm
yttrium nm, pl *yttriums*
yucca nm (masculin), pl *yuccas*
z nm inv
zabre nm (masculin)
zakouski nfpl (féminin)
zarzuela nf (féminin), pl *zarzuelas*

zazou adj (inv en genre), n (masculin ou féminin), pl *zazous*
zèbre nm ; *zébrer* vt (attention aux accents)
zébu nm, pl *zébus*
zèle nm ; *zélé, e* adj (attention aux accents)
zélote nm
zen nm, pl *zens*
zénith nm ; *zénithal, e, aux* adj
zéphyr nm
zeppelin nm
zéro nm, pl *zéros*
zeste nm
zeugma nm, pl *zeugmas*
zézayer vi, pp zézayé inv ; *zézaiement* nm
zibeline nf
zieuter vt
ziggourat nf (féminin), pl *ziggourats*
zigzag nm ; *zigzaguer* vi, pp *zigzagué* inv, *zigzagant* ≠ zigzaguant pprés du v
zinc nm, pl *zincs* ; *zinguer* vt
zinnia nm (masculin), pl *zinnias*
zinzin adj inv
zirconium nm, pl *zirconiums*
zizanie nf
zizi nm, pl *zizis*
zizyphe nm (masculin)
zloty nm, pl *zlotys*
zodiaque nm (masculin) ; *zodiacal, e, aux* adj
zoé nf, pl *zoés*
zombie nm (masculin)
zona nm, pl *zonas*
zone nf
zoo nm, pl *zoos*
zoologie nf
zorille nm
zouave nm
zozoter vi, pp zozoté inv
zut ! interj
zygote nm (masculin)
zymase nf
zythum nm, pl *zythums*

Pays, régions, provinces

Les adjectifs dérivés commencent par une minuscule et les noms dérivés commencent par une majuscule (→ p 62).

Abyssinie	*abyssin, e*
Acadie	*acadien, enne*
Afghânistân	*afghan, e*
Afrique	*africain, e*
Afrique du Nord	*nord-africain, e*
Afrique du Sud	*sud-africain, e*
Afrique et Asie	*afro-asiatique*
Albanie	*albanais, e*
Algérie	*algérien, enne*
Allemagne	*allemand, e*
Alpes	*alpin, e*
Alsace	*alsacien, enne*
Amérique	*américain, e*
Amérique du Nord	*nord-américain, e*
Amérique du Sud	*sud-américain, e*
Andalousie	*andalou, se*
Andes	*andin, e*
Andorre	*andorran, e*
Angleterre	*anglais, e*
Angola	*angolais, e*
Anjou	*angevin, e*
Annam	*annamite*
Antilles	*antillais, e*
Appalaches	*appalachien, enne*
Aquitaine	*aquitain, e*
Arabie	*arabe*
Arabie Saoudite	*saoudien, enne*
Aragon	*aragonais, e*
Ardenne	*ardennais, e*
Argentine	*argentin, e*
Ariège	*ariégeois, e*
Arménie	*arménien, enne*
Armorique	*armoricain, e*
Artois	*artésien, enne*
Asie	*asiate, asiatique*
Assyrie	*assyrien, enne*
Asturies	*asturien, enne*
Australie	*australien, enne*
Autriche	*autrichien, enne*
Auvergne	*auvergnat, e*
Azerbaïdjan	*azerbaïdjanais, e*
Bade	*badois, e*
Bali	*balinais, e*
Baltique (mer)	*balte ou baltique*
Basque (pays)	*basque, basquaise*
Bavière	*bavarois, e*
Béarn	*béarnais, e*
Beauce	*beauceron, onne*
Belfort (t. de)	*belfortain, e*
Belgique	*belge*
Bengale	*bengali ou bengalais, e*
Bermudes	*bermudien, enne*
Berry	*berrichon, onne*
Birmanie	*birman, e*

Biscaye	*biscaïen, enne*
Bithynie	*bithynien, enne*
Bolivie	*bolivien, enne*
Bosnie	*bosnien, enne ou bosniaque*
Bourgogne	*bourguignon, onne*
Brabant	*brabançon, onne*
Brandebourg	*brandebourgeois, e*
Brésil	*brésilien, enne*
Bresse	*bressan, e*
Bretagne	*breton, onne*
Brie	*briard, e*
Bulgarie	*bulgare*
Calabre	*calabrais, e*
Californie	*californien, enne*
Camargue	*camarguais, e*
Cambodge	*cambodgien, enne*
Cameroun	*camerounais, e*
Canada	*canadien, enne*
Canaries	*canarien, enne*
Castille	*castillan, e*
Catalogne	*catalan, e*
Caucase	*caucasien, enne*
Centrafricaine (rép.)	*centrafricain, e*
Cerdagne	*cerdan, e*
Cévennes	*cévenol, e*
Ceylan	*cingalais, e*
Champagne	*champenois, e*
Charente	*charentais, e*
Charolais	*charolais, e*
Chili	*chilien, enne*
Chine	*chinois, e*
Chypre	*chypriote ou cypriote*
Colombie	*colombien, enne*
Congo	*congolais, e*
Corée	*coréen, enne*
Corfou	*corfiote*
Corse	*corse*
Costa Rica	*costaricien, enne*
Côte-d'Ivoire	*ivoirien, enne*
Crète	*crétois, e*
Creuse	*creusois, e*
Croatie	*croate*
Cuba	*cubain, e*
Dahomey	*dahoméen, enne*
Dalmatie	*dalmate*
Danemark	*danois, e*
Danube	*danubien, enne*
Dauphiné	*dauphinois, e*
Délos	*délien, enne ou déliaque*
Dominicaine (rép.)	*dominicain, e*
Écosse	*écossais, e*
Égée (mer)	*égéen, enne*

Égypte	*égyptien, enne*
Équateur	*équatorien, enne*
Espagne	*espagnol, e*
Estonie	*estonien, enne*
États-Unis d'Amérique →	*Amérique*
Éthiopie	*éthiopien, enne*
Étrurie	*étrusque*
Europe	*européen*
Fidji (îles)	*fidjien*
Finlande	*finlandais, e*
Flandre	*flamand, e*
Formose	*formosan, e*
France	*français, e*
Franche-Comté	*franc-comtois, e*
Frise	*frison, onne*
Gabon	*gabonais, e*
Galice (Espagne)	*galicien, enne*
Galicie (Pologne)	*galicien, enne*
Galilée	*galiléen, enne*
Galles (pays de)	*gallois, e*
Gambie	*gambien, enne*
Gascogne	*gascon, onne*
Géorgie	*géorgien, enne*
Ghâna	*ghanéen, enne*
Gironde	*girondin, e*
Grande-Bretagne	*britannique*
Grèce	*grec, grecque*
Grisons	*grison, onne*
Groenland	*groenlandais, e*
Guadeloupe	*guadeloupéen, enne*
Guatemala	*guatémaltèque*
Guinée	*guinéen, enne*
Guyane	*guyanais, e*
Hainaut	*hainuyer* ou *hennuyer, ère*
Haïti	*haïtien, enne*
Haute-Volta	*voltaïque*
Hawaii	*hawaiien, enne*
Hesse	*hessois, e*
Himalaya	*himalayen, enne*
Hollande	*hollandais, e*
Honduras	*hondurien, enne*
Hongrie	*hongrois, e* ou *magyar, e*
Illyrie	*illyrien, enne*
Inde	*indien, enne*
Indochine	*indochinois, e*
Indonésie	*indonésien, enne*
Irak ou Iraq	*irakien, enne* ou *iraqien, enne*
Iran	*iranien, enne*
Irlande	*irlandais, e*
Islande	*islandais, e*
Isère	*isérois, e* ou *iseran, e*
Israël	*israélien, enne*
Italie	*italien, enne*
Jamaïque	*jamaïquain, e*
Japon	*japonais, e* ou *nippone* ou *-onne*
Java	*javanais, e*
Jersey	*jersiais, e*
Jordanie	*jordanien, enne*
Jura	*jurassien, enne*
Kabylie	*kabyle*
Kazakhstan	*kazakh*
Kenya	*kenyen, enne*
Kirghizistan	*kirghiz, e*

Koweït	*koweïtien, enne*
Kurdistan	*kurde*
Labrador	*labradorien, enne*
Landes	*landais, e*
Languedoc	*languedocien, enne*
Laos	*laotien, enne*
Laponie	*lapon, laponne* ou *lapone*
Léon (Bretagne)	*léonard, e*
Léon (Espagne)	*léonais, e*
Lettonie	*letton, lettonne* ou *lettone*
Levant	*levantin, e*
Liban	*libanais, e*
Libéria	*libérien, enne*
Libye	*libyen, enne*
Ligurie	*ligurien, enne*
Limousin	*limousin, e*
Lituanie	*lituanien, enne*
Lombardie	*lombard, e*
Lorraine	*lorrain, e*
Louisiane	*louisianais, e*
Luxembourg	*luxembourgeois, e*
Macédoine	*macédonien, enne*
Madagascar	*malgache*
Madère	*madérien, enne* ou *madérois, e*
Maghreb	*maghrébin, e*
Majorque	*majorquin, e*
Malaisie	*malais, e*
Mali	*malien, enne*
Malte	*maltais, e*
Mandchourie	*mandchou, e*
Maroc	*marocain, e*
Marquises (îles)	*marquisien, enne* ou *marquésan, anne*
Martinique	*martiniquais, e*
Maurice (île)	*mauricien, enne*
Mauritanie	*mauritanien, enne*
Méditerranée	*méditerranéen, enne*
Mélanésie	*mélanésien, enne*
Mexique	*mexicain, e*
Minorque	*minorquin, e*
Moldavie	*moldave*
Monaco (princ.)	*monégasque*
Mongolie	*mongol, e*
Monténégro	*monténégrin, e*
Moravie	*morave*
Morvan	*morvandeau, elle*
Moselle	*mosellan, e*
Navarre	*navarrais, e*
Népal	*népalais, e*
Nicaragua	*nicaraguayen, enne*
Niger	*nigérien, enne*
Nigéria	*nigérian, e*
Normandie	*normand, e*
Norvège	*norvégien, enne*
Nouvelle-Calédonie	*néo-calédonien, enne*
Nouvelle-Guinée	*néo-guinéen, enne*
Nouvelles-Hébrides	*néo-hébridais, e*
Nouvelle-Zélande	*néo-zélandais, e*
Nubie	*nubien, enne*
Occitanie	*occitanien, enne*
Océanie	*océanien, enne*
Ombrie	*ombrien, enne*
Ouganda	*ougandais, e*
Oural	*ouralien, enne*

Ouzbékistan	*ouzbek, e*
Pakistan	*pakistanais, e*
Palestine	*palestinien, enne*
Panamá	*panaméen, enne*
Papouasie	*papou, e*
Paraguay	*paraguayen, enne*
Patagonie	*patagon, onne*
Pays-Bas	*néerlandais, e*
Péloponnèse	*péloponnésien, enne*
Pennsylvanie	*pennsylvanien, enne*
Perche	*percheron, onne*
Périgord	*périgourdin, e*
Pérou	*péruvien, enne*
Perse	*persan, e* ou *perse*
Phénicie	*phénicien, enne*
Philippines	*philippin, e*
Picardie	*picard, e*
Piémont	*piémontais, e*
Poitou	*poitevin, e*
Pologne	*polonais, e*
Polynésie	*polynésien, enne*
Porto Rico	*portoricain, e*
Portugal	*portugais, e*
Provence	*provençal, e, aux*
Prusse	*prussien, enne*
Pyrénées	*pyrénéen, enne*
Québec	*québécois, e*
Ré (île de)	*rétais, e*
Réunion (île de la)	*réunionnais, e*
Rhénanie, Rhin	*rhénan, e*
Rhodes (île de)	*rhodien, enne*
Rhodésie	*rhodésien, enne*
Rhône	*rhodanien, enne*
Roumanie	*roumain, e*
Roussillon	*roussillonnais, e*
Ruanda	*ruandais, e*
Russie	*russe*
Sahara	*saharien, enne*
Sahara occ.	*sahraoui, e*
Salvador	*salvadorien, enne*
Samarie	*samaritain, e*
Samoa	*samoan, e*
Sardaigne	*sarde*
Sarre	*sarrois, e*
Sarthe	*sarthois, e*
Savoie	*savoyard, e*
Saxe	*saxon, onne*
Scandinavie	*scandinave*
Sénégal	*sénégalais, e*
Serbie	*serbe*
Sibérie	*sibérien, enne*
Sicile	*sicilien, enne*
Silésie	*silésien, enne*
Slovaquie	*slovaque*
Slovénie	*slovène*
Sologne	*solognot, e*
Somalie	*somali, e* ou *somalien, enne*
Soudan	*soudanais, e*
Sri Lanka →	*Ceylan*
Suède	*suédois, e*
Suisse	*suisse, suissesse* ou *helvétique*
Syrie	*syrien, enne*
Tahiti	*tahitien, enne*
Tanzanie	*tanzanien, enne*
Tasmanie	*tasmanien, enne*
Tchad	*tchadien, enne*
Tchécoslovaquie	*tchécoslovaque* ou *tchèque*
Texas	*texan, e*
Thaïlande	*thaïlandais, e*
Thessalie	*thessalien, enne*
Tibet	*tibétain, e*
Togo	*togolais, e*
Toscane	*toscan, e*
Touraine	*tourangeau, elle*
Tunisie	*tunisien, enne*
Turquie	*turc, turque*
Tyrol	*tyrolien, enne*
Ukraine	*ukrainien, enne*
U.R.S.S.	*soviétique*
Uruguay	*uruguayen, enne*
Valais	*valaisan, anne*
Vaud	*vaudois, e*
Vendée	*vendéen, enne*
Venezuela	*vénézuélien, enne*
Viêt-nam	*vietnamien, enne*
Vosges	*vosgien, enne*
Wallonie	*wallon, onne*
Yémen	*yéménite*
Yougoslavie	*yougoslave*
Zaïre	*zaïrois, e*

Photocomposition M.C.P. — Fleury-les-Aubrais.

 Imprimerie Hérissey à Évreux (Eure) — N° 47151
Dépôt légal : Mai 1982 — N° de série Éditeur 15081
Imprimé en France *(Printed in France)* — 800 013 — Avril 1989